解説 法人税法

第6版

東北学院大学経営学部教授　小池和彰
税理士法人小池事務所代表社員
税理士　齊藤真紀　共著

税務経理協会

第6版刊行に当たって

　前回の「解説 法人税法」第5版と今回の第6版の違いとしては，グループ通算制度をあげなければなりません。

　連結納税制度が，グループ通算制度に移行することになりました。グループ通算制度とは，完全支配関係にある企業グループ内の各法人を納税単位として，各法人が個別に法人税額の計算及び申告を行い，その中で，損益通算等の調整を行う制度です。平成14年度の連結納税制度の創設以降，損益通算等の有効利用により企業グループの一体的経営が進展しました。

　しかしながら，経営が多様化して必要な情報が必ずしも親法人に集約していない，税額計算が煩雑である，修正や更正があった場合にグループ全体で再計算が必要になるなどの問題があり，損益通算等のメリットがあるにもかかわらず，制度を選択していない企業が多くありました。

　そこで，損益通算の仕組みを維持しつつ簡素化したグループ通算制度へ移行されることになりました。

　また，令和5年10月から，消費税のインボイス制度がスタートしています。インボイスとは，法令で定められた税情報が記載された請求書のことであり，このインボイスは消費税を納めている業者のみが発行できます。免税業者や消費者は，このインボイスを発行できません。インボイスを受け取れないと仕入税額控除ができません。これにより，従来のいわゆる益税はなくなると考えられています。

　さらには，取引先から紙ベースで受け取った書類を電子化して保存することが可能となり，電子帳簿保存システムが注目されています。もっとも国税関係書類を電子保存するためには，電子帳簿保存法に示されているいくつかの要件を満たす必要があります。

　このインボイスと電子帳簿保存法は，本書では取り上げていませんが，最近の大きな改正点です。

　現在の東北学院大学大学院における筆者のクラス「租税法特講」の受講生，鈴木沙也加さん，大森俊幸さん，湯浅将一さん，高野和明さん，今野貴信さんには，今回の改訂にあたり，いくつかの指摘を受けました。彼らにお礼を言わなければなりません。

　また，税務経理協会の方々，とりわけ，鈴木利美氏にもお礼を言わなければなりません。例題を含んだ手間のかかる本書の第6版に関して，今回も快く引き受けてくださいまして，本当に感謝しています。

　　2024年夏

東北学院大学6号館5階研究室にて
小 池 和 彰

はじめに

　法人税は，所得税と並んでわが国の財政を支える重要な財源となっています。消費税の税率が5％にアップし，消費税による税収も確かに増えましたが，わが国の国税と地方税の税収の内訳を見ますと，まだまだ法人税・所得税が消費税よりも上位にいます（所得税が1位で法人税は2位）。このように，所得税と並び，わが国の財政を支えている法人税に関して，私達はある程度の知識を有している必要があるように思います。

　しかし，法人税法を学習することは，なかなか容易なことではありません。まず，法人税法の根本にある企業会計が，世の中の進展とともに，ますます複雑になりつつあります。

　また法人税法には，もともと企業会計と異なる点が数多くあり，税法独自の考え方がありますので，企業会計の知識に加えて，法人税法独自の考え方を学ぶ必要があります。

　加えて，税率引き下げの財源探しによる課税ベースの拡大は，企業会計と法人税法の乖離をいっそう拡張し，企業会計の知識だけで法人税法を把握することが，ますます困難な状況になっています。

　こうした状況下にあって，効率的に法人税法を学習できる本が，現在求められているのではないかと思います。本書は，学生や税理士試験を受験しようと考えている人，あるいは，いろいろな理由で法人税法に関心があって法人税法の知識を得たい人などを対象にしており，計算問題を豊富に含んだ，新しいタイプの法人税法の学習書となっています。

　本書の特徴は，法人税法の背景，つまり**なぜこのような制度が設けられたのか**に関して，できるだけ説明を試みようとしている点にあります。役員報酬・賞与に関して，なぜ制限が設けられているのか。圧縮記帳はどのような効果があるのか。同族会社はなぜ特別に課税される場合があるのか。受取配当金はなぜ益金とみなされないのか。寄附金や交際費に関して，なぜその費用性が否定されるのか。租税公課の中に，損金とされるものがある一方で，損金とされないものがある理由は何か。本書は，これらの疑問にできるだけ答えようとしています。

　また法人税法は，他の税法と異なり，商法や会計慣行と密接に結びついた税法ですので，商法や会計に関する理解が必要です。法人税法の課税所得の計算は，会計上の利益から出発し，それに会計上は費用とされるけれども，税務上は費用として認められないものを加算し，逆に会計上は収益であるけれども，税務上は収益とみなされないものなどを減算するなどして，計算されます。いわゆる「税法の別段の定め」による調整を加えていくことにより課税所得は計算されるのですが，あくまで会計上の利益を前提としています。法人税法は，課税所得の計算方法を税法独自で完結するのではなく，商法あるいは企業会計原則などの会計慣行に基本的にはゆだねているのです。したがって，本書では，法人税法の背景を説明するため，商法や会計慣行に言及している箇所も相当程度あります。

　本書の"解説"により，読者のみなさんは，法人税法の背後にある考え方を学習し，難解な法人税法を理解することができることでしょう。本書には他に『コーヒーブレイク』という法人税

法に関するエッセイも盛り込まれています。本文に加えて，このエッセイを読まれることにより，皆様の法人税法の理解がさらに深化するはずです。

前作『解説 所得税法』と同様に，本書により，少しでも多くの人々が，法人税法を学習し，法人税法に関心をもたれることを願ってやみません。

さて，本書の計画から出版まで，前作『解説 所得税法』（税務経理協会）と同様，税務経理協会の方々に，今回も大変お世話になりました。とりわけ，税経通信編集長の鈴木利美氏と書籍製作部の杉浦奈穂美氏には，本書の校正はもちろん表紙の色まで相談にのっていただき，非常に感謝しております。税法は，国の政策の転換や経済環境の変動により常に変化しつづけています。その意味で，まさに"足の速い"税法に関する本の出版に今回も快く応じてくださいまして，本当にありがとうございました。尽きることのない感謝の念を抱き，今後もますます研鑽を積んでいきたいと思っています。

2002年8月1日

共 著 者

目　　次

第6版刊行に当たって
はじめに

第1章　法人税法とは……………………………………………………1
   1. 法　人　税 …………………………………………………………1
   2. 所得の金額 …………………………………………………………1
   3. 税　務　調　整 ……………………………………………………2
   4. 課税所得計算 ………………………………………………………4
   5. 法人税申告書の作成 ………………………………………………5
   練 習 問 題 …………………………………………………………9

第2章　減 価 償 却 ……………………………………………………13
   1. 減価償却の目的 ……………………………………………………13
   2. 減価償却資産の範囲 ………………………………………………13
   3. 非減価償却資産 ……………………………………………………14
   4. 減価償却資産の取得価額 …………………………………………15
   5. 減価償却資産の耐用年数・残存価額 ……………………………16
   6. 減価償却の方法と償却限度額の計算 ……………………………17
   7. 資本的支出と修繕費 ………………………………………………22
   8. 少額減価償却資産等 ………………………………………………25
   9. 特 別 償 却 ………………………………………………………26
   練 習 問 題 …………………………………………………………31

第3章　棚 卸 資 産 ……………………………………………………35
   1. 棚卸資産の種類 ……………………………………………………35
   2. 棚卸資産の評価方法 ………………………………………………35
   3. 取 得 価 額 ………………………………………………………41
   練 習 問 題 …………………………………………………………43

第4章　租 税 公 課 ……………………………………………………45
   1. 法　人　税 …………………………………………………………45
   2. 住　民　税 …………………………………………………………46
   3. 事　業　税 …………………………………………………………46

	❹ 印　紙　税 ………………………………………………………………	46
	❺ 罰金・科料・過料・交通反則金 ………………………………………	47
	❻ 損金算入の租税公課 ……………………………………………………	47
	❼ 損金算入時期 ……………………………………………………………	47
	❽ 納税充当金の取扱い ……………………………………………………	48
	練 習 問 題 ………………………………………………………………	50

第5章 寄　附　金 ……………………………………………………… 57

	❶ 寄附金の損金不算入制度 ………………………………………………	57
	❷ 寄附金の範囲 ……………………………………………………………	57
	❸ 損金算入限度額 …………………………………………………………	58
	❹ 損金不算入額 ……………………………………………………………	59
	❺ 損金算入される寄附金 …………………………………………………	60
	❻ 寄附金の現金主義等 ……………………………………………………	61
	練 習 問 題 ………………………………………………………………	64

第6章 交　際　費 ……………………………………………………… 73

	❶ 交際費等の損金不算入制度 ……………………………………………	73
	❷ 交際費等の範囲 …………………………………………………………	74
	❸ 原価算入交際費 …………………………………………………………	78
	❹ 交際費の認識 ……………………………………………………………	79
	❺ そ　の　他 ………………………………………………………………	79
	練 習 問 題 ………………………………………………………………	82

第7章 受取配当等の益金不算入 ………………………………… 85

	❶ 受取配当等の益金不算入制度 …………………………………………	85
	❷ 受取配当等の額 …………………………………………………………	86
	❸ 受取配当等の益金不算入額の計算 ……………………………………	87
	❹ 負債利子の控除 …………………………………………………………	88
	❺ 短期所有株式等に係る配当等の適用除外 ……………………………	90
	❻ みなし配当 ………………………………………………………………	93
	練 習 問 題 ………………………………………………………………	95

第8章 役員等の報酬・賞与・退職給与 ……………………… 99

	❶ 役員等の範囲 ……………………………………………………………	99
	❷ 役 員 給 与 ……………………………………………………………	104
	❸ 役員の退職給与 …………………………………………………………	108
	❹ 特殊関係使用人の給与及び退職給与 …………………………………	109

❺ 経済的利益 ……………………………………………………………… 109
　　練 習 問 題 ……………………………………………………………………… 111

第9章　圧 縮 記 帳 ……………………………………………………………… 115
　　❶ 圧縮記帳とは ……………………………………………………………… 115
　　❷ 国 庫 補 助 金 ……………………………………………………………… 115
　　❸ 保 険 差 益 ……………………………………………………………… 118
　　❹ 交 換 差 益 ……………………………………………………………… 120
　　練 習 問 題 ……………………………………………………………………… 123

第10章　貸倒引当金 ……………………………………………………………… 127
　　❶ 貸 倒 損 失 ……………………………………………………………… 127
　　❷ 貸 倒 引 当 金 ……………………………………………………………… 129
　　❸ 貸倒引当金の益金算入 ……………………………………………………… 133
　　練 習 問 題 ……………………………………………………………………… 136

第11章　繰延資産の償却 ………………………………………………………… 141
　　❶ 繰延資産の性格 …………………………………………………………… 141
　　❷ 企業会計上の繰延資産 …………………………………………………… 141
　　❸ 法人税法上の繰延資産 …………………………………………………… 143
　　❹ 少額の繰延資産の損金算入 ……………………………………………… 144
　　練 習 問 題 ……………………………………………………………………… 147

第12章　損益の期間帰属 ………………………………………………………… 149
　　❶ 収益の計上基準 …………………………………………………………… 149
　　❷ 割戻しの計上時期 ………………………………………………………… 153
　　練 習 問 題 ……………………………………………………………………… 154

第13章　借地権課税 ……………………………………………………………… 157
　　❶ 借地権とは ………………………………………………………………… 157
　　❷ 権利金の認定 ……………………………………………………………… 158
　　❸ 特別の経済的利益 ………………………………………………………… 160
　　❹ 借地権等の設定により地価が著しく低下する場合の土地簿価の損金算入 ……… 160
　　❺ 権利金の認定見合わせ …………………………………………………… 161
　　❻ 更新料の取扱い（当社が借地権者である場合）………………………… 162
　　練 習 問 題 ……………………………………………………………………… 163

第14章　有価証券の損益 ……………………………………………………165
 ① 有価証券の範囲 ……………………………………………………165
 ② 有価証券の区分 ……………………………………………………165
 ③ 有価証券の譲渡損益とその計上時期 ………………………………166
 ④ 有価証券の譲渡原価の計算 …………………………………………168
 ⑤ 有価証券の取得原価 ………………………………………………168
 ⑥ 有価証券の期末評価 ………………………………………………169
 練 習 問 題 ……………………………………………………………171

第15章　リース取引等 ………………………………………………………173
 ① リース取引 …………………………………………………………173
 ② 消　費　税 …………………………………………………………177
 ③ 繰越欠損金 …………………………………………………………179
 ④ 還　付　金 …………………………………………………………180
 練 習 問 題 ……………………………………………………………181

第16章　同族会社の留保金課税 ……………………………………………183
 ① 同族会社とは ………………………………………………………183
 ② 同族会社の特別規定 ………………………………………………183
 ③ 特定同族会社の留保金課税の計算 ………………………………184
 ④ 税　　　率 …………………………………………………………186
 練 習 問 題 ……………………………………………………………188

第17章　税 額 の 控 除 ……………………………………………………191
 ① 所得税額の控除 ……………………………………………………191
 ② 外国税額控除 ………………………………………………………193
 練 習 問 題 ……………………………………………………………197

第18章　法人税の申告 ………………………………………………………201
 ① 確 定 申 告 …………………………………………………………201
 ② 中 間 申 告 …………………………………………………………201
 ③ 申告期限の延長 ……………………………………………………202
 ④ 還　　　付 …………………………………………………………202
 ⑤ 修 正 申 告 …………………………………………………………203
 ⑥ 更正の請求 …………………………………………………………203
 練 習 問 題 ……………………………………………………………204

第19章　グループ通算制度 ······················215
 ❶　グループ通算制度の意義 ··················215
 ❷　適用対象法人 ···························215
 ❸　納 税 主 体 ····························216
 ❹　申 告 期 限 ····························216
 ❺　中小法人の判定 ·························216
 ❻　適 用 要 件 ····························216
 ❼　所得金額及び納税額の計算 ················217

第20章　グループ法人単体課税制度 ·············221
 ❶　支配関係と完全支配関係 ··················221
 ❷　100％グループ法人間の資産の譲渡取引等 ·····222
 ❸　100％グループ法人間の寄附 ················224
 ❹　100％グループ内の法人からの受取配当等の益金算入 ···226
 ❺　中小企業に対する特例措置の不適用 ·········226
 　練 習 問 題 ······························227

練習問題解答 ································229

資　　料（別表七，別表八，別表九，別表十）······263

索　　引 ····································267

コーヒーブレイク

- ホワイト・カラー犯罪（p. 12）
- ジャーゴン（p. 33）
- 税法における費用収益対応の原則（p. 44）
- 租 税 公 課（p. 55）
- シンタックス（p. 71）
- 交 際 費（p. 84）
- 記念祝賀会における祝金（p. 97）
- 役 員 給 与（p. 114）
- 交換に係る圧縮記帳（p. 125）
- 減価償却制度の改正（p. 139）
- 研究開発費（p. 148）
- 輸出売上の収益認識基準（p. 155）
- 商 品 券（p. 164）
- 現行消費税法の盲点（p. 172）
- レバレッジド・リース（p. 182）
- 同族会社の行為計算の否認（p. 190）
- 欠損金の繰越控除の判例解釈（p. 199）
- 利己的な遺伝子（p. 214）
- 給与所得者の必要経費（p. 219）
- 財政支出削減のためのサリー教授の租税論（p. 228）

凡　例

本書の文中の引用条文の略称は，以下のとおりです。

法法……法人税法

法令……法人税法施行令

法規……法人税法施行規則

法基通……法人税基本通達

措法……租税特別措置法

措令……租税特別措置法施行令

措通……租税特別措置法関係通達（法人税編）

耐用年数省令……減価償却資産の耐用年数等に関する省令

耐用年数通達……耐用年数の適用等に対する取扱通達

通則法……国税通則法

第1章

法人税法とは

法 人 税

　法人税は，会社の所得に対して課税される税金であり，わが国では，所得税と並んで，収入の最も大きな税金の一つとなっています。法人税は，税の負担者と納税義務者が同一なので，いわゆる**直接税**に該当します。直接税の代表として他に所得税があります。これに対し，納税義務者と負担者が一致しないものを**間接税**といい，酒税や消費税がこれに該当します。

所得の金額

　法人税法の所得計算は，まず企業会計の利益金額から出発することになっています。会社法の計算規定と企業会計原則に基づき，期間損益計算が行われ，その計算結果が，定時株主総会に提案されます。株主総会で計算書類が承認され，会社の決算が確定すれば，その確定した決算に基づき（**確定決算主義**といいます），法人税の申告書を提出することになっています。
　内国法人の各事業年度の所得の金額は，その事業年度の**益金**の額からその事業年度の**損金**の額を控除した金額です（法法22①）。

　　　　　　　　　（企業会計）利益＝収益－費用
　　　　　　　　　（税務会計）所得＝益金－損金

企業会計の利益計算と税務上の利益計算は基本的には同じですが，異なる点もいくつかあり，企業会計上は費用であっても，税務上は費用とはならないケースや，企業会計上は収益であっても，税務上は収益とはならないケースがあります。企業会計上の収益は，税務会計上は益金と呼ばれ，企業会計上の費用は税務会計上は損金と呼ばれています。

　益金の額に算入すべき金額は，別段の定めがあるものを除き，資産の販売，有償又は無償による資産の譲渡又は役務の提供，無償による資産の譲受けその他の取引で資本等取引以外のものに係るその事業年度の収益の額とされています（法法22②）。

　また，損金の額に算入すべき金額は，**別段の定め**があるものを除き，次に掲げる額とされます（法法22③）。

　①　その事業年度の収益に係る売上原価，完成工事原価その他これらに準ずる原価の額
　②　前号に掲げるもののほか，その事業年度の販売費，一般管理費その他の費用（償却費以外の費用でその事業年度終了の日までに債務の確定しないものを除く）の額
　③　その事業年度の損失の額で資本等取引以外の取引に係るもの

　なお，益金の額，損金の額に算入すべき金額は，一般に公正妥当と認められる会計処理の基準に従って計算されるものとされます（法法22④）。

　企業会計と税法の差異に関して，たとえば，次のような違いがあります。

　①　受取配当等の益金不算入

　株式などを保有しているために，取得する配当金は，企業会計上は営業外収益になりますが，税務上は益金にはなりません。これは配当を支払った側で，すでに課税されているため，二重課税を排除する目的で，益金不算入とされています。

　②　交際費等の損金不算入

　交際費は，企業会計上は費用ですが，税務上は損金とはなりません。交際費の無駄遣いを抑制するなどの政策的観点から，原則として，交際費は，損金不算入とされています。

　③　寄附金の損金不算入

　寄附金は，損金性が乏しく，しかもこれを無制限に損金に算入すると，税収が減り，結果的に国が補助した結果になるため，一定の金額を超える部分の金額は，損金不算入とされます。

税務調整

　企業会計における収益と法人税法における益金は異なります。また，企業会計における費用と法人税法における損金は異なりますので，**別表4**と呼ばれる申告書により，その異なるいくつかの点を調整します。しかし，すべての項目を申告書で調整できるわけではありません。たとえば，減価償却費は，損益計算書上，費用に計上しなければ，損金として認められません。このように，申告書では調整できず，会社決算の際に調整しなければならない事項を**決算調整事項**といいます。

　これに対して，決算書には計上されていなくても，申告書で調整できる事項を**申告調整事項**といいます。

企業利益と課税所得との差異を調整する手続きを**税務調整**といいますが，このように，税務調整には，決算書において調整することが求められる決算調整事項と，確定申告書上で調整を行う申告調整事項の二つがあるのです。

1 決算調整事項

決算調整事項は，確定した決算において，所定の経理を行うことが要求される事項です。たとえば，次のような事項があります。

① 減価償却資産の償却費の損金算入
② 繰延資産の償却費の損金算入
③ 少額の減価償却資産及び少額の繰延資産の損金算入
④ 引当金繰入額及び準備金積立額の損金算入
⑤ 使用人兼務役員の使用人分賞与の損金算入
⑥ 役員退職金の損金算入
⑦ 圧縮記帳に関する損金算入
⑧ 棚卸資産に対する切り放し低価法の適用

2 申告調整事項

申告調整事項は，確定した決算に基づく企業利益を基礎として，確定申告書上で加算・減算の調整を行う事項です。**必須申告調整事項**については，法人が申告調整をしない場合には，税務署により更正されます。一方の**任意申告調整事項**については，確定申告書に記載がない場合には，税務署による更正は行われません。

(1) **必須申告調整事項**

① 資産の評価益の益金不算入
② 法人税・罰科金などの損金不算入
③ 法人税額から控除する所得税額や外国税額の損金不算入
④ 還付金などの益金不算入
⑤ 前期分及び中間申告分事業税の損金算入
⑥ 償却費の限度超過額の損金不算入
⑦ 資本的支出の損金不算入
⑧ 引当金の繰入限度超過額及び準備金の積立限度超過額の損金不算入
⑨ 引当金及び準備金の取崩額の益金算入
⑩ 役員給与の損金不算入
⑪ 過大役員退職金の損金不算入
⑫ 不正計算で支給する役員報酬の損金不算入
⑬ 役員親族の使用人への過大給与の損金不算入
⑭ 交際費の損金不算入
⑮ 寄附金の限度超過額の損金不算入
⑯ 青色申告法人の繰越欠損金の損金算入　など

(2) **任意申告調整事項**
　　① 受取配当等の益金不算入
　　② 所得税額及び外国税額の法人税額からの控除
　　③ 特別償却不足額の繰越
　　④ 収用などによる資産譲渡に対する特別控除　など

4 課税所得計算

　法人税の課税所得は，確定した決算に基づく当期純利益から始めて，企業会計と法人税法との差異部分を**加算・減算**して求めることになります。

　　益 金 算 入＝企業会計上収益ではないが，税法上益金の額に算入するもの
　　損金不算入＝企業会計上費用であるが，税法上損金の額に算入しないもの
　　益金不算入＝企業会計上収益であるが，税法上益金の額に算入しないもの
　　損 金 算 入＝企業会計上費用ではないが，税法上損金の額に算入するもの

　たとえば，売上が700円，売上原価500円で，交際費が400円あり，受取配当等の金額が300円あるとする。また，交際費は全額損金不算入となり，受取配当等の金額が益金不算入になるとする。

（単位：円）

収益＝売上700円＋受取配当金300円＝1,000円
費用＝売上原価500円＋交際費400円＝900円
である。
収益1,000円－費用900円＝当期純利益100円

費　　用	900	収　　益	1,000
当期純利益	100		

　法人税の課税所得計算は，確定した決算に基づいた企業利益に調整を施していきます。当期利益100から出発して，この当期純利益に加算・減算という調整を施して，課税所得を算出していくのです。すると，以下のようになります。

（単位：円）

当期純利益		100
加　　算	交際費等の損金不算入額	400
減　　算	受取配当等の益金不算入額	300
所得金額		200

　結果的には，交際費等が費用に計上されず，受取配当等が収益に計上されなかった場合の所得金額と同じ金額になります。

　　収益（売上）700円－費用（売上原価）500円＝利益200円

法人税申告書の作成

1 所得金額の算出（別表4）

❖ 例　題 ❖

次の資料を参照し，京都株式会社の当期における所得金額を計算しなさい。

- 当期純利益　　　　　　　　　　　　　　4,000,000円
- 損金の額に算入した中間申告分法人税　　1,000,000円
- 損金の額に算入した中間申告分住民税　　　300,000円
- 損金の額に算入した納税充当金　　　　　　900,000円
- 納税充当金から支出した前期分事業税額　　300,000円
- 法人税額から控除される所得税額　　　　　 20,000円
- 受取配当等の益金不算入額　　　　　　　　100,000円
- 建物減価償却超過額　　　　　　　　　　　120,000円
- 交際費等の損金不算入額　　　　　　　　　300,000円

（別表4）

（単位：円）

区　　　分		金　　額
当 期 純 利 益		4,000,000
加算	損金計上中間法人税	1,000,000
	損金計上中間住民税	300,000
	損金計上納税充当金	900,000
	建物減価償却超過額	120,000
	交際費等の損金不算入額	300,000
	小　　　計	2,620,000
減算	納税充当金支出事業税	300,000
	受取配当等の益金不算入額	100,000
	小　　　計	400,000
仮　　　計		6,220,000
法人税額から控除される所得税額		20,000
合計・差引計・総計		6,240,000
所　得　金　額		6,240,000

法人税の課税所得は，前頁の別表4で計算されます。ここでの調整は，別段の定めと呼ばれる税法上の規定に基づく項目が中心となります。受取配当等の益金不算入，交際費等の損金不算入，寄附金の損金不算入などが，これに該当します。

- 租税公課……法人が納付する租税公課は，それが強制的に徴収されるという性格から，期末までに債務が確定している限り，原則として損金となると考えられます。しかし，一定の租税公課は，政策的配慮から損金不算入とされます。損金の額に算入した法人税・住民税は，損金不算入となります。納税充当金の繰り入れも債務未確定であるため，損金不算入となります。また，前期末に計上された納税充当金は，当期の確定申告による納付に伴い取り崩されます。この取崩額のうち事業税に関しては申告時の損金となるため，別表4上で減算することになります。

- 所得税額の控除……法人税と所得税の二重課税を排除する目的で，源泉所得税が控除される制度を所得税額の控除といいます。課税所得を計算する別表4上でいったん加算され，その後，法人税額を計算する別表1上で控除されます。利子や配当金から源泉徴収される所得税は，法人税の前払いとして法人税額から控除あるいは還付されることになっています。

なお，公益法人等又は人格のない社団等が支払いを受ける利子・配当等で収益事業以外の事業またはこれに属する資産から生ずるものについては，二重課税のおそれがないので税額控除の適用はありません。

2 税額の計算（別表1）

株式会社や有限会社の法人税の基本税率は**23.2%**です。資本金1億円以下の会社（中小法人）の年800万円以下の所得には**15%**（令和6年4月1日から令和7年3月31日までの間に終了する事業年度）の軽減税率が適用されます。

(注) 年800万円以下の所得に対する軽減税率は，資本（出資）金の額が5億円以上の法人の100％子法人及び100％グループ内の複数の資本（出資）金の額が5億円以上の法人に発行済株式等の全部を保有されている法人に該当する普通法人には，適用されません。

法人の種類		所得金額		税率
普通法人	大法人	所得金額		23.2%
	中小法人	年800万円以下の金額		15%
		年800万円超の金額		23.2%
協同組合等		所得金額		15%
公益法人等		原則		非課税
		収益事業の所得		15%
人格のない社団等		原則		非課税
		収益事業の所得	年800万円以下の金額	15%
			年800万円超の部分の金額	23.2%
公共法人				非課税

❖ 例　題 ❖

次の資料により，京都株式会社（資本金額1億円）の法人税額を計算しなさい（株主はすべて個人である）。

(1) 当期純利益は，100,000,000円である。
(2) 損益計算書に計上した納税充当金が50,000,000円ある。
(3) 租税公課勘定に計上した金額，中間申告分法人税30,000,000円，中間申告分住民税10,000,000円がある。
(4) 納税充当金を取り崩して納付した前期分の事業税1,000,000円がある。
(5) 損金不算入とされるべき寄附金が8,000,000円ある（寄附金の損金不算入は，法人税額控除所得税額と同様，仮計の下に加算される）。
(6) 交際費として支出した金額のうち，9,000,000円は，損金に認められない。
(7) 受け取った配当金5,000,000円（受取配当等の益金不算入の対象となる）があるが，このうち，所得税は1,021,000円であり，この金額は税額控除の対象となる。

（注）資本金が1億円なので，中小法人に該当します。そのため，年800万円以下の金額は15%の税率ですが，年800万円を超える部分の金額については25.5%の税率が適用されます。

（別表4）

（単位：円）

区　分		金　額
当　期　純　利　益		100,000,000
加算	損金計上中間法人税	30,000,000
	損金計上中間住民税	10,000,000
	損金計上納税充当金	50,000,000
	交際費等の損金不算入額	9,000,000
	小　　計	99,000,000
減算	納税充当金支出事業税等	1,000,000
	受取配当等の益金不算入額	5,000,000
	小　　計	6,000,000
仮　　計		193,000,000
寄附金の損金不算入額		8,000,000
法人税額から控除される所得税額		1,021,000
合計・差引計・総計		202,021,000
所　得　金　額		202,021,000

(別表1)

(単位:円)

区分		税率	金額	計算過程
所得金額			202,021,000	(千円未満切捨)
法人税額の計算	(1) 年800万円以下 　　 8,000,000 (2) 年800万円超 　　 194,021,000	15% 23.2%	1,200,000 45,012,872	(1) 年800万円以下 $8,000,000 \times \dfrac{12}{12} = 8,000,000$ 　　　　(千円未満切捨) (2) 年800万円超 $202,021,000 - 8,000,000$ 　　　　　$= 194,021,000$
法 人 税 額			46,212,872	
差引法人税額 法人税額計 控除税額 差引所得に対する法人税額 中間申告分の法人税額			46,212,872 46,212,872 1,021,000 45,191,800 30,000,000	 (百円未満切捨)
この申告により納付すべき法人税額			15,191,800	

練 習 問 題

1 次の資料を参照し，大阪株式会社の当期における所得金額を計算しなさい。

- 当期純利益 2,000,000円
- 損金の額に算入した中間申告分法人税 500,000円
- 損金の額に算入した中間申告分住民税 150,000円
- 損金の額に算入した納税充当金 450,000円
- 納税充当金から支出した前期分事業税額 10,000円
- 法人税額から控除される所得税額 10,210円
- 受取配当等の益金不算入額 50,000円
- 建物減価償却超過額 60,000円
- 交際費等の損金不算入額 250,000円

（別表4）

（単位：円）

区　　　　分	金　　額
当 期 純 利 益	
加算	
小　　　計	
減算	
小　　　計	
仮　　　計	
合計・差引計・総計	
所　得　金　額	

2 次の資料により，大阪株式会社（資本金額1億円）の法人税額を計算しなさい（株主はすべて個人である）。
(1) 当期純利益は，50,000,000円である。
(2) 損益計算書に計上した納税充当金が25,000,000円ある。
(3) 租税公課勘定に計上した金額，中間申告分法人税15,000,000円，中間申告分住民税5,000,000円がある。
(4) 納税充当金を取り崩して納付した前期分の事業税500,000円がある。
(5) 損金不算入とされるべき寄附金が4,000,000円ある。
(6) 交際費として支出した金額のうち，4,500,000円は，損金に認められない。
(7) 受け取った配当金2,500,000円があるが（受取配当等の益金不算入の対象となる），このうち，所得税は510,500円（20.42％）であり，この金額は税額控除の対象となる。

（別表4）

(単位：円)

区　　　　　分	金　　　額
当　期　純　利　益	
加算	
小　　　　計	
減算	
小　　　　計	
仮　　　　計	
合計・差引計・総計	
所　得　金　額	

(別表1)

(単位:円)

区 分	税率	金 額	計 算 過 程
所 得 金 額			(千円未満切捨)
法人税額の計算			
法 人 税 額			
この申告により納付すべき法人税額			

ホワイト・カラー犯罪

「職務上，社会的地位の高い者あるいは尊敬される人物によって行われる犯罪」をホワイト・カラー犯罪といいます。ホワイト・カラー犯罪には，詐欺，横領，収賄，環境汚染，欠陥品の製造などがありますが，脱税もホワイト・カラー犯罪に含まれます。

ホワイト・カラーとは，原義では，白いワイシャツのことであり，労働者階級を意味するブルー・カラーに対比して使われる用語です。かつては，白いワイシャツを身にまとった，ホワイト・カラーはまさに特権階級であり，この階級に属している人はあまりいませんでした。しかし，今日では，白いワイシャツを着用している人は決して珍しくありません。白いワイシャツを着用しているだけでは，もはや特権階級ではないのです。また，現在の複雑な労働状況にあって，ホワイト・カラーとブルー・カラーという分類は有効な職業分類でもないでしょう。しかし，犯罪学や社会学では，ホワイト・カラーという文字通りの意味ではなく，「社会の一部特権階級」を象徴するものとして，"ホワイト・カラー"という用語が使用され，この特権階級に属する人が引き起こす犯罪はホワイト・カラー犯罪と呼ばれているのです。

たとえば，野球選手は，白いワイシャツを着て仕事をする職業ではありませんが，明らかに特権階級に属し，この意味では，ホワイト・カラーに属するといえます。アメリカで，元野球界のスター，ピート・ローズが1990年に虚偽の所得税申告書を提出し，脱税で摘発されていますが，この一件は，ホワイト・カラー犯罪の例としてあげられています。

わが国では，「サッチー」の愛称で親しまれている，野村克也・元監督（東北楽天ゴールデンイーグルス）夫人の故野村沙知代さんが，2001年12月に法人税法違反と所得税法違反に問われています。沙知代さんは，野村監督の監督報酬などを管理する企画・宣伝会社「ノムラ」，運動用具の輸入会社「ディーアンドケィー」を経営していました。沙知代さんは，2000年の決算期まで，この二社で架空経費や架空の役員報酬を計上し，所得を圧縮していました。

さて，納税者は何故に税法を遵守しないのでしょうか。それには様々な理由が考えられます。税法それ自体が複雑でわかりづらいというのもその理由の一つでしょう。税法が不公平であるとか，政府が税金を無駄使いしているとか，みんなやっているとかいって，自己を正当化する納税者もいます。他の犯罪と異なり，脱税を重大な犯罪としてみていないということもあるでしょう。税務調査が行われ，脱税がばれるかばれないかは，時の運といったところがあり，誰にもわかりません。ですから，脱税がばれないだろうと踏んで，それに賭ける人もいるでしょう。しかし，ピート・ローズや野村沙知代さんのように摘発される場合も当然ありますので，脱税という"バクチ"には手を出さないほうが身のためかと思います。

第2章

減 価 償 却

減価償却の目的

　建物，機械装置，車両及び運搬具といった有形固定資産は，使用により，あるいは時の経過により，その価値が減少していきます。その価値の減少を毎期の費用計上という方法で表現していく手続きを**減価償却**といいます。減価償却は，企業会計で確立されている固定資産の費用配分の方法です。しかし，減価償却に恣意性が介入するおそれがあり，租税回避などにつながるおそれがありますので，償却費の損金算入に関しては，一定の制限が設けられています。

減価償却資産の範囲

　減価償却資産には，次のようなものがあります（法法2二十三，法令13）。

(1) **有形固定資産**
　① 建　　　物　　　② 建物附属設備
　③ 構　築　物　　　④ 機械及び装置
　⑤ 航　空　機　　　⑥ 車両及び運搬具
　⑦ 工具，器具及び備品　⑧ 船　　　舶

(2) **無形固定資産**
　① 鉱　業　権　　　② 漁　業　権
　③ ダム使用権　　　④ 水　利　権

⑤ 特　許　権　　　⑥ 実用新案権
⑦ 意　匠　権　　　⑧ 商　標　権
⑨ ソフトウェア　　⑩ 営　業　権

(3) 生　　　物
① 牛，馬などの動物
② りんご樹，ぶどう樹などの植物

棚卸資産，有価証券，繰延資産，事業の用に供していないもの，時の経過によりその価値が減少しないものなどは，減価償却資産に含まれません。

非減価償却資産

(1) **土地，電話加入権**

土地と電話加入権は，時の経過により，その価値が減少するものではないので，減価償却資産ではありません（法法2二十三）。

(2) **稼働休止中の資産**

稼働休止中の資産は，原則として，減価償却できません。しかし，稼働を休止していても，その休止期間中に必要な維持修繕が行われ，いつでも稼働できる状態にあるものは，減価償却資産となります（法基通7－1－3）。

(3) **建設中の資産**

建設中の資産は，原則として，減価償却することはできません。しかし，建設中の建物や機械装置で，建設仮勘定として表示されているものであっても，部分的に完成し事業に供されている場合には，その部分は減価償却することができます（法基通7－1－4）。

(4) **書画骨とう等**

書画骨とう等は，時の経過によりその価値が減少するのではなく，むしろ値上がりするものであると考えられますので，減価償却資産には該当しないと考えられています。しかし，現実には，値下がりする書画骨とうもあります。したがって，その判断は，困難ではないかと思われます。また，そもそも何が書画骨とうにあたるのかもはっきりしません。もっとも，税務執行上は，次のようなものが原則として書画骨とう等に該当するとされています（法基通7－1－1）。

① 古美術品，古文書，出土品，遺物等のように歴史的価値又は希少価値を有し，代替性のないもの
② ①以外の美術品等で，取得価額が1点100万円以上であるもの（時の経過によりその価値が減少することが明らかなものを除きます）。
③ 美術品等で，取得価額が1点100万円未満であるもの（時の経過によりその価値が減少しないことが明らかなものを除きます）は，減価償却資産として取り扱われます。

減価償却資産の取得価額

1 原則

減価償却資産の取得価額は，購入代価にいわゆる付随費用を加えた金額になります。具体的には，取得形態の区分に応じ，それぞれ次のように取り扱われます（法令54①）。

(1) 購入した場合…購入代価＋付随費用
(2) 自家建設…製造原価＋付随費用
(3) 適格合併等…被合併法人の取得価額＋付随費用
(4) 適格分社型分割等…分割法人等の取得価額＋付随費用
(5) 贈与・交換など…時価＋付随費用

2 付随費用の処理

固定資産の取得価額は，購入代価に付随費用を加えた金額とするのが原則です。たとえば，土地や建物の取得に際して，前の所有者に対して，立退料を支払った場合，その金額はその土地建物等の取得価額に算入します（法基通7－3－5）。

はじめから取り壊すつもりで，建物付きの土地を購入し，1年以内に建物を取り壊す場合には，その建物の取り壊し時の帳簿価額及び取壊し費用は土地の取得価額に算入します（法基通7－3－6）。

しかし，次のような費用は，たとえ固定資産の取得に要した費用であっても，固定資産の取得価額に含めないことができます。

(1) 固定資産の取得に要した借入金の利子…借入金利子に関しては，その固定資産の使用開始前の期間にかかるものであっても，その固定資産の取得価額に算入しないことができます（法基通7－3－1の2）。
(2) 租税公課…固定資産の取得に伴い課税される不動産取得税，自動車取得税，特別土地保有税，事業所税，登録免許税，固定資産の取得契約の解除に伴って支出する違約金は，固定資産の取得原価に算入しないことができます（法基通7－3－3の2）。
(3) 割賦販売契約に係る利子…割賦販売契約で固定資産を購入した場合，契約書で購入代価と割賦期間中の利息及び売手側の代金回収費用などの金額が明らかに区分されていれば，その利息及び費用相当額を固定資産の取得価額に算入しないことができます（法基通7－3－2）。

3 圧縮記帳をした場合

国庫補助金，保険金や収用補償金等で減価償却資産を取得し，圧縮記帳をした場合には，圧縮記帳による損金算入額控除後の金額が取得価額とみなされます（法令54③）。

減価償却資産の耐用年数・残存価額

1 耐用年数

(1) 法定耐用年数

減価償却資産の耐用年数は、財務省令の「減価償却資産の耐用年数等に関する省令」において、詳細に定められています。

(注) 巻末に減価償却資産の償却率表があります。

(2) 中古資産の耐用年数

中古の減価償却資産の耐用年数は、法定耐用年数によらず、その資産の使用可能期間を見積もり（**見積法**）、その年数を耐用年数として、償却限度額の計算をすることができます（耐用年数省令3①）。しかし、この見積りが困難である場合には、**簡便法**（1年未満の端数を切り捨てる。算出年数が2年に満たない場合は2年とする）により、耐用年数を計算することが認められています。

区　　　　分	算　　　　式
法定耐用年数の全部を経過したもの	法定耐用年数 $\times \dfrac{20}{100}$
法定耐用年数の一部を経過したもの	（法定耐用年数－経過年数）＋経過年数 $\times \dfrac{20}{100}$

なお、中古資産を取得し、それを事業の用に供するに際し改良などを行ったときに、改良などの費用が中古資産の取得価額の50％相当額を超えるときは、簡便法は適用できません（耐用年数通達1－5－2）。次の算式で計算した年数が残存耐用年数とされます（耐用年数通達1－5－6）。

$$（取得価額＋資本的支出）\div \left(\dfrac{取得価額}{簡便法で計算した残存耐用年数} + \dfrac{資本的支出}{法定耐用年数} \right) = 見積残存耐用年数$$

2 残存価額

償却資産を耐用年数にわたり使用した後の売却可能あるいは利用可能な価値を残存価額といいます。

(注) 平成19年4月1日以後に取得するものについては、残存価額は廃止され、耐用年数経過時点に1円（備忘価額）まで償却することができるとされています。

区　　　　分	残　存　価　額
有形減価償却資産	取得価額の10％
無形減価償却資産	0
生　　　　物	細目に応じて、取得価額の5％～50％

なお，有形固定資産に関しては，帳簿価額が残存価額に達した場合であっても，その資産を継続して事業の用に供していれば，取得価額の95％相当額まで償却することが可能です（償却可能限度額）。しかし，無形減価償却資産及び坑道は，取得価額相当額まで，また，生物は，残存価額に達するまで償却することが可能です（法令61①）。

このように，法人税法では，取得価額の90％までの償却限度額（残存価額10％）を設けておきながら，95％までの償却可能限度額を認めています。わが国において，昭和39年以前は，残存価額（スクラップ・バリュー）は10％とされてきましたが，昭和39年に，スクラップ価値の低下のため，償却可能限度額が95％とされています。しかし，一方で，定率法償却について，残存価額を5％とすると，償却のカーブがきつくなり，減価償却の金額が，とりわけ初年度に大きくなり，他の償却方法と均衡がとれなくなります。そこで，償却限度額90％（残存価額10％）を維持しながらも，償却可能限度額95％も認めるという方法が採用されています。

(注) 平成19年4月1日以後に取得するものについては，償却可能限度額は廃止され，耐用年数経過時点に1円（備忘価額）まで償却することができるとされています。また，平成19年3月31日以前に取得したものについては，償却限度額まで償却した事業年度の翌事業年度以後5年間で1円まで均等償却することができるとされています。

減価償却の方法と償却限度額の計算

1 償却方法と償却限度額

(1) 定　額　法

（取得価額－残存価額）×償却率＝償却限度額

(注) 平成19年4月1日以後に取得するものについては，残存価額は廃止され，次の算式により償却限度額が計算されることになりました。

取得価額×償却率＝償却限度額

(2) 定　率　法

税務上の未償却残高（取得価額－既償却額）×償却率＝償却限度額

(注) 定率法の計算にあたり，平成19年4月1日から平成24年3月31日までに取得した減価償却資産の場合には，耐用年数省令別表第九に掲げられた償却率（定額法の償却率を250％した償却率），改定償却率及び保証率を，平成24年4月1日以後に取得した減価償却資産の場合には，耐用年数省令別表第十に掲げられた償却率（定額法の償却率を200％した償却率），改定償却率及び保証率を適用します。

(3) 生産高比例法

$$\frac{取得価額－残存価額}{耐用年数又は採掘予定年数のうちいずれか短い期間内における採掘予定数量} \times 当期採掘数量 = 償却限度額$$

平成10年度の改正で，建物の償却方法は定額法のみとされています。確かに，アメリカ，イギリスでは，建物の減価償却方法は，税法上定額法によることとされていますが，わが国におけるこの改正は，定額法よりも，最初に多額の費用計上ができる定率法を認めないことによる，課税ベース拡大をねらったものであると考えられます。

(注) 平成10年3月31日以前に取得された建物は，従来どおり，定率法によることができます。また，平成28年4月1日以降に取得された附属設備や構築物についても定額法で償却することになり，定率法で償却することはできなくなりました。

(平成19年4月1日以降取得資産の定率法償却に関する注意点)

　定率法により計算した償却限度額（調整前償却額）が，その資産の取得価額に耐用年数に応じて定められた**保証率**を乗じて計算した**償却保証額**に満たないこととなる場合には，その満たないこととなる事業年度の期首帳簿価額（改定取得価額）に，その償却額がその後毎年同一となるようにその資産の耐用年数に応じて設定された**法定償却率**を乗じて計算した金額を各事業年度の償却限度額として償却を行い，耐用年数経過時点において残存簿価1円まで償却します（減価償却の後半部分は，定率法から均等償却に切り替わります）。

❖ **例　題** ❖

次の資料に基づいて，下記の機械（令和4年4月1日取得）に関して，当期（令和6年4月1日～令和7年3月31日）における，税務上調整すべき金額を計算しなさい。

(1) 取　得　価　額　　　100,000円
(2) 期　首　簿　価　　　　8,000円
(3) 耐　用　年　数　　　　10年
(4) 償　却　費　　　　　　4,000円
(5) 償　却　率　　　　　　0.200
(6) 改　定　償　却　率　　0.250
(7) 保　証　率　　　　　　0.06552

(1) 償却限度額
　① 償　却　額　8,000円×0.200＝1,600円
　② 保　証　額　100,000円×0.06552＝6,552円
　③ ①＜②
　④ 8,000円×0.250＝2,000円
(2) 償却超過額　4,000円－2,000円＝2,000円

❖ **例　題** ❖

次の資料に基づいて，下記の機械に関して，税務上調整すべき金額を計算しなさい。

(1) 期末帳簿価額　　　　890,000円
(2) 当期償却額　　　　　100,000円
(3) 耐　用　年　数　　　10年（定率法償却率0.200）
(4) 前期における減価償却超過額　　80,000円

(1) 償却限度額　（890,000円＋100,000円＋80,000円）×0.200＝214,000円
(2) 償却不足額　214,000円－100,000円＝114,000円
(3) 認　容　額　80,000円＜114,000円　∴　80,000円
　　減価償却超過額認容　80,000円（減算）

損金経理をした償却費が償却限度額を超えた場合，償却超過額が生じた場合の減価償却資産の帳簿価額は，その後の事業年度において，その償却超過額に相当する金額の減額がなかったものとみなされます（法令62）。ですから，償却超過額80,000円を期首簿額に加えて，減価償却費を計算します。

また，上記のように，償却不足額が生じたときは，償却超過額までの金額は，**償却費として損金経理した金額**になります（法法31④）。法人税法上，減価償却費が損金に認められるためには，確定した決算において，損金に計上しなければなりません。しかし，前期以前に償却超過額があり，当期に償却不足が生じた場合には，どちらか少ない金額が，償却費として損金経理したものとみなされます（償却費として損金経理した金額）。

2　種類等を同じくする減価償却費の償却限度額（グルーピング）

償却限度額の計算は，減価償却資産の種類の異なるごとに（構造・用途・細目又は設備の種類ごと），耐用年数が異なるものごとに，あるいは，償却方法が異なるものごとに，区分して計算することが認められています（法規18）。したがって，グループが同一の資産について生じた償却超過額，償却不足額は通算されることになります。また，償却不足額が発生する場合には，償却不足額と償却超過額を相殺できるため，通算可能な場合は通算した方が有利になります。

しかしながら，損金経理をした金額が償却限度額に満たない場合には，その償却不足額は，翌期以降に繰り越して損金の額に算入することはできません。

❖ 例　題 ❖

次の資料により，当期（令和6年4月1日～令和7年3月31日）の税務上調整すべき金額を算定しなさい。なお，グルーピングできる場合には，グルーピングすること。

種　類	構造等	耐用年数	償却方法	取得価額	当期償却費	備考
建　物	工場用	25年	定額法	6,000,000円	260,000円	(1)
備品A	事務机	15年	定額法	400,000円	30,000円	(2)
備品B	事務机	15年	定額法	500,000円	7,020円	(3)
車両A	タンク車	4年	定額法	2,000,000円	550,000円	(4)
車両B	運送事業用	5年	定率法	1,000,000円	250,000円	(5)

（注）平成24年4月1日以後に取得するものに関しては，以下の耐用年数となる。

耐用年数	4年	5年	15年	25年
定額法	0.250	0.200	0.066	0.040
定率法	0.500	0.400	0.133	0.080

(1)　建物の事業供用日は，平成19年以後である。
(2)　備品Aの事業供用日は，平成19年4月1日以後であり，繰越償却超過額が14,000円ある。
(3)　備品Bの事業供用日は，平成19年4月1日以後である。

(4)　車両Ａの事業供用日は，令和5年4月1日である。
　　(5)　車両Ｂの事業供用日は，令和7年1月2日である。

(1)　建　　物
　　①　償却限度額　6,000,000円×0.040＝240,000円
　　②　償却超過額　260,000円－240,000円＝20,000円
(2)　備品Ａ・Ｂ
　　①　償却限度額　400,000円×0.066＋500,000円×0.066＝59,400円
　　②　認　容　額　（30,000円＋7,020円）－59,400円＝△22,380円 ⎫ 少ない方　∴　14,000円
　　　　　　　　　　14,000円 ⎭
(3)　車　両　Ａ
　　①　償却限度額　2,000,000円×0.250＝500,000円
　　②　償却超過額　550,000円－500,000円＝50,000円
(4)　車　両　Ｂ
　　①　償却限度額
　　　(イ)　1,000,000円×0.400＝400,000円
　　　(ロ)　1,000,000円×0.10800＝108,000円
　　　(ハ)　(イ)≧(ロ)　∴　通常
　　　(ニ)　400,000円×0.400×$\frac{3}{12}$＝40,000円
　　②　償却超過額　250,000円－40,000円＝210,000円
　　建物減価償却超過額　　　　　20,000円　（加算）
　　備品減価償却超過額認容　　　14,000円　（減算）
　　車両Ａ減価償却超過額　　　　50,000円　（加算）
　　車両Ｂ減価償却超過額　　　210,000円　（加算）
　　(注)　備品Ａ・Ｂは，同一種類の資産であるから，償却限度額について，グルーピングする。仮にグルーピングしないと，(2)は，
　　　　備品Ａ　①　償却限度額＝400,000円×0.066＝26,400円
　　　　　　　　②　償却超過額＝30,000円－26,400円＝3,600円
　　　　備品Ｂ　①　償却限度額＝500,000円×0.066＝33,000円
　　　　　　　　②　償却不足額＝7,020円－33,000円＝△25,980円
　　　　となるので，グルーピングした方が有利です。

3　償却方法の選択

　償却方法の選択は，資産の種類ごとに（たとえば，建物，構築物，機械装置というように）行い，採用しようとする事業年度の確定申告書の提出期限までに納税地の所轄税務署長に届け出なければなりません（法令51）。また，有形減価償却資産については，同一種類の資産でも，事業所が異なるごとに選定することができます。
　なお，法人が償却方法の選択をしなかったときは，有形減価償却資産については，定率法（建物，附属設備及び構築物を除きます）を，鉱業用減価償却資産及び鉱業権については，生産高比

例法を選択したものとみなされます（**法定償却方法**）。

❖ **例　題** ❖

次の固定資産に関して，当期（令和6年4月1日から令和7年3月31日）における，税務上調整すべき金額を計算しなさい。

取得価額1,000,000円で中古の車両運搬具を取得した。この車両運搬具は，他社において2年間使用されたものである。法定耐用年数10年で平成30年4月3日に取得し，即事業の用に供している。なお，残存耐用年数の見積りは，困難であり，当社は，減価償却の方法について，何ら選定の届出をしていない。

耐用年数	4年	8年	10年
定額法	0.250	0.125	0.100
定率法	0.500	0.250	0.200

また，耐用年数8年定率法の改定償却率は0.334であり，保証率は0.07909である。

損金経理した減価償却費400,000円，期末帳簿価額600,000円

---

(1) 見積耐用年数

　　（10年 − 2年）＋ 2年 × 20％ ＝ 8.4年 → 8年

(2) 償却限度額

　① 1,000,000円 × 0.250 ＝ 250,000円

　② 1,000,000円 × 0.07909 ＝ 79,090円

　③ ① ≧ ②　　∴ 250,000円

　④ 250,000円 × $\frac{12}{12}$ ＝ 250,000円

(3) 償却超過額

　　400,000円 − 250,000円 ＝ 150,000円

　　減価償却超過額　150,000円（加算）

4　償却方法の変更

償却方法を変更する時は，その変更しようとする事業年度開始の前日（前期末）までに，所轄税務署長に，「減価償却資産の償却方法の変更承認申請書」を提出しなければなりません（法令52①，②）。

資本的支出と修繕費

1 資本的支出と修繕費の区分

　固定資産の修理や改良を行った場合には，その支出額をその固定資産に含める会計処理と，修繕費として費用処理する会計処理の2種類があります。前者は**資本的支出**と呼ばれ，後者は**収益的支出**と呼ばれます。

　法人税法においては，修理・改良その他名義の何たるかを問わず，固定資産について支出された金額で，次の①，②に属する金額（いずれにも該当する場合には，いずれか多い金額）は，資本的支出の額として，その事業年度の損金の額に算入しないことになっています（法令132）。

① 支出前におけるその資産につき通常の維持・管理をした場合の使用可能期間と支出後の使用可能期間とを比較して，延長した期間部分に対応する金額

② 支出前におけるその資産につき通常の維持・管理をした場合の価額と支出後の価額とを比較して，価値が増加した部分に対応する金額

● 資本的支出部分

① 使用可能期間延長部分

$$支出金額 \times \frac{(A) - 支出直前の使用可能年数（通常の維持管理をした場合）}{その支出直後の使用可能年数（A）}$$

② 資産の価値を増加させる部分

　　支出直後の価額 － 支出直前の価額（通常の維持管理をした場合）

③ いずれもに当てはまる場合には，多い方の金額

● 修繕費部分

　　支出金額 － 資本的支出部分

（注）平成19年4月1日以後に資本的支出を行った場合には，原則的には，新規取得があったものとして計算します（法令55①）。しかし，平成19年3月31日以前に取得した減価償却資産に関して資本的支出を行った場合には，従来どおり，資本的支出を行った事業年度において，既存の減価償却資産の取得価額に，支出した資本的支出の額を加算し，その減価償却資産全体に対して旧償却方法で償却することができます（法令55②）。

❖ 例　題 ❖

　次の資料に基づいて，当期（令和6年4月1日から令和7年3月31日）における減価償却超過額を計算しなさい。なお，資本的支出の部分は，新規取得分として計算すること（原則法）。

種　　類	当期償却費	期末帳簿価額	耐用年数	償却方法	償却率
車両運搬具	800,000円	4,200,000円	10年	定率法	0.200

　なお，車両運搬具の資本的支出部分の定率法償却率は0.200（耐用年数10年）である。
　当社は，令和6年10月に修繕改良を行い，1,000,000円を支出し，その全額を修繕費として損金経理している。なお，当該車両運搬具は，当期首に取得している。

> - 通常の管理等をした場合の支出前の残存使用可能期間　　5年
> - 修理改良後の使用可能期間　　8年
> - 通常の管理等をした場合に予測される修理改良前の時価　　5,000,000円
> - 修理改良後の時価　　6,000,000円

(1) 資本的支出

① 使用可能延長部分

$$1,000,000円 \times \frac{8年-5年}{8年} = 375,000円$$

② 価値増加額　6,000,000円 − 5,000,000円 = 1,000,000円

③ ①＜②　∴　1,000,000円

(2) 償却限度額

① 従来分

(イ) (4,200,000円 + 800,000円) × 0.200 = 1,000,000円

(ロ) (4,200,000円 + 800,000円) × 0.06552 = 327,600円

(ハ) (イ)≧(ロ)　∴　1,000,000円

② 資本的支出分

(イ) 1,000,000円 × 0.200 = 200,000円

(ロ) 1,000,000円 × 0.06552 = 65,520円

(ハ) (イ)≧(ロ)　∴　200,000円

(ニ) $200,000 \times \frac{6}{12} = 100,000円$

③ ① + ② = 1,100,000円

(3) 償却超過額

(800,000円 + 1,000,000円) − 1,100,000円 = 700,000円

減価償却超過額　700,000円（加算）

(注) 修繕費として処理したが資本的支出と判定された1,000,000円は、償却費として損金経理した金額となります（法基通7−5−1(3)）。

2　資本的支出の例示

固定資産の修理・改良等のために支出した金額のうち、固定資産の耐用年数が延長になったり、あるいはその固定資産の価値が増加することになった支出金額が、資本的支出となりますが、たとえば、次のような支出が資本的支出に該当するとされています（法基通7−8−1）。

① 建物の避難階段の取付等物理的に付加した部分に係る費用の額

② 用途変更のための模様替え等改造又は改装に直接要した費用の額

③ 機械の部分品を特に品質又は性能の高いものに取り替えた場合のその取替えに要した費用の額のうち通常の取替えの場合にその取替えに要すると認められる費用の額を超える部分の金額

(注) 建物の増築、構築物の拡張、延長等は、建物の取得に当たるとされています。

3　修繕費の例示

　法人税法において，修繕費を定義したものはありませんので，固定資産の修理・改良等のために支出した金額のうち，資本的支出とされなかった金額が修繕費になると考えるしかありません。つまり，修繕費とは，固定資産の修理や改良等を行っても，固定資産の耐用年数が延長せず，その価値も増加することにならなかった金額ということになります。しかし，通達では，次のような支出が，修繕費に該当するとされています（法基通7－8－2）。

① 建物の移えい又は解体移築をした場合（移えい又は解体移築を予定して取得した場合を除く）におけるその移えい又は解体移築に要した費用の額

　（注）　解体移築の場合は，旧資材の70％以上を再使用し，従前の建物と同一の規模及び構造であることが必要です。

② 機械装置の移設費用（解体費を含む）の額

　（注）　集中生産等の場合の移設を除きます。

③ 地盤沈下した土地を沈下前の状態に回復するために行う地盛りに要した費用の額

　（注）　土地の取得後直ちに地盛りする費用や土地の利用目的変更，効用増加のための地盛り又は地盤沈下による評価損計上後の地盛りを除きます。

④ 建物，機械装置等が地盤沈下により海水等の侵害を受けることとなったために行う床上げ，地上げ又は移設に要した費用の額

　（注）　改良部分は除きます。

⑤ 現に使用している土地の水はけを良くする等のために行う砂利，砕石等の敷設に要した費用の額及び砂利道又は砂利路面に砂利，砕石等を補充するために要した費用の額

4　形式基準等の判定

(1) 少額又は周期の短い費用の損金算入

　修理・改良のために要した費用の額が20万円に満たない場合又はその修理・改良等がおおむね3年以内の期間を周期として行われることが，既往の実績その他の事情から見て明らかである場合には，修繕費として損金経理することが認められています（法基通7－8－3）。

(2) 形式基準による修繕費の判定

　資本的支出か修繕費かが明らかでない場合で，支出金額が60万円未満かあるいはその支出額が修理・改良をした固定資産の前期末の取得価額のおおむね10％相当額以下である場合には，修繕費として損金経理することが認められています（法基通7－8－4）。

(3) 資本的支出と修繕費の区分の特例

　資本的支出か修繕費かが明らかでない場合に，継続適用を要件として，支出額の30％相当額かその固定資産の前期末取得価額の10％相当額か，どちらか少ない金額を修繕費として損金経理することができます（法基通7－8－5）。

第2章 減価償却

 少額減価償却資産等

1 少額減価償却資産の取扱い

　減価償却資産を取得し，事業の用に供した場合において，その**使用期間が1年未満であるもの又は取得価額が10万円未満**であるものについては，それを事業の用に供した事業年度にその取得価額に相当する金額につき損金経理をしたときは，一時に損金の額に算入することが認められています（法令133）。

　平成10年度の改正で，少額減価償却資産の取得価額基準は，20万円から10万円に引き下げられています。これは，期末に20万円未満の資産を大量に購入して損金経理をした企業があったために行われた改正であるといわれています。

　なお，中小企業者等（資本金1億円以下及び常時使用する従業員の数が1,000人以下のもの）の少額減価償却資産の取得価額の損金算入の特例があり，平成18年4月1日から令和6年3月31日までの間に取得した減価償却資産で，取得価額が30万円未満（合計で300万円に達するまでのもの）については，損金経理すれば，一時に損金の額に算入することが認められています（措法67の5）。

2 一括償却資産の取扱い

　取得価額が20万円未満の減価償却資産を事業の用に供した場合において，その減価償却資産の全部又は特定の一部を一括したもの（**一括償却資産**）の取得価額の合計額について，当期から3年間で損金の額に算入できる方法を選定することができます（法令133の2①）。

　この方法を選定した場合には，一括償却資産を事業の用に供した事業年度以後の各事業年度に損金の額に算入される金額は，一括償却資産の取得価額の合計額（一括償却対象額）の全部又は一部につき損金経理をした金額のうち，次の金額に達するまでの金額とされています。

$$一括償却対象額 \times \frac{当期の月数}{36} = 損金算入限度額$$

❖ 例　題 ❖

　当社（資本金1億円超）は，減価償却資産につき，定率法で償却することにしている（以下の資産は，取得した日に即事業供用している）。法人税法に基づいて，当期（令和6年4月1日～令和7年3月31日）における，減価償却費を計算しなさい。なお，一括償却できる場合には，一括償却すること。ただし，全額償却できるものについては，全額償却すること。

種　類　等	取　得　価　額	取　得　年　月　日	法定耐用年数
備　　　品	90,000円	令和6年12月2日	2年（1.00）
機　械　A	170,000円	令和7年2月3日	6年（0.333）
機　械　B	190,000円	令和6年10月3日	8年（0.250）

※ 中小企業者等が取得した30万円未満の減価償却資産は，全額損金算入できます（措令18の4）。
(1) 備　　　品　90,000円全額を損金に計上する。
(2) 機械A・B

$$(170,000円 + 190,000円) \times \frac{12}{36} = 120,000円$$

備品は，取得価額が100,000円未満なので，全額損金の額に算入する。
機械A・Bは，取得価額が200,000円未満であり，一括償却資産の取扱いを適用する。

特別償却

投資の奨励，生産設備の近代化などの目的で，租税特別措置法の下で，**特別償却**という税の恩典が認められています。通常の**普通償却**に加えて，特別償却分が損金に認められます。特別償却は，通常の減価償却よりも早期に償却することを認めるものであって，償却費の総額は，結局のところ，通常の減価償却費の総額と変わりません。すなわち，特別償却は，免税ではなく，**課税の繰延べ**という方法による税法上の恩典であるといえます。

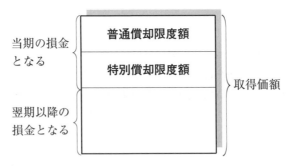

当期の損金となる減価償却費＝普通償却限度額＋特別償却限度額

1　初年度特別償却と割増償却

特別償却には，(1)**初年度特別償却**と(2)**割増償却**の2種類があります。

(1) 初年度特別償却

普通償却限度額に，その資産の取得価額に**特別償却割合**を乗じた金額を加えた金額が，償却限度額になります。

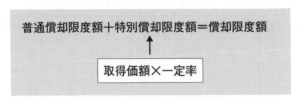

たとえば，中小企業者等が機械等を取得した場合等の特別償却があります。中小企業に該当す

る法人又は農業協同組合等で，青色申告書を提出するもの（以下「中小企業者等」という）が指定期間内に，特定機械装置等の取得等又は特定機械装置等の製作をし，これを指定事業に供した場合には，取得価額の30％相当額の特別償却が認められており，この場合の償却限度額は，次の算式により計算された金額とされます（措法42の6）。

償却限度額＝普通償却限度額＋特別償却限度額（取得価額×30％）

(注) 指定事業の用に供した供用年度において，取得価額の30％相当額の特別償却と7％相当額の税額控除（当期の法人税額の20％相当額を限度とし，税額控除限度超過額は，1年間の繰越が認められます）とのいずれかの選択適用が認められています。

── ❖ 例 題 ❖ ──────────────

次の資料により，当社の当期（令和6年4月1日～令和7年3月31日）における税務上調整すべき金額を算定しなさい。

当社は，機械装置5,000,000円を当期の1月に取得し，事業の用に供している。この機械は，租税特別措置法第42条の6に規定する中小企業者等が取得した特定機械装置等に該当し，この制度の適用条件に合致しているので，当社は，特別償却をすることにしている。当期償却額は，2,000,000円である。

当社は，機械装置の償却方法として，定率法を採用している。耐用年数は10年であり，償却率は0.200である。また，耐用年数10年定率法の改定償却率は0.250，保証率は0.06552である。

(1) 償却限度額
　① 5,000,000円×0.200＝1,000,000円
　② 5,000,000円×0.06552＝327,600円
　③ ①≧② ∴ 1,000,000円
　④ 1,000,000円×$\frac{3}{12}$＋5,000,000円×30％＝1,750,000円

(2) 償却超過額
　2,000,000円－1,750,000円＝250,000円
　減価償却超過額 250,000円（加算）

(2) **割 増 償 却**

普通償却限度額に，その償却限度額に割増償却率を乗じた金額を加えた金額が，償却限度額になります。

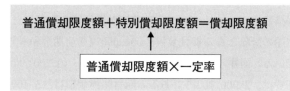

❖ 例　題 ❖

　次の資料により，当社の当期（令和6年4月1日～令和7年3月31日）における税務上調整すべき金額を計算しなさい。下記の倉庫用建物は，令和6年12月2日に取得し直ちに事業の用に供している。この建物は，租税特別措置法48条の倉庫用建物の割増償却（特別償却制度）の適用がある。建物の償却方法は，定額法である。なお，割増償却限度額は，普通償却限度額の10％相当額である。

種　類　等	取得価額	当期償却額	法定耐用年数・償却率
建　　　　物	60,000,000円	2,000,000円	30年（0.034）

(1) 償却限度額
　① 普通償却限度額

$$60,000,000円 \times 0.034 \times \frac{4}{12} = 680,000円$$

　② 特別償却限度額

　　680,000円×10％＝68,000円

　③ ①＋②＝748,000円

(2) 償却超過額

　2,000,000円－748,000円＝1,252,000円

　減価償却超過額　1,252,000円（加算）

2　償却不足額の取扱い

　普通償却の場合には，償却不足額の繰越は認められていません。しかし，租税特別措置法に規定する特別償却の適用により生じた不足額については，**連続して青色申告書を提出している法人に限り**，1年間の繰越が認められています（措法52の2）。また，前期から繰り越された特別償却不足額がある減価償却資産の定率法による普通償却限度額は，その特別償却不足額がすでに償却されたものとみなして計算します。

　すなわち，次のようになります。

（期首帳簿価額－前期から繰り越された特別償却不足額）×定率法の償却率＝普通償却限度額
普通償却限度額＋前期から繰り越された特別償却不足額＝償却限度額

❖ 例　題 ❖

　当社は，租税特別措置法42条の6の中小企業者等が機械等を取得した場合等の特別償却又は法人税額の特別控除の対象となる機械装置8,000,000円を前期令和5年10月3日に取得し，特別償却を選択している。耐用年数は，10年であり，定率法（0.200）で償却する。当期に費用計上した減価償却費は，2,000,000円である。期首帳簿価額は，5,400,000円である。前期において生じた特別償却不足額が，800,000円ある。当期（令和6年4月1日～令和7年3月31日）における，税務上調整すべき金額を計算しなさい。また，耐用年数10年定率法の改定

償却率は0.250，保証率は0.06552である。

(1) 償却限度額
① 繰越特別償却限度額　800,000円
② 普通償却限度額
(イ)　(5,400,000円－800,000円)×0.200＝920,000円
(ロ)　8,000,000円×0.06552＝524,160円
(ハ)　(イ)≧(ロ)　∴　920,000円
③　①＋②＝1,720,000円
(2) 償却超過額
2,000,000円－1,720,000円＝280,000円
減価償却超過額　280,000円（加算）

3　特別償却の会計処理

特別償却の会計処理には，次の三つの方法があります。
(1) 通常の方法
(2) 準備金方式
(3) 剰余金処分方式

特別償却は，政策目的による優遇税制ですので，企業会計上は，通常の方法と準備金方式による会計処理は，望ましくありません。ですから，剰余金の処分により会計処理を行い，特別償却準備金は，資本の部の任意積立金として計上するのが適切でしょう。なお，剰余金方式により経理した場合には，特別償却の金額が損金経理されませんので，別表4で減算しなければなりません。

❖　例　題　❖

次の資料により，当社の当期（令和6年4月1日～令和7年3月31日）における税務上調整すべき金額を計算しなさい。下記の機械は，令和7年1月2日に取得し直ちに事業の用に供している。この機械は，租税特別措置法の42条の5の特定エネルギー環境負荷低減推進設備等に該当する。特定エネルギー環境負荷低減推進設備等の特別償却限度額は，取得価額の30％である。当社は，この機械の償却方法として定額法を選定し届け出ている。

なお，当社は，この機械について，特別償却準備金を損金経理により14,000,000円を計上している。

種　類　等	取　得　価　額	当期償却額	法定耐用年数・償却率
機　　　械	40,000,000円	4,000,000円	10年（0.100）

(1) 償却限度額

$40,000,000円 \times 0.100 \times \dfrac{3}{12} = 1,000,000円$

(2) 償却超過額

　　4,000,000円－1,000,000円＝3,000,000円

(3) 特別償却準備金

　① 特別償却限度額

　　40,000,000円×30％＝12,000,000円

　② 特別償却超過額

　　14,000,000円－12,000,000円＝2,000,000円

　機械減価償却超過額　3,000,000円（加算）

　機械特別償却超過額　2,000,000円（加算）

練習問題

1 次の資料に基づいて，減価償却に関して，税務上調整すべき金額を計算しなさい（当期令和6年4月1日から令和7年3月31日）。

(1) 減価償却資産の内訳は，次のとおりである。

種　類	取得価額	償却額	期末簿価	耐用年数	備　考
機　　械	4,000,000円	900,000円	3,100,000円	10年	
車　　両	1,200,000円	200,000円	1,000,000円	8年	

(2) 当社は，償却方法の選定の届出をしていない。

機　械：令和6年10月3日に取得し，事業に供している。耐用年数10年（償却率0.200），改定償却率0.250であり，保証率は0.6552である。

車　両：令和6年12月5日に取得し，事業に供している。耐用年数8年（償却率0.250），改定償却率0.334であり，保証率は0.07909である。

2 次の資料により，当期（令和6年4月1日～令和7年3月31日）の税務上調整すべき金額を算定しなさい。なお，グルーピングできる場合には，グルーピングすること。

種　類	構　造　等	耐用年数	償却方法	取得価額	当期償却費	備考
備　品	事　務　机	15年	定　額　法	400,000円	20,000円	(1)
車両A	運送事務用	5年	定　率　法	1,200,000円	180,000円	(2)
車両B	運送事務用	5年	定　率　法	800,000円	120,000円	(2)

(1) 備品は，当期令和6年3月2日に取得し，事業に供している。耐用年数15年（償却率0.067）。

(2) 車両Aは，令和2年4月1日に取得し，事業に供しており，期首帳簿価額が600,000円であり，繰越償却超過額が157,200円ある。耐用年数5年（償却率0.400）。

車両Bは，令和2年4月1日に取得し，事業に供しており，期首簿価は，680,000円である。耐用年数5年（償却率0.400）。車両A・Bの耐用年数5年の改定償却率は0.500であり，保証率は0.10800である。

3 次の固定資産に関して，税務上調整すべき金額を計算しなさい（当期令和6年4月1日から令和7年3月31日）。

取得価額500,000円で中古の車両運搬具を取得した。この車両運搬具は，他社において3年間使用されたものを購入している。法定耐用年数5年で令和6年10月3日に取得し，即事業の用に供している。なお，残存耐用年数の見積りは困難であり，当社は，減価償却の方法について，

何ら選定の届出をしていない。

耐 用 年 数	2年	5年	8年
定 額 法	0.500	0.200	0.125
定 率 法	1.00	0.400	0.250

損金経理した減価償却費 200,000円，期末帳簿価額 300,000円

4　当社（資本金1億円超）は，減価償却資産につき，定率法で償却することにしている（取得日に即事業の用に供している）。法人税法に基づく，当期（令和6年4月1日～令和7年3月31日）における，減価償却費を計算しなさい。なお，一括償却できる場合には，一括償却すること。ただし，全額償却できるものについては，全額償却すること。

種 類 等	取得価額	取得年月日	法定耐用年数
機　　　　械	90,000円	令和6年10月2日	6年（0.333）
応接セットA	120,000円	令和7年3月3日	2年（1.000）
応接セットB	180,000円	令和6年12月3日	8年（0.250）

5　次の資料に基づいて，下記の機械（令和元年4月1日取得）に関して，当期（令和6年4月1日～令和7年3月31日）における，税務上調整すべき金額を計算しなさい。

(1)　取 得 価 額　　　100,000円
(2)　期 首 簿 価　　　 38,000円
(3)　耐 用 年 数　　　　10年
(4)　償 却 費　　　　 9,000円
(5)　償 却 率　　　　 0.200
(6)　改 定 償 却 率　　 0.250
(7)　保 証 率　　　　 0.06552

6　当社は，租税特別措置法42条の6の中小企業者等が機械等を取得した場合等の特別償却又は法人税額の特別控除の対象となる機械装置6,000,000円を令和5年10月3日に取得し，事業の用に供し，特別償却を選択している。耐用年数は10年であり，定率法（0.200）で償却する。当期に費用計上した減価償却費は，2,000,000円である。期首帳簿価額は，4,000,000円である。令和5年において生じた特別償却不足額が，418,000円ある。当期（令和6年4月1日～令和7年3月31日）における，税務上調整すべき金額を計算しなさい。なお，耐用年数10年定率法の改定償却率は0.250，保証率は0.06552である。

第2章 減価償却

ジャーゴン

会計の専門用語というのは，わかりにくいものがいくつかあります。たとえば，減価償却などもその一つでしょう。有形固定資産を現金で購入した時，現金の支出はあるにもかかわらず，借方は資産となり，損益計算書上は，費用が計上されません。しかし，その後，その資産の価額は，減価償却費として，損益計算書上に費用計上されることになります。

法人税法が絡んでくると，またさらにわかりにくくなります。償却限度額を超える減価償却費（減価償却超過額）を計上した場合には，その年度においては，税務上その減価償却超過額は否認されます。しかし，後の年度において，少なめに減価償却費を計上した場合には，その償却不足額に達するまでの金額に関して償却超過額の認容を受ける，つまり，税務上損金として認められることが可能です。もっとも，償却不足額が発生した場合に，その後の年度において，多額の減価償却費を計上して，損金に認めてもらうということはできません。それどころか，うっかり会計上損金経理を忘れると，その計上しなかった償却費は損金として認められないことになってしまいます。というのも，各事業年度の所得の金額の計算上，減価償却費が損金の額に算入されるためには，償却費として損金経理することが求められているからです。

しかしながら，特別償却に関しては，1年間ですが，償却不足額を繰り越すことが認められています。特別償却は，通常の減価償却よりも，早期に償却することを認め，課税の繰延べという形で，投資などに特別のインセンティブを提供するものであるため，通常の減価償却と異なり，償却不足額に関しても，特別に繰り越すことが認められているのです。

法人税法では，この特別償却と同様に課税の繰延べを認めることにより，税の恩典を提供する制度が他にも設けられています。たとえば，圧縮記帳制度がそれに該当します。たとえば，国から補助金を受けて，固定資産を取得した場合，その取得した補助金の分だけ，圧縮損を計上し，補助金と相殺し，課税所得が発生しないようにします。一方では，その固定資産の取得価額が圧縮されますので，後の年度には，減価償却費が減少して，課税額が増えていくことになります。

しかし，これとは逆に，早期の課税により，目に見えない形での増税を行うこともできます。たとえば，減価償却について，定率法を認めないとか，割賦販売の収益認識に関して，割賦基準を認めないとか，事前に費用計上される引当金の計上を認めないなどです。これらは，一般の人にはわかりにくいかと思われますが，明らかに増税です。

会計や税務はわかりにくい特殊用語，ジャーゴン（jargon）を用いる分野です。だからこそ，学習する価値があるのですが，このジャーゴンを利用する側は"トコトン"利用してきますので，我々は，騙されないようにしなくてはいけません。

第3章

棚　卸　資　産

 棚卸資産の種類

棚卸資産には，次のようなものがあります（法法２二十，法令10）。
① 商品又は製品（副産物及び作業くずを含む）
② 半　製　品（半成工事を含む）
③ 仕　掛　品
④ 主要原材料
⑤ 補助原材料
⑥ 消耗品で貯蔵中のもの
⑦ ①～⑥の資産に準ずるもの

不動産会社が有する土地・建物等は，棚卸資産になりますが，証券会社が所有する有価証券は，棚卸資産に含まれません。現在，有価証券は，棚卸資産と区別して評価すべきであるという考え方に基づき，棚卸資産に含められていないのです。しかし，昭和40年度の改正までは，証券会社が保有する有価証券も棚卸資産に属するものとされていました。

 棚卸資産の評価方法

棚卸資産の評価方法は，事業の種類ごとに，かつ，棚卸資産の種類（商品，製品，半製品）ごとに選択しなければなりません（法令29①）。

棚卸資産の評価方法には，**原価法**と**低価法**があります（法法29②，法令28①）。原価法には，6種類があり，以下で詳しく説明します。

　評価方法の選択の届出は，原則として法人設立の日を含む事業年度分の確定申告書の提出期限までに行わなければなりません。ただし，設立後新たに他の種類の事業を開始した場合や事業の種類を変更したときは，その開始日又は変更日を含む年度分の確定申告書の提出期限が届出期限とされます（法令29②）。

　法人が棚卸資産につき評価方法を選定しなかった場合又は選択した方法で評価しなかった場合の法定評価方法は，**最終仕入原価法**で算出した取得原価による原価法とされています（法法29①，法令31①）。

　最終仕入原価法は，その事業年度の最後に仕入れた価額をもって期末棚卸資産を評価する方法です。実務における簡便性を考慮して，この最終仕入原価法が，法定評価方法とされています。しかし，この方法は，いってみれば時価で評価する方法ですから，期末在庫品の取得価額が異なる場合には，問題があるといってよいでしょう。たとえば，期末在庫品が，期末最終仕入より前の@100円×100個と期末最終仕入@120円×100個である場合には，最終仕入原価は@120円なので，最後に仕入れた100個のみならず，その前に@100円で仕入れた商品100個も最終仕入原価@120円で評価することになります。これでは，評価益を計上してしまうことになってしまいますので，問題があるといえます。

　　（注）　連続意見書第四においても，期末在庫量の大部分が正常的に最終取得価額で取得されている場合のみ，この方法を取得原価基準に属する評価方法とみなすことができるとし，この方法は無条件に取得原価基準に属する方法と解するのは妥当ではないとしています。

1　原　価　法

(1)　個　別　法

　期末棚卸資産の全部について，その個々の取得価額で評価する方法です。コスト計算と現実の商品の流れとの関係を追及すると，"理想的"な方法は，この個別法でしょう。もっとも，棚卸資産のうち通常1回の取引によって大量に取得され，かつ，規格に応じて価額が決められているものについては，個別法は選定できないこととされています（法令28③）。

(2)　先入先出法

　先に取得した商品から順次販売されたものとみなす方法です。逆にいえば，期末棚卸資産は，期末に最も近い時点で取得した棚卸資産から順次なるものとみて計算されます。通常は，先に仕入れた商品が先に販売されるでしょうから，先に仕入れた商品から順に売上原価になると考える先入先出法による計算結果は，現実の商品の流れに相当近い数値を提供します。もっとも，先入先出法も，厳密にいうと，後で説明する諸方法と同様に，仮定計算です。

(3)　総平均法

　期首に有していた棚卸資産の取得価額の総額と期中に取得した棚卸資産の取得価額の総額との合計額を，これらの棚卸資産の総数量で除して計算した価額を1単位当たりの取得価額とする方法です。平均法を用いた計算結果は，比較的低いインフレーション時あるいは棚卸資産の回転が早い場合には，現実の商品の流れに相当近いものになります。

(4) 移動平均法

受け入れのつど計算する総平均法で，棚卸資産を取得するつどその時点で有する棚卸資産と，新たに取得した棚卸資産との数量及び取得価額に基づいて平均単価を算出し，以後同様の方法で計算を行い期末時点での平均単価を算定する方法です。

(5) 最終仕入原価法

期末に最も近い時点で取得したものの単価を1単位当たりの取得価額とする方法です。

(6) 売価還元法

種類又は差益率の同じ棚卸資産ごとに，期末における販売価額の総額に下記の原価率を乗じて計算した取得価額で評価する方法です。

$$原価率 = \frac{期首棚卸資産の取得価額 + 当期仕入棚卸資産の取得価額}{期末棚卸資産の販売価額 + 当期売上棚卸資産の販売価額}$$

製造業を営む法人が，原価計算を行わないため半製品及び仕掛品について製造工程に応じて製品売価の何割として評価する場合のその評価の方法は，売価還元法として取り扱われます（法基通5－2－4～5－2－8）。

(注) 平成21年度の法人税法の改正で，後入先出法及び単純平均法が，選定できる評価方法から除外されました。

❖ 例 題 ❖

次の資料に基づいて，期末商品棚卸高を計算しなさい。なお，後入先出法，先入先出法の計算は，そのつどではなく，月を単位として計算すること。

```
4月 1日  仕    入   100個（@¥110）
    6日  売    上   100個（4月1日仕入分）
   10日  仕    入   300個（@¥120）
   14日  売    上   200個（4月10日仕入分）
   28日  仕    入   100個（@¥130）
   31日  棚卸有高   200個
```

（個 別 法）

100個×@120円（4月10日仕入分）＋100個×@130円（4月28日仕入分）＝25,000円

（先入先出法）

100個×@130円＋100個×@120円＝25,000円

（総 平 均 法）

$$\frac{100個×@110円 + 300個×@120円 + 100個×@130円}{100個 + 300個 + 100個} = 120円$$

200個×120円＝24,000円

（移動平均法）

4月10日の平均単価：120円

4月28日の平均単価：$\dfrac{100個 \times @120円 + 100個 \times @130円}{100個 + 100個} = 125円$

200個 × 125円 = 25,000円

（最終仕入原価法）

200個 × @130円 = 26,000円

❖ 例　題 ❖

売価還元法により，期末商品棚卸高を算定しなさい。

　　期首商品棚卸高（原価）　　　25,000円
　　当期商品仕入高（原価）　　　250,000円
　　当期商品販売高（売価）　　　450,000円
　　期末商品棚卸高（売価）　　　50,000円

原価率 = $\dfrac{25,000円 + 250,000円}{450,000円 + 50,000円} = 0.55$

期末棚卸高の計算 = 50,000円 × 0.55 = 27,500円

2　低価法

低価法は，原価と時価を比較していずれか低い方の価額でもって，期末棚卸商品を評価する方法です（法令28①二）。低価法は，理論的な見地から採用されているのではなく，古くから広く各国で行われてきた慣習であり，実務上も広く支持されてきた方法であるため，認められている方法です。

(1)　低価法で評価する際の棚卸資産の時価

棚卸資産について低価法を適用する場合の時価は，その棚卸資産を売却するものとした場合に通常付される価額によります（法基通5－2－11）。すなわち，商品又は製品として売却するものとした場合の売却可能価額から見積追加製造原価（未完成品に限る）及び見積販売直接経費を控除した正味売却価額によります。

(2)　低価法で棚卸資産を評価する場合の会計処理

低価法で棚卸資産を評価する場合，翌期の会計処理に，次の二つがあります。

①　切り放し法……評価切下げ後の簿価を翌期における取得価額とみなして処理する方法
②　洗　替　法……評価切下げ前の原始取得価額を翌期における取得価額とする方法

洗替法によると，原始原価に戻す処理をしなければならず，実務が煩雑になります。また，前期以前に費用計上された棚卸資産原価の一部又は全部を当期の収益に繰り戻す必要が生じ，これは保守主義に反します。

たとえば，当期末に1,000円の商品が期末に800円に下落したとします。期末に200円の評価損を計上することになります。その後，翌期末にその商品の時価が900円になったとしますと，次のようになります。

①　切り放し法

　　（期末）　低価法評価損　　　200　　　繰　越　商　品　　　200

（期首）　仕訳なし
　　　（期末）　仕訳なし
　②　洗　替　法
　　　（期末）　低価法評価損　　200　　　低価法評価損調整勘定　　200
　　　（期首）　低価法評価損調整勘定　　200　　　低価法評価損調整勘定戻入　　200
　　　（期末）　低価法評価損　　100　　　低価法評価損調整勘定　　100

（注）　「棚卸資産の評価に関する会計基準」（平成18年7月）の影響により，一般の棚卸資産の低価法時価が，再調達原価から正味売却価額等となりました。また，トレーディング目的で保有する棚卸資産については，市場価額で評価されることになっています（時価法）。

3　評価方法の変更

　棚卸資産につき選択した評価方法を変更するときは，その変更しようとする事業年度開始の日の前日までに，変更承認申請書を所轄税務署長に提出しなければなりません（法令30①②）。変更承認申請に対して承認又は却下の通知がなされますが（法令30④），現によっている評価方法を採用してから相当期間（おおむね3年）を経過していないとき，又は評価方法の変更により各事業年度の所得の金額の計算が適正に行われ難いと認めるときは，申請は却下されます（法令30③，法基通5-2-19）。

　なお，変更承認申請書の提出があった場合に，その新たな方法を採用する事業年度終了の日までに承認又は却下の処分がなければ，その日に承認があったものとみなされます（法令30⑤）。

4　評価損の計上

　原則として，棚卸資産の評価換えをしても，その金額は損金の額に算入されません（法法33①）。しかし，次のような**特定の事実**が生じたときは，評価損を計上することができます。
(1)　棚卸資産が災害により著しく損傷したこと。
(2)　棚卸資産が著しく陳腐化したこと。
　　著しく陳腐化したこととは，次のような事実が生じた場合です（法基通9-1-4）。
　(イ)　いわゆる季節商品で売れ残ったものについて，今後通常の価額では販売することができないことが既往の実績その他の事情に照らして明らかであること。
　(ロ)　その商品と用途の面ではおおむね同様のものであるが，型式，性能，品質等が著しく異なる新製品が発売されたことにより，その商品につき今後通常の方法により販売することができないようになったこと。
(3)　法人について会社更生法の規定による更正手続きの開始決定又は会社法の規定による整理開始の命令があったことにより棚卸資産につき評価換えをする必要が生じたこと。
(4)　上の(1)から(3)までに準じる**特別の事実**が生じたこと。
　　特別の事実とは，次のような事実をいうとされています（法基通9-1-5）。
　(イ)　破損，型崩れ，棚ざらし，品質変化等により通常の方法によって販売することができないようになったこと。

(ロ) 民事再生手続開始の決定があったことにより，評価換えをする必要が生じたこと。

この評価損は，**損金経理**により，決算時に評価損を計上した場合にのみ認められます。

なお，棚卸資産の時価が，単に**物価変動，過剰生産，建値の変更等**の事情によって低下しただけでは，評価損を計上することはできません（法基通9－1－6）。

法人税法における評価損の計上は，**損金経理**をした場合に限り認められています（法法33②）。もっとも，評価損を計上したくない企業もあります。銀行から資金提供を受けたい企業や，あるいは入札が必要となる企業などは，決算書上利益を計上する必要がありますので，意図的に損金経理をせず**粉飾決算**を行い，いったん過大申告をして，後に更正の請求をして，過大に納付した法人税を**還付**してもらうという行動をとる場合があります。

しかしながら，このような企業行動に対して，法人税法は，企業が粉飾決算をして過大に法人税を納付しても，すぐにはその過大な法人税を還付しないという方法で対応しています。粉飾決算により，過大に納付された法人税額は，減額更正が行われてもその全額を直ちに還付することとせず，5年間の税額控除の方式により処理されることになっています（法法129③，70，133②）。

（注） この規定は，昭和41年度の税制改正で設けられたものです。

❖ 例　題 ❖

次の場合において，評価損として計上できる金額を算出しなさい。

区　分	直前簿価額	期末時価	備　　考
A 商 品	3,000,000円	1,000,000円	過剰生産により，時価が下落した。
B 商 品	2,000,000円	900,000円	季節商品の売れ残りであり，今後通常の価額では，販売できないことが明らかである。
C 商 品	4,000,000円	1,800,000円	破損や型崩れが見られ，通常の方法で販売できないことが明らかである。
D 商 品	1,000,000円	400,000円	建値の変更により，時価が下落した。

　　B　商　品　2,000,000円－900,000円＝1,100,000円
　　C　商　品　4,000,000円－1,800,000円＝2,200,000円
　A商品，D商品は，評価損の計上はできない。

取得価額

　購入代価に付随費用を加えたものが，棚卸資産の取得価額になります。これは，購入代価だけではなく，販売できる状態にするのに要したいっさいの費用を取得原価とすべしという考え方に基づくものですが，付随費用のうち，少額のものは取得原価に含めないことができます。

1　一般の棚卸資産

　購入した棚卸資産に関しては，①購入代価に②付随費用を加算した金額が取得原価になります（法令32①一）。

① 購入代価（引取運賃，荷役費，運送保険料，購入手数料，関税その他棚卸資産購入のために要した費用がある場合には，その費用を加算した金額）

② その資産を消費し，又は販売の用に供するために直接要した費用の額

　なお，次に掲げる費用は，棚卸資産の購入代価の3％以内の金額であれば，取得価額に算入しないことができます（法基通5-1-1）。

① 買入事務，検収，整理，選別，手入れなどの費用

② 販売所等から販売所等へ移管するために要した運賃，荷造費等の費用の額

③ 特別の時期に販売する等のため，長期にわたって保管するために要した費用

2　製造した棚卸資産

　自己で製造，採掘，採取，栽培，養殖その他これらに準ずる行為によって取得した棚卸資産の取得価額は，次の(1)，(2)の合計額になります（法令32①二）。

(1) その資産の製造等のために要した原材料費，労務費及び経費の額

(2) その資産を消費し，又は販売の用に供するために直接要した費用の額

　なお，次に掲げる費用は，棚卸資産の製造原価のおおむね3％以内の金額であれば，取得原価に算入しないことができます（法基通5-1-3）。

① 製造等の後において要した検査，検定，整理，選別，手入れ等の費用の額

② 製造場等から販売所等へ移管するために要した運賃，荷造費等の費用の額

③ 特別の時期に販売する等のため長期にわたって保管するために要した費用の額

　また，次のような費用は，製造原価に算入しなくともよいことになっています（法基通5-1-4）。

① 創立記念日などの特別賞与

② 基礎研究，応用研究の費用

③ 特別償却費

④ 事業税

⑤ 事業縮小のための大量整理による退職金

⑥ 償却超過額その他税務計算上の否認金の額

⑦　ソフトウェアの償却費
⑧　工場が支出した寄附金の額
⑨　借入金の利子

3　交換，贈与，債務弁済又は担保権実行により取得した棚卸資産

次の(1)と(2)の合計額が取得価額になります（法令32①三）。
(1)　取得のときにおける取得のために通常要する価額
(2)　その資産を消費し，販売の用に供するために直接要した費用の額

4　適格分社型分割又は適格現物出資により取得した棚卸資産

分割法人等の適格分社型分割等の直前の帳簿価額に相当する金額（法令32③）

なお，棚卸資産についてその法人の原価計算により算定した取得価額が，前記1～4の取得価額を超える場合がありますが，その超える場合のその差額のうち，税法の規定により損金の額に算入されないため確定申告に際して自己否認した金額から成る部分の金額については，申告書においてその調整を行い，減額することができます（法基通5－3－9）。

練習問題

1 次の資料に基づいて，個別法，先入先出法，総平均法，移動平均法，最終仕入原価法により，期末商品棚卸高を計算しなさい。なお，先入先出法の計算は，そのつどではなく，月を単位として計算すること。

　　4月 1日　仕　　　入　100個（@¥125）
　　　 6日　売　　　上　 50個（4月 1日仕入分）
　　　10日　仕　　　入　200個（@¥140）
　　　14日　売　　　上　150個（4月10日仕入分）
　　　20日　売　　　上　 50個（4月10日仕入分）
　　　28日　仕　　　入　200個（@¥120）
　　　31日　棚 卸 有 高　250個

2 売価還元法により，期末商品棚卸高を算定しなさい。

　　期首商品棚卸高（原価）　　　 15,000円
　　当期商品仕入高（原価）　　　200,000円
　　当期商品販売高（売価）　　　350,000円
　　期末商品棚卸高（売価）　　　 50,000円

3 次の場合において，評価損として計上できる金額を算出しなさい。

区　分	直前簿価額	期末時価	備　　　考
A 商 品	2,000,000円	1,000,000円	物価の変動により時価が変動した。
B 商 品	3,000,000円	1,200,000円	品質が変化したことにより，今後通常の価額では，販売できないことが明らかである。
C 商 品	5,000,000円	2,400,000円	この商品と用途の面で同様の商品であるが，性能・品質などの点で著しく異なる商品が発売されたことにより，通常の方法で販売できないことが明らかである。
D 商 品	4,000,000円	1,500,000円	災害による著しい損傷のため，時価が下落した。

税法における費用収益対応の原則

企業会計では，費用収益対応の原則に基づいて利益計算がなされます。費用収益対応の原則は，対応概念（matching concept）とか，単に対応（matching），あるいは順序を逆にして，収益費用対応の原則といわれたりしますが，その内容というのは，成果と努力との対応，すなわち，一定期間の収益とその収益を稼得するための費用を対応させることにより，利益が計算されるというものです。

さて，税法は，この費用収益対応の原則に準拠しているのでしょうか。費用収益対応の原則に準拠して利益計算を行わなければならないという明確な記述は，わが国の法人税法と所得税法にはありません。法人税法には，企業会計原則の斟酌規定（法人税法第22条4項）があるので，費用収益対応の原則も斟酌すべきであると考えることもできるし，また所得税法第37条は費用収益対応の原則を意味しているとの解釈もありますが，あくまで法人税法，所得税法ともに費用収益対応の原則に関する明文規定は存在しないのです。

しかしながら，企業会計の利益計算と税法における利益計算とは，それほど大きな差異がないのは事実です。たとえば，棚卸資産についていえば，販売された商品の原価が，売上原価としてその商品の販売により得られた収益の費用となって（対応せしめられて），未販売の商品の原価が資産として繰り延べられます。

もっとも，法人税法にあっては，いかにも企業の利益計算の基本原理である費用収益対応の原則に基づいているようでいて，実は単に税金の徴収が容易になるような方法を選択した結果が，費用収益対応の原則と合致しているに過ぎないのではないかという場合があります。

たとえば，法人税法上の繰延資産がその例としてあげることができるでしょう。法人税法上の繰延資産も費用収益対応の原則が適用されているように見えますが，単に税収確保に有利な方法が，費用処理ではなくて資産計上であるにすぎないという側面があります。

繰延資産は，現時点ではその効果はないが，その効果が将来にわたって発現するものと期待される費用であって，将来その効果が発現したときに，その将来効果に費用を対応させるため，資産として，繰り延べ経理されるものであり，費用収益対応の原則が適用されているといわれます。

しかしながら，わが国における税法上の繰延資産は，かつての商法（会社法）や企業会計が認めるものよりも広い範囲にわたり，しかも，その計上が原則的に強制されています。この税法の姿勢は，費用収益対応の原則でもって説明することもできますが，観点をずらすと，所得から控除できる費用を制限する効果を有していることを否定することはできません。

第4章

租 税 公 課

　法人の納付する租税公課は，法人の事業遂行上必要な費用であり，その納付により純資産の減少をきたすものですから，原則として損金の額に算入されるべきものです。しかし，租税の性質，租税収入の確保の見地から，損金不算入とされるものが多くあります。

1 法 人 税

　法人税の本税は，損金不算入となります。法人税法上法人税の本税が損金とされていない理由として，(1)法人税は所得（利益）から支払われるものであり，収益に対する控除項目ではないということと，(2)納付した法人税額を翌期の損金に算入すると，所得金額が変動し租税収入が安定しないということが挙げられます。

　法人税の**附帯税**のうち，申告期限延長により課された**利子税**は，銀行預金の利子のような性格を有するため，損金に算入されますが，法人税法上の申告期限までに本税を納付しなかったことにより課される**延滞税**のほか，**過少申告加算税，無申告加算税，重加算税**といった，正当な理由がなく又は申告納税に反して申告しないで本税を納付しなかったことにより課されるものについては，損金不算入となります。これらの税は罰則的な意味合いから，損金不算入とされています。

2 住民税

　住民税の本税には，**法人税割**と**均等割**があります。住民税の法人税割は，道府県や市町村の行政に必要な費用を分担するという性格を有していますが，住民税の法人税割も法人税と同様に所得を基準にして課される，所得から控除される税金ですし，また翌期の損金にすると，所得金額が変動し租税収入が安定しないため，損金不算入とされます。

　住民税の均等割は，法人の所得に関係なく，各事業所に対して均等額が課税されるものであり，コスト的性格を有しているので，本来損金に認めるべきですが，これに関しては同一の税目を区分して取り扱うのは適当でないことと，均等額が少額であることを考慮して，損金不算入とされています。

　住民税の**附帯金**のうち，**納期限延長に係る延滞金**は，銀行預金の利子のごとき性格を有するため，損金に算入されますが，**それ以外の延滞金**や，**過少申告加算金**，**不申告加算金**及び**重加算金**は損金不算入となります。これらの税は罰則的な意味合いから，損金不算入とされています。なお，法人税の場合と異なり，住民税の場合には，附帯税ではなく附帯金といい，また，延滞税ではなく延滞金などといいますので，注意を要します。

3 事業税

　事業税は，道府県が提供するサービスに対して必要な費用を負担するというものであり，所得に対して課税されるものではなく，事業の存在に対して課される税金です。そのため，事業税本税に関しては，損金算入が認められています。事業税の**附帯金**のうち，**納期限延長に係る延滞金**は，住民税と同様，損金に算入されますが，**それ以外の延滞金**や，**過少申告加算金**，**不申告加算金**及び**重加算金**は，損金不算入となります。これらの税は罰則的な意味合いから，損金不算入とされています。なお，住民税と同様，事業税の場合には法人税の場合と異なり，附帯税ではなく附帯金といい，また，延滞税ではなく延滞金などといいますので，注意を要します。

4 印紙税

　印紙税とは，証書や契約書等を作成する際に課される手数料であり，本税は損金算入が認められていますが，印紙税本税を納付しなかったことにより課される**過怠税**は，損金不算入とされています。

罰金・科料・過料・交通反則金

罰金は、偽りその他不正の行為により国税を逃れ又は還付を受けた場合に課されます。また、**過料**は、行政上の法令・義務などに従わなかった者に対し、制裁として課され、**科料**は、刑法に定める刑罰として課されます。**交通反則金**は、交通違反をした場合に課されます。これらの金額に関しては、罰則的な意味合いから、原則的には損金不算入とされています。

また、法人がその役員又は使用人に対して課された罰金若しくは科料、過料又は交通反則金を負担した場合に、その罰金等が法人の業務の遂行に関連してされた行為等に対して課されたものであるときは、法人の損金の額に算入されず、その他のものであるときは、その役員又は使用人に対する給与とされます（法基通9－5－8）。

損金算入の租税公課

法人税の利子税、住民税の延滞金（納期限延長にかかるもの）、事業税の延滞金（納期限延長にかかるもの）、事業税の本税、印紙税の本税が損金に算入されますが、これら以外でも、固定資産税、都市計画税、自動車税、不動産取得税、事業所税、消費税、軽油取引税、ゴルフ場利用税などの税金が損金に算入されます。

損金算入時期

損金に算入される租税公課の損金算入時期は、次のようになります（法基通9－5－1）。

(1) **申告納税方式による租税**

事業税、消費税、事業所税などの申告納税方式の税金は、納税申告書が提出された日の属する事業年度に損金算入されます。

(2) **賦課課税方式による租税**

固定資産税、不動産取得税、自動車税などの賦課課税方式による税金は、賦課決定のあった日の属する事業年度に損金算入されますが、納期の開始日又は実際に納付した日に損金経理することも認められます。

(3) **特別徴収方式による税金**

軽油取引税、ゴルフ場利用税などの特別徴収方式による税金は、納入申告書が提出された日の属する事業年度に損金算入されますが、申告期限未到来の税額が収入金額に含まれている場合には、損金経理により未払金に計上したときの金額については、その損金経理をした事業年度に損

金に算入されます。

(4) 利子税並びに地方税法第65条第1項，第72条の45ノ2又は第327条第1項（法人の道府県民税等に係る納期限の延長の場合の延滞金）の規定により徴収される延滞金

納付の日の属する事業年度に損金に算入されます。ただし，法人が当該事業年度の期間に係る未納の金額を損金経理により未払金に計上したときの当該金額については，当該経理をした事業年度の損金になります。

―❖ 例　題 ❖――――――――――――――――――――――――――――
次の資料に基づき，当期において税務調整すべき金額を計算しなさい。
　　法人税の当期中間納付額　　　　　　　　　　　40,000,000円
　　住民税の当期中間納付額　　　　　　　　　　　20,000,000円
　　事業税の当期中間納付額　　　　　　　　　　　 1,600,000円
　　使用人の業務中の交通違反について課された交通反則金　100,000円
　　固定資産税　　　　　　　　　　　　　　　　　　 900,000円
――――――――――――――――――――――――――――――――

損金計上中間法人税　40,000,000円（加算）
損金計上中間住民税　20,000,000円（加算）
損金計上罰金等　　　　　100,000円（加算）

納税充当金の取扱い

企業会計における**未払法人税等**のことを法人税法では，**納税充当金**と称しています。3月末に設定した納税充当金を当期の5月末に納付するために，取り崩します。仮に取崩額を1,000,000円としますと，その時の仕訳は，

　　（借）納 税 充 当 金　　1,000,000　　（貸）現　　　　　金　　1,000,000

となります。取り崩した金額のうち，**事業税**は，**別表4上で減算**します。

11月末には，中間納付があります。その金額を仮に800,000円としますと，

　　（借）租　税　公　課　　　800,000　　（貸）現　　　　　金　　　800,000

となります。損金不算入となる，**中間申告分法人税**や**中間申告分住民税**に関しては，当然**損金不算入**となりますので，注意してください。

当期末には，新たに納税充当金を設定します。その金額を仮に1,000,000円としますと，その時の仕訳は，

　　（借）納税充当金繰入　　1,000,000　　（貸）納 税 充 当 金　　1,000,000

となります。納税充当金を繰り入れた時点では，未だ**債務が確定していない**ので，**繰入額は損金不算入**となります。

一連の流れは，次のようになります。

第4章 租税公課

❖ 例　題 ❖

次の資料に基づいて，当社の当期において税務調整すべき金額を計算しなさい。
当期における納税充当金の移動状況は，次のとおりである。

区　　分	期首現在額	期中減少額	期中増加額	期末現在額
法　人　税	20,000,000円	20,000,000円	26,000,000円	26,000,000円
住　民　税	4,000,000円	4,000,000円	6,000,000円	6,000,000円
事　業　税	6,000,000円	6,000,000円	8,000,000円	8,000,000円
計	30,000,000円	30,000,000円	40,000,000円	40,000,000円

(1) 期首現在額及び期中増加額は，それぞれ前期及び当期に損金経理により引き当てた金額である。
(2) また，次の前事業年度の延滞税（延滞金）等を当期に支出している。
　① 法人税の延滞税　300,000円
　② 法人税の利子税　100,000円
　③ 住民税の延滞金　200,000円（うち80,000円は納期限延長に係るものである）
　④ 事業税の延滞金　240,000円（うち40,000円は，納期限の延長に係るものである）

(1) 当期に繰り入れた納税充当金は，損金不算入となり，損金計上納税充当金40,000,000円として，別表4上で加算される。
　　損金計上納税充当金　　40,000,000円（加算）
(2) 前期に繰り入れた納税充当金の取崩額のうち，事業税6,000,000円を納税充当金から支出した事業税の額として，別表4上で減算する。前期に納税充当金を繰り入れた際，その繰り入れた金額は，損金不算入になっているはずである。当期に納税充当金を取り崩した際には，損金算入される事業税は損金に算入される税金であるため，減算される。
　　納税充当金支出事業税　　6,000,000円（減算）
(3) 附帯税等のうち，損金不算入の税金を別表4上で加算する。
　　損金計上附帯税等＝法人税の延滞税300,000円＋住民税の延滞金（200,000円－80,000円）
　　　　　　　　　　＋事業税の延滞金（240,000円－40,000円）＝620,000円
　　損金計上附帯税等　　　　620,000円（加算）

練習問題

1 次の資料に基づき，当期において税務調整すべき金額を計算しなさい。

法人税の当期中間納付額	30,000,000円
住民税の当期中間納付額	15,000,000円
事業税の当期中間納付額	2,000,000円
使用人の業務中の交通違反について課された交通反則金	90,000円
役員の業務中以外の交通違反について課された交通反則金	100,000円
自 動 車 税	900,000円

2 次の資料に基づいて，当社の当期において税務調整すべき金額を計算しなさい。

当期における納税充当金の移動状況は，次のとおりである。

区　分	期首現在額	当期減少額	当期増加額	期末現在額
法 人 税	40,000,000円	40,000,000円	50,000,000円	50,000,000円
住 民 税	9,000,000円	9,000,000円	11,000,000円	11,000,000円
事 業 税	11,000,000円	11,000,000円	12,000,000円	12,000,000円
合　　計	60,000,000円	60,000,000円	73,000,000円	73,000,000円

期首現在額及び期中増加額は，それぞれ前期及び当期に損金経理により引き当てた金額である。また，期中減少額は，前期分の法人税等のそれぞれに掲げる税額を納付するために取り崩した金額である。また，次の前事業年度の延滞税（延滞金）等を当期に支出している。

法人税の延滞税	500,000円
住民税の延滞金（納付遅延にかかるもの）	200,000円
事業税の延滞金（納付遅延にかかるもの）	100,000円

3 次の資料に基づいて，当社の当期において税務調整すべき金額を計算しなさい。

当期における納税充当金の移動状況は，次のとおりである。

区　分	期首現在額	当期減少額	当期増加額	期末現在額
法 人 税	30,000,000円	30,000,000円	40,000,000円	40,000,000円
住 民 税	8,000,000円	8,000,000円	6,000,000円	6,000,000円
事 業 税	10,000,000円	10,000,000円	9,000,000円	9,000,000円
合　　計	48,000,000円	48,000,000円	55,000,000円	55,000,000円

期首現在額及び期中増加額は，それぞれ前期及び当期に損金経理により引き当てた金額である。また，期中減少額は，前期分の法人税等のそれぞれに掲げる税額を納付するために取り崩

した金額である。また，次の前事業年度の延滞税（延滞金）等を当期に支出している。

　法人税の延滞税　800,000円
　法人税の利子税　600,000円
　住民税の延滞金　400,000円（うち100,000円は，納期限延長にかかるもの）
　事業税の延滞金　300,000円（うち80,000円は，納期限延長にかかるもの）

4　次の資料に基づいて，当社の当期において税務調整すべき金額を計算しなさい。
　(1)　当期における納税充当金の移動状況は，次のとおりである。

区　分	期首現在額	当期減少額	当期増加額	期末現在額
法 人 税	60,000,000円	60,000,000円	70,000,000円	70,000,000円
住 民 税	9,000,000円	9,000,000円	12,000,000円	12,000,000円
事 業 税	13,000,000円	13,000,000円	14,000,000円	14,000,000円
合　計	82,000,000円	82,000,000円	96,000,000円	96,000,000円

　(2)　当期において損金経理により租税公課勘定に計上した金額は，次のとおりである。
　　①　法　人　税
　　　●前事業年度の法人税に係る利子税　　　　　　　　　　　　400,000円
　　　●当期中間申告分本税　　　　　　　　　　　　　　　　50,000,000円
　　　●当期中間申告分延滞税　　　　　　　　　　　　　　　　500,000円
　　②　住　民　税
　　　●前事業年度の住民税に係る延滞金　　　　　　　　　　　　300,000円
　　　●当期中間申告分本税　　　　　　　　　　　　　　　　7,000,000円
　　③　事　業　税
　　　●前事業年度の事業税に係る延滞金（納期限延長に係るもの）　200,000円
　　　●当期中間申告分本税　　　　　　　　　　　　　　　　9,000,000円
　　　●当期中間申告分延滞金　　　　　　　　　　　　　　　　50,000円
　　④　固定資産税　　　　　　　　　　　　　　　　　　　　1,000,000円
　　⑤　印紙税額（過怠税50,000円を含む）　　　　　　　　　　500,000円

5　次の資料により，山形株式会社（株主はすべて個人である）の納付すべき法人税額を計算しなさい（本年4月1日から3月31日を事業年度とする）。
　(1)　資本等の状況
　　①　当期利益金額は，60,000,000円である。
　　②　期末資本金額は，10,000,000円である。
　　　　期末資本積立金額は，1,000,000円である。
　(2)　税務調整すべき事項
　　　当期における納税充当金の移動状況は，次のとおりである。

区　　分	期首現在額	当期減少額	当期増加額	期末現在額
法　人　税	6,000,000円	6,000,000円	6,400,000円	6,400,000円
住　民　税	200,000円	200,000円	300,000円	300,000円
事　業　税	1,000,000円	1,000,000円	900,000円	900,000円
合　　計	7,200,000円	7,200,000円	7,600,000円	7,600,000円

　また，当期において損金経理により租税公課勘定に計上した金額は，次のとおりである。
① 法　人　税
　　● 前事業年度の法人税に係る利子税　　　　　　　　　　　　400,000円
　　● 当期中間申告分本税　　　　　　　　　　　　　　　　　5,000,000円
　　● 当期中間申告分延滞税　　　　　　　　　　　　　　　　　400,000円
② 住　民　税
　　● 前事業年度の住民税に係る延滞金　　　　　　　　　　　　200,000円
　　● 当期中間申告分本税　　　　　　　　　　　　　　　　　2,000,000円
③ 事　業　税
　　● 前事業年度の事業税に係る延滞金（納期限延長に係るもの）　200,000円
　　● 当期中間申告分本税　　　　　　　　　　　　　　　　　　700,000円
　　● 当期中間申告分延滞金　　　　　　　　　　　　　　　　　　40,000円
④ 固定資産税　　　　　　　　　　　　　　　　　　　　　　　1,000,000円
⑤ 印紙税額（過怠税50,000円を含む）　　　　　　　　　　　　　100,000円
⑶ 交際費等の損金不算入額　　　　　　　　　　　　　　　　　4,000,000円
⑷ 建物減価償却超過額　　　　　　　　　　　　　　　　　　　1,400,000円
⑸ 寄附金の損金不算入額　　　　　　　　　　　　　　　　　　2,000,000円
⑹ 法人税額から控除される所得税額　　　　　　　　　　　　　　400,000円

(別表4)

(単位:円)

区　　　　分		金　　額	計　算　過　程
当　期　純　利　益			
加算			
	小　　計		
減算			
	小　　計		
仮　　計			
合計・差引計・総計			
所　得　金　額			

(別表１)

(単位：円)

区　　分		税率	金　額	計　算　過　程
所　得　金　額				（千円未満切捨）
法人税額の計算				
	法　人　税　額			
差引法人税額				
法　人　税　額　計				
控　除　税　額				
差引所得に対する法人税額				（百円未満切捨）
中間申告分の法人税額				
この申告により納付すべき法人税額				

租 税 公 課

　延滞税・過少申告加算税・無申告加算税は，延納又は申告書の提出期限の延長を受けていないのに，税の支払いが遅れてしまったり，申告した税額が過少であったり，申告がなかったために賦課される税金であり，重加算税は，事実を隠蔽し，過少な申告を行った場合に課される税金です。これらの税金は，納税秩序の維持や罰則として課されるものですから，損金不算入となるのは理解できます。しかし，その他の税金に関しては，損金とされるか否かに関して論理の不一致があり，疑問点がいくつかあります。

　法人税が損金と認められない理由として，(1)法人税は所得（利益）から支払われるものであり，収益に対する控除項目ではないということと，(2)納付した法人税額を翌期の損金に算入すると，所得金額が変動し租税収入が安定しないということがあげられています。しかし，法人税は会社からみますと，明らかにコストであり，商品の原価に加算されていると考えることができます。もっとも，前期の法人税を費用とみて，税務上控除をいったん認めておいて，課税所得を計算し，次にこの課税所得に税率をかけて得られた法人税を徴収するというのも，収まりが悪いように思います。

　これに対して住民税は，道府県や市町村の行政に必要な費用を分担するという性格を持っていますが，法人税と同様住民税も収益に対する控除項目でないことと，翌期に損金算入すると，所得金額が変動し租税収入が安定しないということがあるため，損金不算入とされます。

　しかしながら，住民税の均等割が損金に認められないのは，法人税と住民税のような理由では説明がつきません。住民税の均等割は，法人の所得の有無にかかわらず，各事業所に対して均等額が課税されます。これは，同一の税目を区分して別扱いにするのは適当でないことと均等額が少額であることを考慮していると説明されていますが，これに関しては腑に落ちないところがあります。

　これとは別に，事業税は損金であるとされてきましたが，これについて議論が生じる可能性があります。事業税は，事業の存在に関して課される税金であり，道府県が提供するサービスに対して必要な費用を負担するというもので，所得に関して課税されるものではありません。したがって，損金算入が認められていると説明されています。

　しかし，現行の事業税は，課税所得を基にして課されるものであり，法人税や住民税と変わらない取扱いを受けていますから（平成9年6月と平成10年12月には連結財務諸表原則と財務諸表等規則が改定され，事業税は法人税・住民税と同じ，すなわち，利益に課される税金となっています），事業税だけが特別扱いされていることに疑問がもたれる可能性があります。

第5章

寄　附　金

 寄附金の損金不算入制度

　払う側である企業の立場からすると，税金と異なり，寄附金という形での支出は，企業の意図を生かすことができるというメリットがあります。しかし，寄附金は反対給付を伴わない支出であり，事業関連性に乏しいなど，その損金性が不明であるといわれます。また，寄附金を無制限に損金算入すると，法人が寄附した金額は，国に入ってこないわけですから，その金額分だけ，国の税収が減ります。言い方を換えれば，法人税の一部が結果的に寄附に置き換わったともいえるでしょう。このようなことから，寄附金の損金算入については，法人税法上一定の制限が設けられています。

 寄附金の範囲

　寄附金，拠出金，見舞金その他いずれの名称を用いるかに関わりなく，実質的に金品を贈与したり無償で経済的な利益を提供すれば，法人税法上寄附金とされます（法法37⑦）。
　また，時価に比して低い対価で資産の譲渡又は経済的な利益の供与をした場合にも，実質的に贈与又は無償の供与をしたと認められる金額は，寄附金の額に含まれます（法法37⑧）。しかし，寄附金というものは，基本的に，見返りを期待しない，無償で提供されるものとしてとらえられていますから，広告宣伝費，交際・接待費及び福利厚生費などは除かれます（法法37⑦カッコ書）。
　なお，事業に直接関係のない者に対して金銭，物品等の贈与をした場合において，それが寄附

金であるか交際費等であるかは個々の実態により判定すべきですが，金銭でした贈与は原則として寄附金とされ，また，次のようなものは交際費に含まれず，寄附金とされます（措通61の4(1)－2）。
(1) 社会事業団体，政治団体に対する拠金
(2) 神社の祭礼等の寄贈金

損金算入限度額

　寄附金というのは，資金的余裕がある企業がすべき行動でしょう。企業の規模が小さいあるいは収益獲得能力のない企業がすべきことではありません。法人税法でも，このようなことを考慮して，資本の規模と所得の大きさの平均値をもとに，損金として許容できる限度額を定めています。

　公益法人等以外（普通法人，協同組合等，人格のない社団等）の一般寄附金の損金算入限度額及び特別損金算入限度額は，次の算式により計算した金額になります（法令71②一，法令77①一）。

1　一般寄附金の損金算入限度額

$$損金算入限度額＝（①資本基準額＋②所得基準額）\times \frac{1}{4}$$

① 資本基準額＝資本金の額及び資本準備金の合計額又は出資金の額 $\times \dfrac{当期の月数}{12} \times \dfrac{2.5}{1,000}$

② 所得基準額＝当期の所得金額（別表4の仮計の金額＋支出寄附金の総額）$\times \dfrac{2.5}{100}$

2　特定公益増進法人に対する寄附金の特別損金算入限度額（特別損金算入限度額）

$$特別損金算入限度額＝（①資本基準額＋②所得基準額）\times \frac{1}{2}$$

① 資本基準額＝資本金の額及び資本準備金の合計額又は出資金の額 $\times \dfrac{当期に月数}{12} \times \dfrac{3.75}{1,000}$

② 所得基準額＝当期の所得金額（別表4の仮計の金額＋支出寄附金の総額）$\times \dfrac{6.25}{100}$

4 損金不算入額

支出寄附金総額－指定寄附金等の額－{特定公益増進法人に対する寄附金の額と特別損金算入限度額とのうち少ない額}－損金算入限度額＝損金不算入額

❖ 例 題 ❖

次の資料により，当社の当期における寄附金の損金不算入額を計算しなさい。

(1) 資本金の額及び資本準備金の合計額又は出資金の額　　60,000,000円
(2) 指定寄附金等　　1,000,000円
(3) 特定公益増進法人に対する寄附金　　1,200,000円
(4) その他の寄附金　　4,000,000円
(5) 別表4仮計　　30,000,000円

(1) 支出寄附金の額
  ① 指定寄附金等　　1,000,000円
  ② 特定公益増進法人　　1,200,000円
  ③ その他の寄附金　　4,000,000円
  ④ ①＋②＋③＝6,200,000円

(2) 損金算入限度額

  ① 損金算入限度額　$\left\{60,000,000円 \times \dfrac{12}{12} \times \dfrac{2.5}{1,000} + (30,000,000円 + 6,200,000円) \times \dfrac{2.5}{100}\right\} \times \dfrac{1}{4} = 263,750円$

  ② 特別損金算入限度額　$\left\{60,000,000円 \times \dfrac{12}{12} \times \dfrac{3.75}{1,000} + (30,000,000円 + 6,200,000円) \times \dfrac{6.25}{100}\right\} \times \dfrac{1}{2} = 1,243,750円$

(3) 損金不算入額

6,200,000円 － 1,000,000円 － 1,200,000円(注) － 263,750円 ＝ 3,736,250円

　(注) 1,200,000円 ＜ 1,243,750円　 ∴ 1,200,000円

寄附金の損金不算入額　3,736,250円（加算）

損金算入される寄附金

　国の立場からすれば，税金という形式でなくとも，結果的に国に資金が入るのであれば，寄附金を問題視する必要はないでしょう。また，たとえ国に直接資金は入らなくても，公共の利益を促進するような支出であれば，国に対する寄附と実質は変わらないといえます。そこで，国等や公共性の高い法人に対する寄附金は，特別に損金として認められています。

1　指定寄附金等

(1)　国等に対する寄附金

　国又は地方公共団体に対する寄附金は，全額が損金となります。ただし，寄附をした者が，その寄附によって設けられた施設を専属的に利用すること，その他特別な利益がその寄附をした者に及ぶと認められるものは除かれます（法法37③一）。このような場合には，特別な利益という反対給付があるわけですから，実質的に寄附とはいえないということです。

　国立又は公立学校等の施設の建設や，拡張目的で設立された後援会などに対する寄附金でも，その目的である施設が完成後遅滞なく国等に帰属することが明らかなものは，国等に対する寄附金に該当します（法基通9－4－3）。

　しかし，日本中央競馬会等のように全額政府出資により設立された法人又は地方公共団体の全額出資により設立された法人に対する寄附金は，国等に対する寄附金には該当しません（法基通9－4－5）。

　また，法人が，災害救助法第2条（被救助者）の規定に基づき都道府県知事が救助を実施する区域として指定した区域の被災者のための義援金等の募集を行う募金団体（日本赤十字社，新聞・放送等の報道機関等）に対して拠出した義援金等については，その義援金等が最終的に義援金配分委員会等に対して拠出されることが募金趣意書等において明らかにされているものであるときは，国等に対する寄附金に該当します（法基通9－4－6）。

　なお，国等が採納の手続きをした寄附金であっても，その寄附金が特定の団体に交付されることが明らかである等最終的に国等に帰属しないと認められるものは，国等に対する寄附金には該当しません（法基通9－4－4）。

(2)　指定寄附金

　指定寄附金には，公益法人等に対する寄附金で，広く一般に募集され，教育又は科学の振興，文化の向上，社会福祉への貢献その他公益の増進に寄与するための支出で緊急を要するものに充てられることが確実であるものとして財務大臣が指定したものが該当しますが，これも全額損金に算入されます（法法37③二）。

2　特定公益増進法人等に対する寄附金

　公共法人，公益法人等その他特別の法律により設立された法人のうち，教育又は文化の向上，社会福祉への貢献その他公益の増進に著しく寄与するものとして次の法人に対するその法人の主

たる目的である業務に関連する寄附金は，一般の寄附金とは別枠で損金に算入されます（法法37④，法令77）。
① 独立行政法人
② 地方独立行政法人で一定の業務を主たる目的とするもの
③ 自動車安全運転センター，日本司法支援センター，日本私立学校振興・共済事業団，日本赤十字社
④ 公益社団法人，公益財団法人
⑤ 学校法人又は準学校法人で学校や専修学校，特定の各種学校の設置を主たる目的とするもの
⑥ 社会福祉法人
⑦ 更生保護法人
⑧ 特定非営利活動法人（認定ＮＰＯ法人）のうち所轄庁（都道府県知事又は指定都市の長）の認定を受けたもの（認定特定非営利活動法人）（措法66の11の3②）
（注） 認定ＮＰＯ法人とは，特定非営利活動促進法第2条第2項に規定する特定非営利活動法人のうち，その運営組織及び事業活動が適正であること並びに公益の増進に資することにつき一定の要件を満たすものとして，所轄庁（都道府県知事又は指定都市の長）の認定を受けたものをいいます（措法66の11の2③）。

寄附金の現金主義等

寄附金は，現金主義に基づき計算されます（法令78）。したがって，未払いである場合には，当期の寄附金とされませんし，逆に仮払いであっても現金の支出があるので，当期の寄附金とされます。

❖ 例　題 ❖

次の資料により，当社の当期における税務上調整すべき金額を計算しなさい。
(1) 損金経理した寄附金等の内訳は，次のとおりである。

寄　附　先	内　　　　容	金　額	備　考
町　内　会	祭　礼　費　用	100,000円	期　中　支　出
日本司法支援センター	経　常　経　費	400,000円	期　中　支　出
Ｈ　　寺	祭　礼　費　用	300,000円	期　中　支　出
日本商工会議所	経　常　経　費	600,000円	前期仮払当期消却
日本赤十字社	義援会（最終的に義援金配分委員会に拠出されることが明らかである）	500,000円	未　払　金　計　上

(2) 上記のほか，Ｋ神社に対する寄附金が200,000円あるが，仮払い経理している。
　また，国立大学に対する寄附金（新校舎建設）2,000,000円があり，これは前期未払い計上していたものを当期において支出したものである。

(3) その他の事項

当期利益金額は，7,000,000円である。

資本金の額及び資本準備金の合計額又は出資金の額は，11,000,000円である。

1　仮計の算出
（別表4）

(単位：円)

区　　　　分	金　　　額	計　算　過　程
当　期　純　利　益	7,000,000	
加算　前期仮払寄附金否認 未払寄附金否認	600,000 500,000	
小　　　計	1,100,000	
減算　仮払寄附金認定損 前期未払寄附金認容	200,000 2,000,000	
小　　　計	2,200,000	
仮　　　　計	5,900,000	

2　損金不算入額

(1) 支出寄附金の額

① 指定寄附金　　　　2,000,000円

② 特定公益増進法人　　400,000円

③ その他の寄附金　　100,000円＋300,000円＋200,000円＝600,000円

④ ①＋②＋③＝3,000,000円

(2) 損金算入限度額

① 損金算入限度額　$\left\{11,000,000円 \times \dfrac{12}{12} \times \dfrac{2.5}{1,000} + (5,900,000円 + 3,000,000円) \times \dfrac{2.5}{100}\right\}$

　　　　　　　　　$\times \dfrac{1}{4} = 62,500円$

② 特別損金算入限度額　$\left\{11,000,000円 \times \dfrac{12}{12} \times \dfrac{3.75}{1,000} + (5,900,000円 + 3,000,000円)\right.$

　　　　　　　　　$\left.\times \dfrac{6.25}{100}\right\} \times \dfrac{1}{2} = 298,750円$

(3) 損金不算入額

3,000,000円－2,000,000円－298,750円(注)－62,500円＝638,750円

　（注）　400,000円＞298,750円　　∴　298,750円

寄附金の損金不算入額　638,750円（加算）

⑴　まず，仮計の金額を算出する必要がある。未払いや仮払いを考慮して，仮計の金額を計算する。
⑵　次に，寄附金の損金不算入額を計算する。
　①　町内会に対する寄附金で祭礼費用は，その他の寄附金（一般の寄附金）となる。単なる町内会の会費は，一般管理費となり，損金となる。
　②　日本司法支援センターに対する寄附金は，特定公益増進法人に対する寄附金となる。
　③　H寺に対する寄附金は，その他の寄附金となる。
　④　日本商工会議所に対する寄附金は，前期に仮払経理したものを当期に消却している。法人税法上，寄附金は現金主義で取り扱われるので，前期の支出寄附金として扱われている。したがって，当期に消却し，損金に計上した場合には，否認される。
　⑤　日本赤十字社の義援金（最終的に義援金配分委員会に拠出されることが明らかである）は，本来は指定寄附金となり損金になるはずであるが，本問の場合には，未払いなので，当期の損金にならない。
　⑥　K神社に対する寄附金は，当期に仮払経理されているので，当期の支出寄附金となる。
　⑦　国立大学に対する寄附金は，前期に未払い計上され，前期の支出寄附金からは除かれている。当期に支出された段階で，当期の支出寄附金に含める。

練習問題

1 次の資料により，当社の当期における寄附金の損金不算入額を計算しなさい。
   (1) 資本金の額及び資本準備金の合計額又は出資金の額　　30,000,000円
   (2) 指定寄附金等　　500,000円
   (3) 特定公益増進法人に対する寄附金　　600,000円
   (4) その他の寄附金　　2,000,000円
   (5) 別表4仮計　　15,000,000円

2 次の資料により，当社の当期における税務上調整すべき金額を計算しなさい。
   (1) 損金経理した寄附金等の内訳は，次のとおりである。

寄　附　先	内　　容	金　　額	備　　考
町　内　会	祭礼費用	300,000円	未払金計上
財団法人貿易研修センター	経常経費	200,000円	前期仮払当期消却
K　　　寺	法仏殿改造資金	500,000円	期中支出
日本商工会議所	経常経費	400,000円	期中支出
国　立　大　学	学校施設の増築	1,000,000円	期中支出

   (2) 上記のほか，政党に対する寄附金が1,000,000円あるが，仮払経理している。
       また，日本赤十字社に対する寄附金（義援金，最終的に義援金配分委員会に拠出されることが明らかである）2,000,000円があり，これは前期未払い計上していたものを当期において支出したものである。
   (3) その他の事項
       当期利益金額は，10,000,000円である。
       資本金の額及び資本準備金の合計額又は出資金の額は，24,000,000円である。

1　仮計の算出
（別表4）

（単位：円）

区　　　　分		金　　額	計　算　過　程
当　期　純　利　益			
加算			
	小　　　計		
減算			
	小　　　計		
仮　　　計			

3　次の資料により，当社の当期における税務上調整すべき金額を計算しなさい。損金経理した寄附金等の内訳は，次のとおりである。

寄　附　先	内　　　容	金　　額	備　　考
宗　教　法　人	経　常　費　用	200,000円	期　中　支　出
放送番組センター	経　常　経　費	450,000円	期　中　支　出
G　　　　寺	祭　礼　費　用	100,000円	期　中　支　出
社　会　福　祉　法　人	経　常　経　費	150,000円	期　中　支　出
J　　　R	経　常　経　費	300,000円	期　中　支　出
子　　会　　社	欠　損　補　填　金	400,000円	（注）

（注）　子会社（100％子会社ではない）に利益を供与する目的で帳簿価額400,000円の売買目的有価証券（時価700,000円）を贈与した。

(1)　上記のほか，政治団体に対する寄附金（政治献金）が600,000円あるが，仮払経理している。また，仙台市に対する寄附金（仙台市と中学校の図書館の建設資金に充てられるもの）2,000,000円があり，これは前期未払い計上していたものを当期において支出したものである。

(2) その他の事項

当期利益金額は，7,000,000円である。

資本金の額及び資本準備金の合計額又は出資金の額は，11,000,000円である。

1　仮計の算出

（別表4）

(単位：円)

区　　　分		金　　額	計　算　過　程
当　期　純　利　益			
加算			
	小　　　計		
減算			
	小　　　計		
仮　　　計			

4　次の資料により，岩手株式会社（株主はすべて個人である）の納付すべき法人税額を計算しなさい（本年4月1日から3月31日を事業年度とする）。

(1)　資本金の額及び資本準備金の合計額又は出資金の額　81,000,000円

(2)　当期利益の額　50,000,000円

(3)　税務調整すべき事項

　　① 損金の額に算入した中間納付の法人税額　　　　　　　　　12,000,000円
　　② 損金の額に算入した中間納付の県民税及び市民税の額　　　　3,700,000円
　　③ 損金の額に算入した納税充当金　　　　　　　　　　　　　10,000,000円
　　④ 法人税額から控除される所得税額　　　　　　　　　　　　　2,600,000円
　　⑤ 納税充当金から支出した前期分事業税額　　　　　　　　　　2,600,000円

⑥ 役員の業務中以外の交通違反について課された交通反則金　140,000円
⑦ 機械装置減価償却超過額の当期認容額　　　　　　　　　　900,000円
⑧ 交際費等の損金不算入額　　　　　　　　　　　　　　　4,000,000円
⑨ 建物減価償却超過額　　　　　　　　　　　　　　　　　1,400,000円
⑩ 寄附金に関する資料

損金経理した寄附金等の内訳は，次のとおりである。

寄　附　先	内　　　容	金　　額	備　　考
S 宗 教 法 人	経 常 費 用	1,000,000円	期　中　支　出
放送番組センター	経 常 経 費	500,000円	期　中　支　出
K　　　　　寺	祭 礼 費 用	400,000円	期　中　支　出
社 会 福 祉 法 人	経 常 経 費	100,000円	前期仮払当期償却
J　　　　　R	経 常 経 費	300,000円	未　払　金　計　上

上記のほか，横浜市に対する寄附金（横浜市立中学校の体育館の建設資金に充てられるもの）2,000,000円があり，これは前期未払い計上していたものを当期において支出したものである。

(別表4)

(単位:円)

区分		金額	計算過程
当期純利益			
加算			
	小 計		
減算			
	小 計		
	仮 計		

寄附金の損金不算入額		
法人税額から控除される所得税額		
合計・差引計・総計		
所　得　金　額		

(別表1)

(単位:円)

区　　　分		税率	金　　額	計　算　過　程
所　得　金　額				（千円未満切捨）
法人税額の計算				
	法　人　税　額			
差引法人税額				
法　人　税　額　計				
控　除　税　額				
差引所得に対する法人税額				（百円未満切捨）
中間申告分の法人税額				
この申告により納付すべき法人税額				

第5章 寄附金

シンタックス

　シンタックス（sin tax）という言葉をご存知でしょうか？この言葉は，ある種の税を意味する用語であり，言語学の専門用語で，構文論を意味する，シンタックス（syntax）ではありません（発音は偶然同じですが，スペルは違います）。

　シンタックスとは，たとえば，生活必需品ではなく，ぜいたく品でもないものに対して課される税のことで，たとえば，タバコやアルコールといった悪習に課されている税金のことを意味します。

　シンタックスは，政府によって正当化されることがあります。政府はしばしば，人々の行動を税金によってコントロールしようとします。人々が望ましくない行動をとると，政府は税を賦課する。そうすると，人々はその問題行動を控えようとする。すなわち，たとえば，タバコやアルコールなどの悪癖に課税すれば，人々はこれらを控えるようになり，国民の健康増進に寄与するといわれることがあるのです。

　しかしながら，このシンタックスの効用に関しては，議論の余地があるように思います。第一に，タバコやアルコールが日常化している人は，これらの娯楽に税金が賦課されても，喫煙やアルコールの習慣はとまらないでしょう。この点で，シンタックスは，交通違反の罰金とは異なります。交通違反の罰金であれば，いったんとられて，また次もとられたら，さすがにその次は気をつけるでしょう。しかし，喫煙やアルコールの習慣は，この交通違反の罰金とは違って，なかなかやめられないものです。第二に，考えてみれば容易に気がつくことですが，人々が罪深い行為に陥れば陥るほど，政府の税収が増えるという見方ができ，そう考えると，シンタックスは相当奇妙な税金に見えてきます。

　シンタックスの真の狙いは，単なる財源探しだと筆者は思いますが，次のような場合は，みなさんはどのようにお考えになるでしょうか。

　シアトル（Seattle）で，コーヒーのエスプレッソに課税されることになったというBBCのニュースを見たことがあります。その税金の名称は，ラテタックス（latte tax）というそうです。徴収された税金は，裕福ではない子供たちのケア（care）に使われるとのことでした。このラテタックスを思いついたJohn Burbankという人は，「ここ（シアトル）はコーヒーを愛していて，子供たちを愛している町，これらを結びつけようと私は考えた。」と述べています。ラテタックスは，コーヒーという生活に必要ではない悪習（これには異論もあることでしょう）に課されるという点で，タバコやアルコールに賦課されるシンタックスに分類されることになると思います。しかし，タバコやアルコールに賦課される他のシンタックスと異なり，人々がすすんでコーヒーを飲み，その税収が裕福でない子供たちに使われるという点で，実質的には，寄附としてとらえることができるように思います。

第6章

交 際 費

1 交際費等の損金不算入制度

　交際費等の損金不算入制度は，昭和29年に法人の交際費等の濫費を抑制し，それにより経済の発展を促す目的で創設されています。当時は，時限立法であったはずですが，この制度は，その後も継続し，恒久化して，交際費は原則的には損金に認められないものであるとの認識が確立してしまいました。また，交際費と広告宣伝費や福利厚生費などは，識別が困難な場合があり，困難な場合には，税務執行面から，交際費とされる傾向があり，そのため交際費の範囲が拡大し，課税が強化される傾向がみられました。

　しかしながら，平成26年度の税制改正により，法人が支出する飲食費（福利厚生費と1人当たり5,000円までの飲食費を除く）の50%が損金に算入されることになりました。また，中小法人については，年間800万円までの交際費が損金に算入されることになりました（措法61の4①②）。

　ただし，資本（出資）金の額が5億円以上の法人の100%子法人及び100%グループ内の複数の資本（出資）金の額が5億円以上の法人に発行済株式等の全部を保有されている法人に該当する普通法人には，交際費の定額控除制度は，適用されません。

●期末資本金額1億円以下の法人の交際費の損金不算入額の計算
　（交際費等の損金不算入額の計算）
　(1)　支出交際費等の額
　(2)　損金算入限度額
　　　　定額控除限度額800万円と飲食費の50%のうち大きい方
　(3)　損金不算入額
　　　　(1)－(2)

なお，令和2年度税制改正において，資本金の額等が100億円超の法人は，飲食費の特例の適用対象外となり，支出する交際費等の全額が損金に算入されないことになりました。

●期末資本金額1億円超の法人の交際費の損金不算入額の計算
(1) 支出交際費等の額
(2) 損金算入限度額
    飲食費の50%
(3) 損金不算入額
    (1)－(2)

なお，資本又は出資を有しない法人，公益法人等，人格のない社団等及び外国法人の期末自己資本の計算については，特例があります（措令37の4）。

2 交際費等の範囲

交際費等とは，交際費，接待費，機密費その他の費用で，得意先，仕入先その他事業に関係のある者等に対する接待，供応，慰安，贈答その他これらに類する行為のために支出するものをいいます（措法61の4④）。

法人税法における交際費等の範囲は，一般的な交際費のそれよりもかなり広いものとなっています。交際費の支出の相手先は，「**得意先，仕入先その他事業に関係ある者等**」とされ（措法61の4④），この中には，直接その法人の営む事業に取引関係のある者だけでなく**間接にその法人の利害に関係ある者**及びその**法人の役員，従業員，株主等**も含むことになっています（措通61の4(1)10）。

ですから，たとえば，従業員の慰安目的で行われる宴会費用も交際費とされる場合があります。社外の人との会食の費用ならば，交際費となるでしょうが，社内の人との飲食であれば，通常は，福利厚生費のはずです。

しかし，法人税法上は，**従業員全員が均等に参加する場合**を福利厚生費としています（措法61の4③）。ですから，一部の従業員のみが，その飲食に参加している場合には，交際費に含めて課税される場合があります。

1 交際費等に含まれる費用

次のような費用は，交際費等に含まれます（措通61の4(1)－15）。
① 会社の何周年記念又は社屋新築記念等における宴会費，交通費及び記念品代並びに新船建造又は土木建築等における進水式，起工式，落成式等におけるこれらの費用
   （注）進水式，起工式，落成式等の式典の祭事のために通常要する費用は，交際費等に該当しません。
② 下請工場，特約店，代理店等となるため，又はするための運動費等のこれらの費用
   （注）これらの取引関係を結ぶために相手方である事業者に対して金銭又は事業用資産を交付する場合の費用は，交際費等に該当しません。

③ 得意先，仕入先等社外の者の慶弔，禍福に際し支出する金品等の費用
④ 得意先，仕入先その他事業に関係のある者（製造業者又は卸売業者と直接関係のないその製造業者の製品又はその卸売業者の扱う商品を取り扱う販売業者を含む）等を旅行，観劇等に招待する費用
⑤ 製造業者又は卸売業者がその製品又は商品の卸売業者に対し，その卸売業者が小売業者等を旅行，観劇等に招待する費用の全部又は一部を負担した場合のその負担額
⑥ いわゆる総会屋等に対して支払った会費，賛助金，寄附金，広告料，講読料等の名目の金品
⑦ 高層ビルやマンション等の建設にあたり，周辺住民の同意を得るために，その周辺住民等を旅行，観劇等に招待したり，酒食を提供した場合の費用（日照被害等のように損害賠償金の性格を有するものを除く）
⑧ スーパーマーケットや百貨店等が進出にあたり，周辺の商店等の同意を得るために，その周辺商店等に支払った運動費等（営業補償等の名目の費用を含む）
⑨ 得意先，仕入先等の従業員に対して取引の謝礼等として支出する金品の費用
⑩ 建設業者等が工事の入札等に際して支出する談合金その他これに類する費用
⑪ 得意先，仕入先等社外の者に対する接待，供応に要した費用で，寄附金，値引及び割戻し，広告宣伝費，福利厚生費，給与等に該当しないすべての費用

2 交際費等から除かれる費用 （措法61の4④，措令37の5）

① 専ら従業員の慰安のために行われる運動会，演芸会，旅行等のために通常要する費用（福利厚生費）
② カレンダー，手帳，扇子，うちわ，手ぬぐい，その他これらに類する物品を贈与するために通常要する費用（広告宣伝費）
③ 会議に関連して，茶菓，弁当，その他これらに類する飲食物を供与するために通常要する費用（会議費）
④ 新聞，雑誌等の出版物又は放送番組を編集するために行われる座談会その他，記事の収集のために，又は放送のための取材に通常要する費用（取材費）
⑤ 飲食その他これに類する行為のために要する費用（もっぱら自社の役員や従業員，これらの親族の接待等のために支出するもの（社内飲食費）を除きます）で，1人当たり5,000円以下のもの（飲食等について一定の記載をした書類の保存が必要とされます）。

3 交際費と他の費用との区分

(1) 寄附金との区分

事業に直接関係のない者に金銭や物品を贈与したとき，それが寄附金かそれとも交際費に該当するかは，その実態によって判定されますが，金銭でした贈与は，原則として寄附金となります。また，次のものも，交際費ではなく寄附金になります（措通61の4(1)-2）。
① 社会事業団体，政治団体等に対する拠金
② 神社の祭礼等の寄贈金

(2) 売上割戻し等との区分

得意先に対し，売上高や売掛金の回収高に比例して，又は売上高の一定額ごとに金銭で支出する売上割戻しの費用や協力度合いに応じて一定の計算基準で支出される金銭は，交際費ではなく売上割戻しとして処理することができます（措通61の4(1)-4但書き）。ですから，算定基準がなく，任意に割戻しされるものは交際費になります。

得意先に物品を交付したり，旅行，観劇などに招待すれば，たとえその基準が売上割戻しの計算と同じものであっても，その費用は交際費になります（措通61の4(1)-4）。また，一定額に達するまで売上割戻しの金額を預り金として積み立て，その積立金で得意先を旅行，観劇などに招待したときは，積み立てた事業年度の損金には算入されず，旅行等に招待した年度に交際費として支出したものとされます（措通61の4(1)-6）。旅行等の不参加者に積立金の全部又は一部を支払った場合も交際費になります（措通61の4(1)-6（注））。ただし，物品を交付する場合であっても，その物品が，得意先でたな卸資産又は固定資産として販売若しくは使用されることが明らかな物品又は購入単価がおおむね3,000円以下の少額物品であり，かつ，交付基準が売上割戻しの算定基準と同一であるときは，その交付に要する費用は交際費にはなりません（措通61の4(1)-4但書き）。

なお，製造業者又は卸売業者が得意先に景品付き販売をする場合，その景品が少額物品であり，かつその種類及び金額が製造業者又は卸売業者で確認できるものである場合には，交際費にしなくてよいことになっています（措通61の4(1)-5）。

(3) 広告宣伝費との区分

不特定多数の者に対する宣伝的効果を意図する次のような費用は，交際費でなく，広告宣伝費になります（措通61の4(1)-9）。

① 製造業者又は卸売業者が，抽選により，一般消費者に対し金品を交付するために要する費用又は一般消費者を旅行，観劇等に招待するために要する費用
② 製造業者又は卸売業者が金品引換券付販売に伴い，一般消費者に対し金品を交付するために要する費用
③ 製造業者又は販売業者が，一定の商品等を購入する一般消費者を旅行，観劇等に招待することをあらかじめ広告宣伝し，その購入した者を旅行，観劇等に招待する場合のその招待のために要する費用
④ 小売業者が商品の購入をした一般消費者に対し，景品を交付するために要する費用
⑤ 一般の工場見学者等に製品の試飲，試食をさせる費用（これらの者に対する通常の茶菓等の接待に要する費用を含む）
⑥ 得意先等に対する見本品，試用品の供与に通常要する費用
⑦ 製造業者又は卸売業者が，自己の製品又はその取扱商品に関し，これらの者の依頼に基づき，継続的に試用を行った一般消費者又は消費動向調査に協力した一般消費者に対しその謝礼として金品を交付するために通常要する費用
⑧ カレンダー，手帳，扇子，うちわ，手ぬぐいなどを贈与するための費用（措令37の5①）

なお，法人が販売促進の目的で特定の地域の得意先である事業者に対して販売奨励金等として金銭又は事業用資産を交付する場合のその費用は，交際費等に該当しません（措通61の4(1)-7）。

(4) 福利厚生費との区分

専ら従業員の慰安のために行われる運動会，演芸会，旅行等のために通常要する費用は福利厚生費になります（措法61の4④）が，その他，次のような費用も福利厚生費になります（措通61の4(1)-10）。

① 創立記念日，国民祝日，新社屋落成式等に際し従業員におおむね一律に社内において供与される通常の飲食に要する費用
② 従業員（従業員であった者を含む）又はその親族等の慶弔，禍福に際し一定の基準に従って支給される金品に要する費用

なお，製造業者又は卸売業者が自己又はその特約店等に専属するセールスマンのために支出する次の費用は，交際費等に該当しません（措通61の4(1)-13）。

① セールスマンに対し，その取扱数量又は取扱金額に応じてあらかじめ定められているところにより交付する金品の費用
② セールスマンの慰安のために行われる運動会，演芸会，旅行等のために通常要する費用
③ セールスマン又はその親族等の慶弔，禍福に際し一定の基準に従って交付する金品の費用

(5) 給与等との区分

次のようなものは，給与として扱われます（措通61の4(1)-12）。

① 常時給与される昼食等の費用
② 自社の製品，商品等を原価以下で従業員に販売した場合の原価に達するまでの費用
③ 機密費，接待費，交際費，旅費等の名義で支給したもののうち，その法人の業務のために使用したことが明らかでないもの

③には，いわゆる渡切交際費などが含まれます。

(6) 会議費との区分

社内又は通常会議を行う場所での会議（来客との商談，打合せ等を含みます）に際し，通常の昼食の程度を超えない飲食物などを提供する費用は交際費とはされません（措通61の4(1)-21）。また，製造業者や卸売業者が特約店などの販売業者を旅行，観劇等に招待し，併せて新製品の説明や販売技術の研究などの会議を開いた場合，その会議が会議としての実体を備えていると認められるときは，会議費として処理することができます（措通61の4(1)-16）。

(7) 情報提供料との区分

法人が取引に関する情報の提供又は取引の媒介，代理，あっせん等の役務の提供を行うことを業としていない者に対して情報提供等の対価として金品を交付した場合であっても，その金品の交付が，正当な対価の支払であると認められる，次の要件を満たしているような場合には，交際費等に該当しないとされています（措通61の4(1)-8）。

① その金品の交付があらかじめ締結された契約に基づくものであること。
② 提供を受ける役務の内容がその契約において具体的に明らかにされており，かつ，これに基づいて実際に役務の提供を受けていること。
③ その交付した金品の価額がその提供を受けた役務の内容に照らし相当と認められること。

❖ **例　題** ❖

次の資料に基づき，当期において税務上調整すべき金額を計算しなさい。

(1) 当期において損金経理により売上割戻し勘定に計上した金額は1,500,000円であり，その内訳は，次のとおりである。
　① 売上高に比例して得意先に対して支出した金銭の額　　　400,000円
　② 売上高に比例して得意先を観劇に招待した費用の額　　　600,000円
　③ 売上高に比例して得意先に交付した物品に要した費用の額　500,000円

(2) 当期において損金経理により接待交際費勘定に計上した金額は7,000,000円であり，その内訳は，次のとおりである。
　① 販売促進の目的で特定の事業者である得意先に対して支出した販売奨励金
　　　　　　　　　　　　　　　　　　　　　　　　　　　1,000,000円
　② 得意先に対して中元・歳暮として贈答した物品に要した費用　2,000,000円
　③ 得意先等に当社社名入りのカレンダーを贈与した費用　　　1,000,000円
　④ 当社の製品を原価以下で使用人に販売した際における原価と販売価額との差額
　　　　　　　　　　　　　　　　　　　　　　　　　　　3,000,000円

なお，当社（株主はすべて個人である）の資本金は，4,000万円である。

(1) 支出交際費等の額

　600,000円＋500,000円＋2,000,000円＝3,100,000円

(2) 損金算入限度額

　$8,000,000円 \times \dfrac{12}{12} = 8,000,000円$

(3) 損金不算入額

　3,100,000円－8,000,000円＝△4,900,000円

　交際費等の損金不算入額　　∴　調整なし

(1)のうち，①売上高に比例して得意先に対して支出した金銭の額400,000円は，売上割戻しとなるが，②，③は，交際費となる。

(2)では，②が交際費となるが，他の費用は交際費にはならない。④の当社の製品を原価以下で使用人に販売した際における原価と販売価額との差額は，従業員に対する給与となる。

原価算入交際費

　固定資産の取得に伴って交際費が支出される場合があります。たとえば，土地を取得するのに，周辺住民に対して，接待，供応，贈答等の交際費が支出されることがあります。固定資産の取得価額は，購入に要した諸々の費用を加算して計算されますので，このような場合には，その交際費支出を取得価額に算入する必要があります。この際，たとえ原価に算入された交際費であって

も，交際費等の損金不算入制度のもとでは，その金額を支出交際費に含めて損金不算入額の計算を行わなければなりません。

しかしながら，固定資産の原価に算入された交際費は，費用（損金）計上されていませんので，損金不算入とすると，納税者に二重の負担を強いることになります。そこで，原価算入交際費のうち損金不算入となった部分の取得価額を減額することが認められています（措通61の4(2)7）。

$$\text{資産減額による損金算入額}＝\text{交際費等の損金不算入額}\times\frac{\text{原価算入交際費}}{\text{支出交際費の全額}}$$

❖ 例　題 ❖

支出交際費の全額が500万円で，このうち新店舗の建設用地を取得する際に，周辺住民に対し，200万円の交際費支出をして，その土地の原価に，その交際費200万円を算入した。損金算入限度額が450万円であり，損金不算入額が50万円であるとすると，減額することのできる土地の価額はいくらか。

$$\text{資産減額による損金算入額}＝50\text{万円}\times\frac{200\text{万円}}{500\text{万円}}＝20\text{万円}$$

土地取得価額減額　200,000円（減算）

　　部分が減額する金額となります。

 ## 交際費の認識

交際費等の支出の事実のあったときとは，接待，供応，慰安，贈答その他これらに類する行為があったときをいいます。ですから，仮払いや未払いで処理しても，税務上交際費になります（措通61の4(1)24）。

その他

（ゴルフクラブ関係）
- 法人会員の場合の入会金は，資産として計上されますが，個人会員の場合の入会金は，給与になります（法基通9－7－11）。
- 法人がゴルフクラブに支出する年会費，年決めロッカー料その他の費用については，その入会金が資産として計上されている場合には交際費とし，その入会金が給与とされている場合には会員たる特定の役員又は使用人に対する給与となります（法基通9－7－13）。
- プレー代に関しては，入会金を資産に計上しているかどうかにかかわらず，業務遂行上必要な場合には交際費となり，その他の場合には当該役員又は使用人に対する給与となります（法基通9－7－13（注））。

（費途不明交際費）
- 法人が交際費，機密費，接待費等の名義をもって支出した金銭でその費途が明らかでないものは，損金の額に算入されません（法基通9－7－20）。

❖ 例 題 ❖

次の資料に基づき，当期において税務上調整すべき金額を計算しなさい。

① 当社の特約店専属のセールスマンの親族が死亡した際，当社の従業員に準じて支出した香典・花輪代　　　　　　　　　　　　　　　　　　　　　　30,000円
② 法人会員として入会したゴルフクラブの入会金　　　　　　　　4,000,000円
③ 上記に係る諸経費
　㈤ 年会費・年決めロッカー料　　　　　　　　　　　　　　　　　50,000円
　㈹ 得意先接待のためのプレー代金　　　　　　　　　　　　　 1,000,000円
④ 得意先・仕入先の慶弔・禍福に際し支出した費用　　　　　　　 200,000円
⑤ 会議に際して支出した茶菓・弁当の費用　　　　　　　　　　　 400,000円
⑥ 創立記念行事に際して支出した費用の額
　㈤ 当社従業員におおむね一律に社内で供与された飲食に要する費用　300,000円
　㈹ 記念式典における宴会費及び来客に支出した記念品代
　　　　　　　　　　　　　　　　　400,000円（うち，飲食費280,000円）
　㈻ 上記㈹の金額は，来客からの祝金600,000円を控除した金額である。
なお，当社（株主はすべて個人である）の資本金は，1,000万円である。

(1) 支出交際費等の額

　50,000円＋1,000,000円＋200,000円＋400,000円＝1,650,000円

(2) 損金算入限度額

　8,000,000円×$\dfrac{12}{12}$＝8,000,000円＞280,000円×50％＝140,000円　　∴　8,000,000円

(3) 損金不算入額

1,650,000円－8,000,000円＝△6,350,000円

交際費等の損金不算入額　∴　調整なし

① 香典・花輪代は，当社の特約店等に専属するセールスマン又は親族の慶弔・禍福に支出した費用なので，交際費にならない。

② 法人会員として入会したゴルフクラブの入会金4,000,000円は，資産（ゴルフクラブ入会金計上もれ）となる。

③ 年会費，年決めロッカー料と得意先接待のため（業務の遂行上必要）のプレー代金は，交際費となる。

④ 得意先・仕入先の慶弔・禍福に際し支出した費用は，交際費となる。

⑤ 会議に関連して支出される茶菓・弁当の費用は，会議費となる。

⑥ 当社従業員におおむね一律に支給される飲食の費用は，福利厚生費となる。また，記念式典における宴会費及び来客に支出した記念品代は，交際費となる。なお，来客からの祝金600,000円は，わが国におけるこれまでの判例では，交際費に加えるとの解釈があるが，本書では交際費に含めない立場を取っている。

練習問題

1 次の資料に基づき，京都株式会社の当期において税務調整すべき金額を計算しなさい。
なお，当社の期末資本金額は，1億2,000万円である。
(1) 得意先を接待した従業員の帰宅のために要したタクシー代200,000円が仮払経理されている。
(2) 当期に計上した売上割戻し勘定には，次のものが含まれている。
① 得意先に売掛金の回収高に比例して支払った金銭 2,000,000円
② 得意先を観劇に招待した費用 400,000円
③ 売上高に比例して，購入単価3,000円のレジャー用品を交付した費用 800,000円
(3) 得意先との商談に際して供した昼食代（通常供される程度のもの） 40,000円
(4) 株主総会対策のため，大株主を料亭で接待した費用 1,000,000円

2 次の資料に基づき，神戸株式会社（株主はすべて個人である）の当期において税務調整すべき金額を計算しなさい。
なお，当社の期末資本金額は，4,000万円である。
当期において，交際費勘定に計上した金額の内訳は，次のとおりである。
① 得意先，仕入先の慶弔・禍福に際し支出した費用 400,000円
② 新聞，雑誌等の出版物又は放送番組を編集するために行われる座談会その他，記事の収集のために，又は放送のための取材に通常要する費用 1,000,000円
③ 専ら従業員の慰安のために行われる運動会，演芸会，旅行等のために通常要する費用
500,000円
④ 従業員の親族の慶弔・禍福に際して，社内規定に基づいて支給した金品の費用 200,000円
⑤ 創立30周年記念事業における費用
(イ) 当社従業員におおむね一律に社内で給与された飲食に要する費用
200,000円（うち，飲食費1,000,000円）
(ロ) 記念式典における宴会費及び来客に支出した記念品代 2,000,000円
来客からの祝金1,200,000円が控除されている。
(ハ) 式典の祭事のために通常要する費用 120,000円
その他税務上交際費等に該当する金額 5,500,000円

3 次の資料に基づき，大阪株式会社（株主はすべて個人である）の当期における税務上調整すべき金額を計算しなさい。
なお，当社の期末資本金額は，1,000万円である。
① 当社の特約店専属のセールスマンの親族が死亡した際，当社の従業員に準じて支出した香

典・花輪代　40,000円
② 得意先・仕入先の慶弔・禍福に際し支出した費用　900,000円
③ 会議に際して支出した茶菓・弁当の費用　300,000円
④ 法人会員として入会したゴルフクラブの入会金　8,000,000円
　上記に係る諸経費
　(イ) 年会費・年決めロッカー料　60,000円
　(ロ) 得意先接待のためのプレー代金　7,000,000円
⑤ 新店舗の建設用地を取得する際に，周辺住民に対し，1,000,000円の交際費支出をして，その土地の原価に，その交際費1,000,000円を算入している。

交際費

「異端をつくりだすのはしばしば異端審問官である，と私は考えるようにもなった。それは彼らがありもしないものを勝手につくりあげるという意味においてだけではなく，憎しみのなかで，あまりにも激しく異端の膿を押しつぶそうとするために，却って多くの者をそのなかへ押しこんでしまうからでもあった。まことにそれは悪魔が考えだした悪循環であった。神よ私たちを救いたまえ。」（ウンベルト・エーコ・河島英昭訳『薔薇の名前』上巻 p.84）

交際費と広告宣伝費は，極めて類似しています。双方とも販売促進効果を期待して，すなわち，消費者にできるだけ多くの商品を購入してもらうために支出される費用です。

しかしながら，特定の人を相手に支出されている場合には，交際費とされ，損金不算入とされる場合があります。"不特定多数"よりも，特定の人に絞ったほうが，販売促進効果が期待できる場合もあります。それなのに，何故にそのような販売促進効果のある費用が損金に認められないのでしょうか。

交際費と福利厚生費との区分でも問題があります。専ら従業員に対して催される運動会，演芸会，旅行等のために通常要する費用は，交際費から除外されることになっています。ここにおける"専ら"は，機会均等と解釈され，ほとんどの従業員が参加する場合には，福利厚生費になりますが，一部の従業員だけが参加する場合には，福利厚生費ではなく交際費であると解釈されています。

しかし，従業員の慰安のために支払われた運動会，演芸会，旅行等の費用であれば，たとえ一部の従業員の参加であっても福利厚生費であるというのがむしろ常識的ではないでしょうか。

さらにいえば，会社の外部の人との飲食が交際費であることはわかりますが，従業員による宴会であるにもかかわらず，一部の従業員による宴会であるという理由で，交際費であると認定される場合が生じ，それも常識的ではありません。

「"不特定多数"あるいは"専ら"というキーワードに該当しなければ，交際費となる」，このようなバイアスがかかった税法の観点が，税務上の交際費の範囲を拡張しています。もちろん，このような観点で厳格に分類される理由は，交際費損金不算入制度が採用されているからなのですが，とにかく，租税特別措置法，租税特別措置法関係通達などにより，多くの紛らわしい費用に対して，"交際費"という損金不算入ラベルが貼られてしまっているどうしようもない現実があります。

第7章

受取配当等の益金不算入

  受取配当等の益金不算入制度

　法人が受け取る配当金は，その配当を**支払う法人側ですでに課税済み**（配当は税引後の利益処分項目）です。したがって，その受取配当に再度課税するということになれば，二重課税になります。そこで，法人税法では，法人株主が受け取った配当金については益金不算入とすることで，調整を図っています。

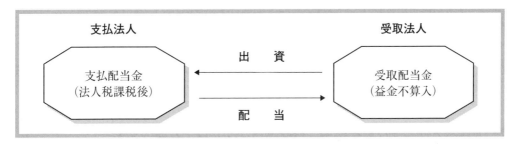

　法人株主の段階で受取配当等を益金に算入しないことにより，配当に関する法人税の課税が累積するのを防ぐことができます。
　受け取った法人の段階で，配当を益金に算入しますと，次のようなことが起こります。A法人がB法人に1,000円を配当するとします。そして，その配当がC法人に配当され，最終的にはD法人にそのまま配当されるとしましょう。仮に税率が50％として，B法人の段階で課税されるとすると，C法人には，500円しか配当がわたりません。続くD法人にいたっては，250円しか配当を受け取れないことになってしまいます。このような事態を回避するために，法人が受け取る配当は，益金に算入されないことになっています。

 受取配当等の額

益金不算入の対象となる受取配当等の金額とは，次に掲げる金額です（法法23①）。

1 剰余金の配当，利益の配当又は剰余金の分配の額

剰余金の配当は，株式又は出資にかかるものに限られ，資本剰余金の減少にともなうもの及び分割型分割によるものを除きます。利益の配当については，分割型分割によるもの及び株式分配を除きます。また，剰余金の分配は，出資にかかるものに限られます。また，役員等の名義で法人が所有している**名義株**の配当もこの中に入ります（法基通3－1－1）。なお，信託財産を株式のみで運用することを目的とする証券投資信託のうち，その受益証券が証券取引所に上場されていること等の目的を満たす**特定株式投資信託**も，この中に入ります（措法67の6①）。

2 資産流動化に関する法律による金銭の分配（中間配当）

3 特定信託の収益の分配

特定信託とは，投資信託のうち証券投資信託以外のもの及び受益証券の発行が国内公募でないもの並びに特定目的信託をいいます。特定信託の信託財産には，財産の受託者である信託会社等に対してすでに課税が行われています。そこで委託者である法人が，配当を受け取った時には，益金不算入とすることで，二重課税の調整が行われています。

4 公社債投資信託以外の証券投資信託の収益の分配の額のうち，内国法人から受ける利益の配当又は剰余金の分配の額からなるもの

5 外国法人から受け取る配当（持株割合が25％以上）等の95％

6 益金不算入の対象とならないもの

益金不算入の対象とならないものとして，次のようなものがあります。

(1) **利子的性格を持つもの**
　① 公社債の利子
　② 預貯金の利子
　③ 新株予約権付社債の利子
　④ 公社債投資信託の収益分配金

(2) **支払側で損金算入されるもの**
  ① 協同組合等の事業分量配当金（売上割戻的性格を有しており，支払側で損金算入される）
  ② 基金利息（相互保険会社の借入金の利子的性格を有しており，支払側で損金算入される）
  ③ 契約者配当金（保険会社の保険契約者に対する掛金の割戻し的性格を有しており，支払側で損金算入される）
(3) **そ の 他**
  ① 外国法人からの配当金
  ② 人格のない社団等からの配当金

3 受取配当等の益金不算入額の計算

　受取配当等の益金不算入額は，次のように完全子法人株式等，関連法人株式等，その他の株式等と非支配目的株式等に分けて計算されます。
(1) **完全子法人株式等に係る益金不算入額**
　　完全子法人株式等に係る受取配当等の額×100％
(2) **関連法人株式等に係る益金不算入額**
　　（関連法人株式等に係る受取配当等の額－関連法人株式等に係る負債利子の額）×100％
(3) **その他の株式等に係る益金不算入**
　　その他の株式等に係る受取配当等の額×50％
(4) **非支配目的株式等に係る配当等の額×20％**
(5) ⑴＋⑵＋⑶＋⑷＝**受取配当等の益金不算入額**

　法人が受け取る配当等の額のうち，完全子法人株式等（100％グループ内の内国法人の株式等）にかかる配当等の金額，関連法人株式等に係る配当等の額から関連法人株式等に係る負債利子の額を控除した金額，その他の株式等に係る配当等の額の50％の金額及び非支配目的株式等に係る配当等の額の20％の金額は，その法人の益金の額に算入しないこととされています（法法23）。
　ここにおける完全子法人株式等とは，配当等の額の計算期間の開始の日から末日まで継続して，他の内国法人との間に完全支配関係があった場合の当該内国法人の株式等をいいます（法法23⑤，法令22の2①）。
　また，ここにおける関連法人株式等とは，内国法人が他の内国法人（公益法人等及び人格のない社団等を除く）の発行済株式の総数又は出資金額の3分の1を超える数又は金額の株式等を配当等の額の計算期間の初日から当該計算期間の末日まで引き続き有している場合における，その株式又は出資をいいます（法法23⑥，法令22の3）。
　また，その他の株式等とは，完全子法人株式等，関連法人株式等及び非支配目的株式等のいずれにも該当しない株式等をいいます（法法23①）。
　また，非支配目的株式等とは，内国法人が他の内国法人（公益法人等及び人格のない社団等を

除く）の発行済株式の総数又は出資金額の5％以下を，その内国法人が他の内国法人から受ける配当等の額の支払に係る基準日において保有している場合における株式又は出資をいいます（法法23⑦，法令22の3の2①）。

❖ 例　題 ❖

次の資料に基づき，当社（大法人に該当）の受取配当等の益金不算入額を計算しなさい。なお，控除すべき負債の利子は，100,000円である。

銘　柄　等	配当等の収入金額	源泉徴収税額	差引収益計上額
A株式利益配当金	800,000円	163,360円	636,640円
B株式利益配当金	600,000円	122,520円	477,480円
C　株　式（利息の配当）	400,000円	81,260円	318,740円
D協同組合（事業分量分配金）	200,000円	－	200,000円
E公社債投資信託の収益分配金	460,000円	93,449円	366,551円
預貯金の利子	300,000円	60,945円	239,055円
人格のない社団等からの配当金	180,000円	36,756円	143,244円
合　　計	2,940,000円	558,290円	2,381,710円

（注）　A株式は，関連法人株式等に該当する。また，B法人は外国法人（持株割合が25％未満）である。

(1)　受取配当等の額

800,000円

(2)　控除負債利子

100,000円

(3)　益金不算入額

800,000円－100,000円＝700,000円

受取配当等の益金不算入額　700,000円（減算）

A株式の配当についてのみ，受取配当等の益金不算入の適用があり，他はない。

負債利子の控除

益金不算入額を計算する際に，事業年度において支払う負債の利子で，関連法人株式等に係る金額に関しては，受取配当等の額から控除しなければならないことになっています（法令22）。

すでに述べたように，受取配当を益金とみないことにしていますので，これに対応して，その受取配当を得るための費用である負債利子も損金の額に算入しないことで，課税のバランスを保っているわけです。負債利子は損金算入されますが，これにより，受取配当金額のうち，控除された負債の利子分は益金に算入されますので，結局のところ，負債利子が損金算入されないのと同じ結果になります。

1　総資産按分方式

関連法人株式等の負債利子は，関連法人株式等に係る配当等の額の4％（限度額は負債利子相当額の10％）となる。

❖ **例　題** ❖

次の資料により，大阪株式会社（大法人に該当）の当期（令和6年4月1日～令和7年3月31日）における受取配当等の益金不算入額を計算しなさい（負債利子の控除は簡便法によること）。

銘柄等	区　分	受取配当等の額	源泉所得税	住民税利子割	配当計算期間
A株式 （非上場）	確定配当	2,000,000円	408,400円		令和5年4月1日から 令和6年3月31日
B株式 （非上場）	確定配当	1,000,000円	204,200円		令和5年4月1日から 令和6年3月31日
C株式 （非上場）	収益の分配	420,000円	61,260円	20,000円	令和5年4月1日から 令和6年3月31日

（注）　A株式は，完全子法人株式等に該当し，B株式は，関連法人株式等に該当する。
(1)　C株式は，その他の株式等に該当する。
(2)　当期において支払った負債の利子の額は，8,000,000円である。

(1)　受取配当等の額
　① 完全子法人株式等　2,000,000円
　② 関連法人株式等　1,000,000円
　③ その他の株式等　420,000円

(2)　控除負債利子
　① 支払利子　8,000,000円
　② 関連法人株式等
　　1(2)　1,000,000円×4％＝40,000円≦8,000,000円×10％＝800,000円
　　　∴　40,000円

(3)　益金不算入額
　① 完全子法人株式等の株式等　2,000,000円
　② 関連法人株式等　1,000,000円－40,000円＝960,000円
　③ その他の株式等　420,000円×50％＝210,000円
　④ ①＋②＋③＝3,170,000円

受取配当等の益金不算入額　3,170,000円（減算）

短期所有株式等に係る配当等の適用除外

受取配当の元本である株式等を，その計算期間の末日以前1か月以内に取得し，同日後2か月以内に譲渡した場合には，その短期所有株式の配当に関しては，益金不算入の対象になりません（法法23③）。

期首に1,000円であった株式の価額が，配当を期待して上昇し，期末には，1,400円に増加したとしましょう。

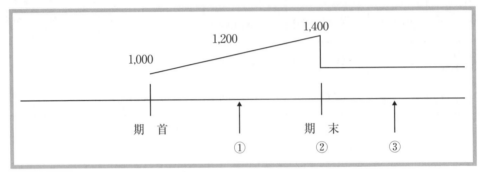

①の段階で，1,200円で株式（売買目的）を取得したとすると，次の仕訳になります。

　　　（借）売買目的有価証券　　　1,200　　　　（貸）現　　　　　金　　　1,200

②の期末の段階で，配当金を200円受け取ったとすると，次の仕訳になります。

　　　（借）現　　　　　金　　　　 200　　　　（貸）**受 取 配 当 金**　　　 200

③の段階で，その株式を売却したとすると，次の仕訳になります。

　　　（借）現　　　　　金　　　1,000　　　　（貸）売買目的有価証券　　　1,200
　　　　　有価証券売却損　　　　 200

益金である受取配当金200円と損金である有価証券売却損200円は，相殺されますので，課税所得は生じません。このような課税所得が生じない場合には，受取配当金を益金不算入にする必要はないという趣旨から，短期所有株式に関する配当金については，益金不算入の対象としないことになっています。

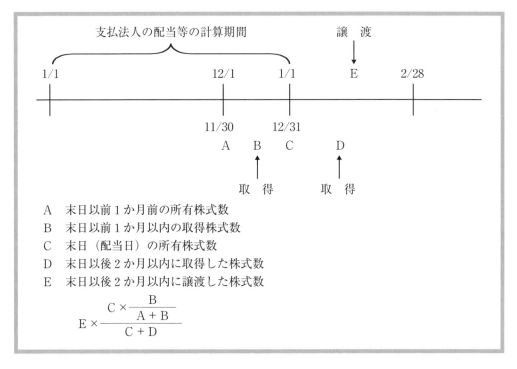

　まず，①末日後2か月以内に譲渡した株式数Eのうち，期末の所有株式数C部分を抜き出し，次に，②その期末の所有株式数Cのうち，末日以前1か月以内に取得した株式数B部分を抜き出すという順番で考えればいいでしょう。

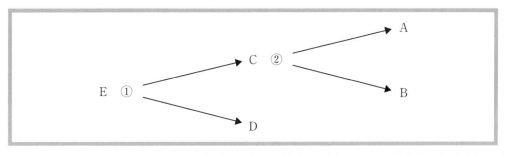

① 末日後2か月以内に譲渡した株式数Eのうち，期末に所有していた株式数C部分を抜き出す。

$$E \times \frac{C}{C+D}$$

② 期末に所有していた株式数Cのうち，末日以前1か月以内に取得した株式数B部分を抜き出す。

$$C \times \frac{B}{A+B}$$

❖ 例　題 ❖

次の資料により京都株式会社（大法人に該当）の当期（令和6年4月1日～令和7年3月31日）における受取配当等の益金不算入額を計算しなさい。

区　分	銘　柄　等	配当等の額	源泉徴収税額	差引手取額	計　算　期　間
中間配当	A　株　式	450,000円	91,890円	358,100円	令和6年4月1日～令和7年3月31日
確定配当	B　株　式	900,000円	183,780円	716,220円	令和6年4月1日～令和7年3月31日
利　子	E銀行預金	1,000,000円	153,150円	846,850円	

(1)　A社の中間配当の基準日は，9月30日である。なお，A株式は，令和元年6月20日に取得している。

(2)　B株式の移動状況は，次のとおりである（B株式の配当基準日は，令和6年3月31日である）。
　①　令和5年5月1日　　所有株数　60,000株
　②　令和6年3月28日　　取得株数　40,000株
　③　令和6年3月31日の株式数　　100,000株
　④　令和6年4月12日　　取得株数　60,000株
　⑤　令和6年5月10日　　譲渡株数　10,000株

(3)　A株式は，完全子法人株式等であり，B株式は，関連法人株式等である。

(4)　配当等の額から控除すべき負債の利子は，100,000円である。

(1)　受取配当等の額
　①　完全子法人株式等　450,000円
　②　関連法人株式等
　　900,000円 − 22,500円$^{(注)}$ ＝ 877,500円

　　（注）　$10,000株 \times \dfrac{100,000株 \times \dfrac{40,000株}{60,000株 + 40,000株}}{100,000株 + 60,000株} = 2,500株$

　　　$\dfrac{900,000円}{100,000株} \times 2,500株 = 22,500円$

(2)　控除負債利子　100,000円

(3)　益金不算入額
　①　完全子法人株式等　450,000円
　②　関連法人株式等　877,500円 − 100,000円 ＝ 777,500円
　③　①＋②＝1,227,500円
　　受取配当等の益金不算入額　1,227,500円（減算）

みなし配当

　一般的には，利益の配当又は剰余金の分配といわれていませんが，実質的には，利益の配当又は剰余金の分配と同様の性格を有するものがあります。法人税法では，この種の配当に**みなし配当**という名称を付し，他の配当と同様，益金不算入の対象とすることにしています。

　みなし配当の金額とは，法人株主が，その株式の発行法人からその法人の次の事由により金銭その他の資産の交付を受けた場合におけるその金銭の額及び金銭以外の資産の価額の合計額のうち，その交付の基因となった株式等に対応する発行法人の資本金等の額を超える部分の金額をいいます（法法24①，法令23）。

(1) **合併（適格合併を除きます）**

$$交付金銭等の価額 - \left\{ \frac{被合併法人の資本金等の額^{(注)}}{発行済株式等の総数} \times 合併直前所有株式数 \right\}$$

　（注）　$\dfrac{被合併法人の資本金等の額}{発行済株式等の総数}$は，1株当たりの**資本金等の額**を意味します。

(2) **分割型分割（適格分割型分割を除きます）**

$$交付金銭等の価額 - \left\{ \frac{分割法人の分割資本金等の額^{(注)}}{分割法人の発行済株式等の総数} \times 合併直前所有株式数 \right\}$$

　（注）　分割資本金等の額は，次の算式で計算します。

$$分割事業年度終了時の資本金等の額 \times \frac{移転資産の帳簿価額 - 移転負債の帳簿価額}{資産の帳簿価額 - 負債の帳簿価額}$$
$$（小数点以下3位未満切上）$$

　　　●移転資産・負債の帳簿価額は，分割事業年度終了時の帳簿価額による。
　　　●資産・負債の帳簿価額は，分割事業年度又は分割事業年度の前事業年度終了時の帳簿価額による。

　会社分割によって，会社の営業の全部又は一部を承継する設立会社又は承継会社は，株式を発行します。一般に，この株式を元の分割会社に割り当てることを，**物的分割又は分社型分割**といい，元の分割会社の株主に割り当てることを**人的分割又は分割型分割**といいます。企業組織再編税制では，物的分割を**分社型分割**，人的分割を**分割型分割**と呼んでいます。

(3) **資本の払戻し（株式が消却されたものを除きます）又は解散による残余財産の分配**

$$交付金銭等の価額 - \left\{ \frac{払戻対応資本金等の額^{(注)}}{発行済株式等の総数} \times 所有株式数 \right\}$$

　（注）　払戻対応資本金等の額の払戻割合は，次の算式で計算します。
　　　　（減資の場合）

$$\frac{減資払戻金等の総額}{払戻法人の前期末の資産の帳簿価額 - 払戻法人の前期末の負債の帳簿価額}（小数点以下3位未満切上）$$

　　　　（解散の場合）

$$\frac{残余財産払戻金等の総額}{\substack{払戻法人の残余財産の確定\\の日の属する事業年度末の\\資産の帳簿価額} - \substack{払戻法人の残余財産の確定\\の日の属する事業年度末の\\負債の帳簿価額}}（小数点以下3位未満切上）$$

(4) 自己の株式又は出資の取得

$$交付金銭等の価額 - \left\{\frac{自己株式取得直前の資本金等の額}{発行済株式等の総数} \times 自己株式取得直前所有株式数\right\}$$

(5) 出資の消却,出資の払戻し,社員の退社又は脱退による持分の払い戻し

$$交付金銭等の価額 - \left\{\frac{払戻し直前の資本金等の額}{発行済株式等の総数} \times 払戻し直前所有株式数\right\}$$

(6) 組織変更

$$交付金銭等の価額 - \left\{\frac{組織変更直前の資本金等の額}{発行済株式等の総数} \times 組織変更直前所有株式数\right\}$$

❖ 例 題 ❖

当社は,非適格の分割型分割により,分割承継法人の株式を旧株1株につき,140,000円(時価)及び交付金20,000円を受けた。みなし配当の金額を求めなさい。なお,発行済株式総数は,5,000株であり,当社の所有株式数は,2,000株であった。

(1) 分割法人の分割の日の前日の属する事業年度の資本金等の額
600,000千円

(2) 分割法人の分割事業年度終了時の資産・負債の帳簿価額は,次のとおりである。
① 資　産　1,600,000千円
② 負　債　700,000千円

(3) 分割法人の分割事業年度終了時の分割承継法人に移転した資産・負債の帳簿価額は,次のとおりである。
① 資　産　1,400,000千円
② 負　債　600,000千円

(1) 交付金銭等　(140,000円 + 20,000円) × 2,000株 = 320,000千円

(2) 新株に対応する資本金等の額

$$\frac{533,400千円^{(注)}}{5,000株} \times 2,000株 = 213,360千円$$

（注）分割資本金等の額

$$600,000千円 \times \frac{1,400,000千円 - 600,000千円}{1,600,000千円 - 700,000千円} \quad (0.8888 \to 0.889) = 533,400千円$$

(3) みなし配当

(1) - (2) = 106,640千円

練習問題

1　次の資料に基づき，福岡株式会社（大法人に該当）の当期における受取配当等の益金不算入額を計算しなさい。

(1) 当期中の受取配当等の額

　　受取配当金　3,183,200円（源泉所得税20％控除後，完全子法人株式等）

　　受取配当金　　318,320円（源泉所得税20.42％控除後，関連法人株式等）

(2) 控除する負債の利子

　　支払利子の合計額　4,000,000円

2　次の資料により，宮崎株式会社（大法人に該当）の当期（令和6年4月1日〜令和7年3月31日）における受取配当等の益金不算入額を計算しなさい（負債利子の控除は簡便法によること）。

銘柄等	区　　分	受取配当等の額	源泉所得税	住民税利子割	配当計算期間
A 株 式	確定配当	2,400,000円	490,080円		令和5年4月1日から令和6年3月31日
B 株 式	収益の分　配	880,000円	122,500円	40,000円	令和5年4月1日から令和6年3月31日

　(注)　A株式は，関連法人株式等に該当する。

(1) B株式は，非支配目的株式等に該当する。

(2) 当期において支払った負債の利子の総額は，10,000,000円である。

3　次の資料により，熊本産業株式会社（大法人に該当）の当期（令和6年4月1日〜令和7年3月31日）における受取配当等の益金不算入額を計算しなさい。

区　分	銘　柄　等	配当等の額	源泉徴収税額（うち住民税利子割）	差引手取額	計　算　期　間
中間配当	A　株　式	900,000円	183,780円	716,220円	令和6年4月1日〜令和7年3月31日
確定配当	B　株　式	1,800,000円	367,560円	1,432,440円	令和5年4月1日〜令和6年3月31日

(1) A社の中間配当の基準日は，9月30日である。なお，A株式は，令和2年6月20日に取得している。

(2) B株式の移動状況は，次のとおりである。

　① 令和5年5月1日　所有株数　40,000株

　② 令和6年3月28日　取得株数　60,000株

③ 令和 6 年 3 月31日の株式数　100,000株
④ 令和 6 年 4 月12日　取得株数　20,000株
⑤ 令和 6 年 5 月10日　譲渡株数　10,000株
　⑶　A株式は，完全子法人株式等である。
　⑷　B株式は，関連法人株式等である。
　⑸　負債の利子総額は，2,000,000円である。

4　当社は，B法人の株式を20,000株（簿価1,000,000円）所有している。B法人に関して，非適格合併が行われ，その合併に際し，当社は，新株16,000株（1株50円）と合併交付金400,000円を受け取っている。合併直前におけるB法人の発行済株式の総数は，1,000,000株であり，その資本構成は，下記のとおりであった。
　みなし配当の金額を求めなさい。
　資本金等の額　40,000,000円
　利益積立金額　15,000,000円

5　A社（解散直前の発行済株式総数100,000株）が，解散することになり，当社は，残余財産2,000,000円の分配を受けた（B社の解散による残余財産の払戻し総額は，8,000,000円）。B社の解散による残余財産分配金の交付直前の資本金等の額は，5,200,000円である。また，当社の解散直前の所有株式数は，15,000株であった。
　なお，A社の残余財産の確定の日の属する事業年度終了時における資産及び負債の帳簿価額は，30,000,000円及び20,000,000円である。
　みなし配当の金額を求めなさい。

6　当社は，A社の買い求めに応じ，数年前から所有しているA社株式を譲渡した。譲渡対価の額は，3,000,000円である。A社は，この取引により取得した株式を自己株式として所有し，純資産の部に計上している。当社の譲渡直前の保有株式数は，10,000株であり，譲渡株式数は，1,000株である。なお，A社の取得直前の資本金等の額は，360,000,000円。取得直前の発行済株式総数は，300,000株である。
　みなし配当の金額を求めなさい。

記念祝賀会における祝金

　記念祝賀会が開催され，祝金の授受が行われることがあります。慣習として日本では，招待された側は祝金を持参し，招待した側はその祝金を受け取ります。招待客が支払った祝金は，交際費となります。わが国の法人税法では，交際費は原則として損金不算入ですから，この招待客の祝金は，損金として認められないということになります。ここにおける招待客が支出する祝金は交際費となり，法人税法上，損金とならないことに関しては，人々の合意があるように思われます。

　さて，それでは，この場合に招待した側の課税関係はどうなるのでしょうか。祝金を受け取り，パーティ費用を支払った法人が，その祝金を即パーティ費用に充てたとしますと，その支払った祝金は招待した法人の交際費になるのでしょうか。

　実をいいますと，このパーティ費用は，交際費課税を受けるとの判例解釈があるのですが，これに関しては，議論があります。

　祝金を最初に支出した法人に対して，すでに交際費課税が行われています。ですから，またその祝金を受け取った法人にも交際費課税をするということになると，それは二重課税になるのではないかという疑問がまず生じるでしょう。たとえば，受取配当金に関していえば，ご案内のように，わが国の法人税法は，法人擬制説的な立場をとり，法人が受け取った配当は，支払法人の段階ですでに課税済みであるから，二重課税を排除するため，受け取った法人の益金の額に算入しないこととしています。このような立場を貫けば，祝金を受け取った法人に対して，交際費課税をするべきではないでしょう。

　また，会費制であれば，その会を参加者全員が対等の立場で開催しているのが明らかであり，パーティ費用からその会費を控除できますが，祝金を支払う場合には，その行事を機会に交際行為をしていると考えられ，パーティ費用からその会費を控除できないとする解釈があります。もっともこれに対して，祝金というものは，法律上は強制されないが，社会的儀礼として持参しなければならない社会的債務であり，会費と変わらない。したがって，祝金の控除も認めるべきであるとする見解もあります。

　しかしながら，また違う視点から，この種の記念行事の場合，主催者側と招待客側が，同時にそして別々の交際行為を行ったものと見ることができ，したがって，交際費課税を二度行うのが適切とする見方もあります。

　この課題を筆者が研究報告した時に，ある実務家の方から，「あなたは祝金に課税するのが正しいというのか」というご批判があったことを覚えています。筆者にはそんなつもりは毛頭なく，ただ単に祝金の課税上の取扱いには，見過ごせない問題があることを指摘しようとしただけですので，この場をお借りして，弁明しておきたいと思います。

第8章

役員等の
報酬・賞与・退職給与

1 役員等の範囲

1 役 員

　使用人に対する報酬（給料），賞与，退職金は，法人税法上，原則として，損金として扱われます。しかし，役員に対しては，厳しい規定が置かれています。たとえば，法人税法上，役員に対する賞与は，損金に認められません。また，役員に対する報酬と退職金に関しては，相当額は損金として認められますが，不相当に高額な部分の金額は，損金として認められません。そこで，実質的には法人の経営に従事しているにもかかわらず，形式的には役員の名称を持たないようにし，租税を回避することなどが考えられ，そのような租税回避行為を防止するため，法人税法では，役員の範囲を明確にしています。

　役員等の報酬・賞与・退職給与に関して厳しい規定が置かれているのは，いったいなぜなのでしょうか。それは，使用人とは違って，役員等は，自らの権限を利用して，何らかの便益を得る可能性があるためです。たとえば，役員は，使用人と異なり，報酬や賞与を自由に決定することができる立場にありますから，報酬等を使用人に十分に配分せず，役員本人にのみ割り当てることが可能です。

　平成18年度の税制改正において，役員の給与に関して，大幅な見直しが行われました。ここでその背景を述べておきましょう。これまでの商法では報酬と賞与を別個に取り扱ってきましたが，会社法では，報酬と賞与をひと括りにして給与として扱われることになりました（会社法第361条）（平成17年7月）。これを受けて，企業会計基準委員会が公表した企業会計基準第4号「役員賞与に関する会計基準」では（平成17年11月），役員賞与は発生した会計期間において費用処理することが求められ，税法も役員の給与に関する見直しを迫られることになったのです。企業会計で

99

は，伝統的に役員賞与は利益処分とされ，税法もこれを受けて，役員賞与は利益処分項目であり，損金不算入としてきました。しかし，企業会計が役員賞与を費用と認定することになると，税法も役員賞与を損金算入としなければならないと考えるのが論理的でしょう。もっとも，それでは税収が減少してしまいます。

そこで，法人税法が改正され，あらかじめ支給時期・支給金額が定められていた場合に，役員給与（役員賞与も含む）損金算入であり，定められていない場合に損金不算入という分け方がなされるようになりました（法法34）（平成18年）。もっとも，これにより，従来は，役員賞与は，全額損金不算入とされてきましたが，役員賞与が損金算入されるケースも生じることになりました。

法人税法上の役員は，会社法上のそれよりも範囲が広く，また**使用人兼務役員**という考え方があるので，注意しなければなりません。**使用人兼務役員の使用人分賞与**は，一定の要件を満たす場合には**損金**となります。そのため，法人税法では，使用人兼務役員の範囲を明確にしています。

法人税法では，(1)の会社法上の役員のみならず，(2)の税法上の役員も役員として扱われます（法法2十五，法令7）。

(1) **会社法上の役員**

取締役，執行役，会計参与，監査役，理事，監事，清算人

(2) **税法上の役員**

① 法人の**使用人**（職制上使用人としての地位のみを有する者に限る）以外の者で，実質的にその法人の経営に従事しているもの（法基通9－2－1）

これは，**同族会社・非同族会社**について判定し，使用人以外の**相談役・顧問・会長・副会長等**の役職で判定します。

② 同族会社の使用人のうち，一定の要件（持株割合）を満たしているもので，その会社の経営に従事しているもの（法令7，71）

これは，**同族会社**について判定し，同族会社の使用人で経営に従事するものは，持株割合を満たせば，**みなし役員**となります。

たとえば，**工場長，支店長，部長，課長，営業所長，支配人，主任**といったあらゆる使用人について，経営に従事していれば，持株判定をすることになります。

ここにおける**同族会社**とは，株主等（その会社が自己株式等を有する場合のその会社を除く）の3人以下並びにこれらと特殊の関係のある個人及び法人が有する株式の総数又は出資金額の合計額がその会社の発行済株式の総数又は出資金額の50／100超に相当する会社等をいいます（法法2十，十四）。

※ 議決権の数による判定と持分会社の社員の数による判定もあります。

株主本人と特殊の関係にある個人及び法人とは，以下の個人及び法人です（法令4）。

(**特殊の関係にある個人**)

① 親族

② 事実上婚姻関係にあるもの（内縁の妻）

③ 個人的な使用人

④ その株主から受ける金銭等で生計を維持している者

⑤ ①～④の者と生計を一にする親族

（特殊の関係にある法人）

① 株主本人（個人株主の場合には，上記の特殊関係にある個人を含む）が50％超の持株を有している会社
② 株主本人等と①の会社が50％超の持株を有している会社
③ 株主本人等と①及び②の会社が50％超の持株を有している会社
　（注）　上記の株主本人等とは，その株主が個人株主の場合，「株主本人と上記の特殊関係にある個人」を含みます。

また，**一定の要件（持株割合）**とは，次の3条件をいいます（法令71）。
① **50％超基準**—その会社の株主グループの持株割合の最も大きなものから順位を付し，その第1順位から第3順位までの範囲で順次その持株割合を加算して，その合計額がはじめて50％超となる場合に，その加算した範囲内の株主グループにその使用人が属していること。
② **10％超基準**—その使用人の属する株主グループの持株割合が10％を超えていること。
③ **5％超基準**—その使用人（その配偶者及びこれらの者の持株割合が50％超である他の会社を含む）の持株割合が5％を超えていること。

①の50％超基準で，使用人がその法人を支配しうる株主グループに属しているかどうかを判定し，②の10％超基準によって，ある程度の大株主グループに属していることを判定し，③の5％超基準により，本人自身がある程度の株主であることを判定します。

役員の場合

		同　族　会　社	非同族会社
会社法上の役員	取締役・執行役，会計参与監査役・理事・監事・清算人	役　　員	役　　員
税法上のみなし役員	●使用人以外の者（相談役・顧問・会長等） ●経営に従事	役　　員	役　　員
	●使用人 ●経営に従事	持株要件を満たす者は，役員になるが，満たさない者は，使用人となる。	使用人（持株割合の判定なし）

2　使用人兼務役員

使用人兼務役員とは，役員のうち，部長・課長・その他法人の使用人としての職制上の地位を有し，かつ**常時使用人としての職務に従事**する者をいいます（法法34⑤，法令71）。使用人兼務役員の判定では，肩書きが重要になります。**専務取締役，常務取締役**あるいは**取締役○○担当**などの肩書きを持つ者は，部長・課長などの使用人としての職制上の地位を有しないので，使用人兼務役員になれません（法基通9－2－5）。たとえば，**専務取締役営業部長，常務取締役支店長，取締役総務担当**（法人の特定部門の職務を統括等）などが例としてあげられますが，これらの人々は，**肩書きで使用人兼務役員になれない**ことに注意してください。

また，**同族会社では，取締役営業部長，取締役経理部長，取締役工場長**といった，役員であり

ながら，**部長・課長・工場長**といった**使用人としての職制上の地位**を有する者で，①**持株要件を満たす者**は，**役員**となり，②**持株要件を満たさない者**は，**使用人兼務役員**となります。

非同族会社では，持株の判定をすることなく，これらの人々は，**使用人兼務役員**として認められます。同族会社というものは，一部の同族により，給与・賞与等に関する重要な会社の決定をコントロールできてしまいます。そのため，使用人兼務役員に関して，同族会社に対して，非同族会社よりも厳しい規定が置かれています。

3 特殊関係使用人

特殊関係使用人とは，次の①～④に該当する使用人をいうこととされています（法令72）。
① 役員の親族
② 役員と事実上婚姻関係と同様の関係にある者
③ ①，②以外の者で，役員から生計の支援を受けているもの
④ ②，③の人と生計を一にするこれらの人の親族

	同 族 会 社	非同族会社
（肩書で使用人兼務役員とされる者） ・取締役営業部長 ・取締役経理部長 ・取締役工場長	持株要件を満たす者は，役員になるが，満たさない者は，使用人兼務役員となる。	使用人兼務役員（持株割合の判定なし）
（肩書で使用人兼務役員とされない者） ・専務取締役営業部長 ・常務取締役支店長 ・取締役総務担当	役　　員	役　　員

❖ 例　題 ❖

次の資料により，同族会社の判定及び役員，使用人兼務役員の判定をしなさい。

氏　　名	関　　係	役　職　名	持　株　数
A		代表取締役社長	50,000株
B	Aの長男	取締役総務部長	40,000株
C	Aの友人	常務取締役	30,000株
D	Cの妻	経理部長	20,000株
E	Aの友人	取締役営業部長	10,000株
F	Aの友人	監査役	2,000株
その他の株主			48,000株

（注）総務部長，経理部長，営業部長は職制上，使用人としての地位であり，Dは事実上経営に従事している。

使用人兼務役員の場合

1 同族会社の判定

　　Aグループ　A 50,000株＋B 40,000株＝90,000株
　　Cグループ　C 30,000株＋D 20,000株＝50,000株
　　全株式数＝50,000株＋40,000株＋30,000株＋20,000株＋10,000株＋2,000株＋48,000株
　　　　　　＝200,000株

$$\frac{90,000株＋50,000株}{200,000株}＝70\%＞50\%　　∴　同族会社$$

	50%超	10%超	5%超	判　　　定
B	○	○	○	役　　　員
D	○	○	○	みなし役員
E	×	—	—	使用人兼務役員

2 役員等の判定

(1) 会社法上の役員（取締役，執行役，会計参与，監査役，理事，監事，清算人）は，同族会社でも非同族会社でも役員となる。したがって，代表取締役A，監査役Fは，役員となる。

(2) **専務取締役，常務取締役，取締役○○担当**は，肩書きで**使用人兼務役員になれず，役員**となる。したがって，Cの常務取締役は，役員となる。

(3) **経営に従事する使用人**は，同族会社では，①持株要件を満たす者は，みなし役員になり，②持株要件を満たさない者は，使用人になる。したがって，経理部長Dは，使用人であるが，経営に従事しており，持株要件を満たすので，みなし役員となる。また，非同族会社では，たとえ経営に従事していても，使用人は，使用人のままである。

　　なお，**実質的に経営に従事する使用人以外の者**（相談役，顧問，会長等）は，同族会社でも非同族会社でも役員になる。

(4) 同族会社の場合，取締役営業部長，取締役経理部長，取締役工場長，取締役支店長等は，使用人兼務役員かどうかの判定を持株で行う（つまり**取締役○○は，使用人兼務役員の判定を行う**ということ）。これらの人々は，持株割合を満たせば，使用人兼務役員にはなれず，役員となる。非同族会社の場合には，そのまま使用人兼務役員となる。したがって，取締役総務部長Bと取締役営業部長Eは，使用人兼務役員の判定があり，持株要件を満たすBは使用人兼務役員ではなく役員とされる。

役員給与

役員給与とは，役員に対する給与であり，債務の免除による利益その他の経済的利益を含みます（法法34）。

1 役員給与の損金算入（法法34①，法令69）

(1) 定期同額給与
その支給時期が1か月以下の一定の期間ごとであり，かつ，当該事業年度の各支給時期における支給額が同額であるものをいいます。また，次の①〜③の給与改定があった場合には，その改定後の各支給時期の支給額が同額であるときのその改定後の定期給与も定期同額給与となります。

① 通 常 改 定

当期開始日の属する会計期間（通常の事業年度の期間と同じです）開始の日から3か月経過日まで（特別の事情があって3か月経過日後の一定の時期に改定される場合には，その改定時期まで）にされた改定

② 臨時改定事由による改定

役員の職制上の地位の変更，職務内容の重大な変更等によりされた改定

③ 業績悪化改定事由による改定

経営状況が著しく悪化したこと等によりされた減額改定，また継続的に供与される経済的利益のうち毎月おおむね一定額であるもの

(2) 事前確定届出給与
所定の時期に確定額を支給する給与で，非同族会社の定期給与を支給しない役員，いわゆる非常勤役員に対して支給する給与，一定の特定譲渡制限付株式による給与及び一定の新株予約権による給与を除き，次の届出期限までに所轄税務署長に所定の届出をしている給与をいいます。

① 株主総会等の支給決議の日（株主総会後の取締役会で個別支給額の決議をするような場合には，株主総会の役員選任の日，すなわち役員の職務開始の日）から1か月経過日又は当期開始日の属する会計期間開始の日から4か月経過日のいずれか早い日

② 新設法人が設立時に職務を開始する役員について届出をする場合には，その設立の日以後2か月経過日

③ (1)②の臨時改定事由により新たに事前確定給与の定めがされた場合には，その臨時改定事由が生じた日から1か月経過日又は①による届出制限とされる日のいずれか遅い日

また，既にしている事前確定給与の届出（直前届出）の内容を次の事由により変更する場合には，それぞれの次の日がその変更届出期限とされます。

① (1)②の臨時改定事由

その臨時改訂事由が生じた日から1か月経過日

② (1)③の業績悪化改定事由

その業績悪化改定事由により事前確定給与の変更に関する株主総会等の決議をした日から1か月経過日。ただし、その変更前の直前届出に係る給与の支給日でその決議をした日以後最初に到来するものが当該1か月経過日前にある場合には、当該支給日の前日とされます。

(3) 非同族会社の利益連動給与

非同族会社が業務執行役員に対して支給する利益連動給与で、次の要件を満たすもの（全ての業務執行役員に対して次の要件を満たす利益連動給与を支給する場合に限ります）

① 算定方法が有価証券報告書に記載される利益の状況を示す指標を基礎とした客観的なものであり、次の条件を満たしていること

　イ　確定額を限度としており、他の業務執行役員に対して支給する利益連動給与の算定方法と同様であること

　ロ　事業年度開始の日の属する会計期間開始の日から3か月を経過するまでに、報酬委員会（業務執行役員及びその特殊関係者が委員となっているものを除きます）が決定をしていることなど適正な手続きを経ていること

　ハ　その内容が有価証券報告書に記載されていることその他一定の方法により開示されていること

② ①の利益の状況を示す指標の数値の確定後1か月以内に支払われる、又は支払われる見込みであること

③ 当期において損金経理をしていること

なお、平成29年4月1日以後に支給又は交付に係る決議（決議のない場合には、その支給又は交付）をされるものから、算定指標の範囲に業績連動指標（株式の市場価格の状況を示す指標及び売上高の状況を示す指標（利益の状況を示す指標又は株式の市場価格の状況を示す指標と同時に用いられるものに限ります））が加えられるとともに、当該事業年度の事業年度又は将来の所定の時点若しくは期間の指標を用いることができることとされています。

2 *過大な役員給与の損金不算入*

役員に対する給与は、原則として損金に算入されますが、不相当に高額な部分の金額は、損金不算入となります（法法34②、法令70）。

(1) 実質基準額

税法上の役員すべてに適用があり、各人ごとの実際支給額と相当額を比較します。税法上のみなし役員も含めます（法基通9-2-1）。また、使用人兼務役員の場合には、使用人分を含めて判定します（法基通9-2-5）。

(2) 形式基準

① 取締役分

② 監査役分

会社法上の役員が対象となります。取締役でない会長、顧問、相談役は対象となりませんし、また同族会社の使用人で役員とみなされた者も対象となりません。また、形式基準の場合には、使用人兼務役員の使用人分給料を含めないで給与の支給限度額を定めている場合には、使用人兼

務役員に対して支給した使用人分としての相当額は除外して計算します（法令70二）。
(3) (1)と(2)を比較して，大きい金額が役員給与損金不算入額となります。

3 過大な使用人兼務役員の使用人分賞与

使用人兼務役員の使用人としての職務に対する賞与で，他の使用人に対する賞与の支給時期と異なる時期に支給したものの額は，損金の額に算入されません（法令70三）。

4 不正経理により支給された役員給与の損金不算入

法人が事実を隠ぺいし，又は仮装して経理をすることによりその役員に対して支給する給与の額は，損金の額に算入されません（法法34③）。

❖ 例　題 ❖

次の資料により，非同族会社である仙台株式会社の当期における税務上調整すべき金額を計算しなさい。

氏名	役　職	報酬		賞与	
		役員分	使用人分	役員分	使用人分
A	会　　　長	3,000,000円	－	1,000,000円	－
B	代表取締役社長	10,000,000円	－	8,000,000円	－
C	専務取締役	6,000,000円	－	4,000,000円	－
D	取締役営業部長	5,000,000円	3,000,000円	2,000,000円	1,000,000円
E	取締役総務担当	8,000,000円	3,000,000円	1,000,000円	800,000円
F	監　査　役	5,000,000円	－	2,000,000円	－
G	経 理 課 長		4,000,000円		1,000,000円
合計		37,000,000円	10,000,000円	18,000,000円	2,800,000円

(1) Aは，Bの父であり，D・GはBの息子である。また，Aは，実質的に会社の経営に従事している。Gは，常時取締役会に出席し，事実上経営に従事している。

(2) 報酬・賞与は，損金経理している。報酬として支給した給与は，毎月25日に定額を支給している。また，賞与のうち役員分として支給した金額は，支給時期及び支給金額について適法に税務署長への届出が行われている。

(3) 当社は，定款により，1事業年度当たりの取締役報酬総額を30,000,000円以内（使用人兼務役員が使用人職務に対して支給される給料は含めていない），監査役報酬の総額を5,000,000円以内と定めている。

(4) 各人の職務内容等から判断して，会長は4,000,000円，代表取締役は16,000,000円，専務取締役は9,000,000円，取締役営業部長は8,000,000円，取締役総務担当は7,000,000円，経理課長は4,000,000が，適正な報酬・給与額である。

(5) 使用人兼務役員と同格の比準すべき使用人に支給した給料は，4,000,000円である。

1　役員給与損金不算入額

報酬として支給した給与は，定期同額給与に該当し，役員分の賞与は，事前確定届出給与に該当するため，法法34①に関しては，役員給与の損金不算入額はない。そこで，法法34②について判定を行う。

(1) 実質基準

　　A　(3,000,000円+1,000,000円)-4,000,000円　　　　　　　　　＝　　　　　0円
　　B　(10,000,000+8,000,000円)-16,000,000円　　　　　　　　　＝2,000,000円
　　C　(6,000,000円+4,000,000円)-9,000,000円　　　　　　　　　＝1,000,000円
　　D　(5,000,000円+3,000,000円+2,000,000円+1,000,000円)-8,000,000円＝3,000,000円
　　E　(8,000,000円+3,000,000円+1,000,000円+800,000円)-7,000,000円　＝5,800,000円
　　　　　　　　　　　　　　　　　　　　　　　　　　　　　　合計　11,800,000円

(2) 形式基準額

　① 取締役分

　　(37,000,000円＋10,000,000円＋18,000,000＋2,800,000円)－A(3,000,000円＋1,000,000円)－F(5,000,000円＋2,000,000円)－G(4,000,000円＋1,000,000円)－D(3,000,000円＋1,000,000円)－30,000,000円＝17,800,000円

　② 監査役分

　　(5,000,000円＋2,000,000円)－5,000,000円＝2,000,000円

　③ ①＋②＝19,800,000円

(3) (1)＜(2)　∴　19,800,000円

　　役員給与損金不算入額　19,800,000円（加算）

(1) **非同族会社**の場合には，**持株割合に基づく役員等の判定がない**ので，**肩書き**で，役員であるかどうか判定する。したがって，Gは事実上経営に従事しているが，職制上使用人としての地位なので，使用人となる。

(2) 会長Aは，会社法上の役員ではないが，使用人以外の者で，会社の経営に従事しているので，税法上の役員である，**みなし役員**に該当する。したがって，**実質基準**の判定の対象となる。

(3) 取締役営業部長Dは，使用人兼務役員であるから，実質基準を計算する際，役員分に使用人分を加えなければならない。

(4) 形式基準の場合には，会社法上の役員である取締役と監査役に適用がある。したがって，会長Aは，形式基準の計算上除外する。当然Gも非同族会社では使用人なので，形式基準の計算では除く。

(5) 形式基準の計算の際，使用人兼務役員の使用人分給与を含めないで報酬の支給限度額を定めている場合には，使用人兼務役員に対して支給した**使用人分としての相当額**は除外して計算する。取締役営業部長Dの使用人分3,000,000円＋1,000,000円＝4,000,000円（比準額4,000,000円＝4,000,000円　∴　4,000,000円）は控除できる。**取締役総務担当Eは，肩書きで役員**となり，使用人兼務役員には該当しない。したがって，Eに支給した使用人分給与は全額役員に支給した金額となる（法基通9－2－5）ので，形式基準の計算上使用人分(3,000,000円＋800,000円＝3,800,000円)を控除できない。

役員の退職給与

1 過大な役員退職給与の損金不算入

　役員に対する退職給与は，損金経理を条件に，原則として損金となります。しかし，①その役員の会社の業務に従事した期間，②その退職の事情，③会社と同種の事業を営む法人でその事業規模が類似するものの役員に対する退職給与の支給の状況等に照らし，その退職した役員に対する退職給与として不相当に高額な部分の金額は，損金に算入されません（法法34②，法令70）。
　実際には，
　　　役員退職給与の支給額＝最終報酬月額×勤続年数×功績倍率
という算式で計算される場合が多く，たとえば，3とか2.5といった功績倍率を乗じて，役員退職金の支給額が計算されています。もっとも，最終報酬の月額が他の月と比べて極端に多かったりする場合は問題があります。また，役員が創業者であるといった場合には，企業に対する貢献度が計り知れないものがあります。ですから，功績倍率をどうするかは，実際は単純ではありません。

2 損金算入時期

　役員に対する退職給与の損金算入時期は，株主総会等で支給額が確定した事業年度になります。ただし，法人がその退職金を実際に支給した年度で損金経理した時は，その処理が認められます（法基通9－2－28）。
　また，役員退職給与の額が株主総会の決議で確定する事業年度より以前の年度に，取締役会で内定した金額を損金経理で未払金に計上しても，その年度の損金に算入することはできません。ただし，この場合には，その後その退職給与の額が確定した日の属する事業年度又はその額を支給した日の属する事業年度において，その確定し，又は支給した額につき確定申告書において損金の額に算入したときは，その退職給与の額については損金経理をしたものとして取り扱われます（法基通9－2－28）。

❖ 例　題 ❖

　前期の取締役会において，取締役経理部長のA氏に対する退職給与15,000,000円（適正額）が内定し，前期末に未払金として損金経理した。当期の5月の株主総会において，A氏に対する退職金が承認され，当座預金で支払い，
　（借）未　払　金　15,000,000　　（貸）当　座　預　金　15,000,000
という仕訳が行われている。

　前期未払退職給与認容　15,000,000円（減算）

特殊関係使用人の給与及び退職給与

　特殊関係使用人に対して支給する給与及び退職給与は，不相当に高額な部分の金額は，損金の額に算入されません。

1　過大な使用人給与の損金不算入

　特殊関係使用人に対して支給する給与（債務の免除による利益その他の経済的な利益を含みます）の額のうち不相当に高額な部分の金額は，損金の額に算入されません（法法36）。

　また，給与の額が過大であるかどうかは，過大役員報酬の判定基準に準じて，次により判定します（法令72の2）。

① 　その使用人の職務の内容
② 　会社の収益及び他の使用人に対する給与の支払の状況
③ 　事業規模が類似する同業他社の使用人に対する給与の支給状況

2　過大な使用人退職給与の損金不算入

　支給する退職給与の額のうち不相当に高額な部分の金額は，損金の額に算入されません。

　なお，退職した特殊関係使用人に対して支給した退職金が過大かどうかは，次の基準で判定することになっています（法令72の4）。

① 　勤続年数
② 　退職の事情
③ 　事業規模が類似する同業他社の使用人に対する退職金の支給状況

（注）　これらの規定は，役員等の親族に対して，過大な報酬等が支払われることがあり，これに対処するため，平成10年度の改正で設けられました。この規定には，役員の親族等の使用人に対して過剰に分配するケースに対するけん制効果が期待されています。

 経済的利益

　報酬・賞与には，金銭によって支払われるものだけでなくて，以下のような経済的な利益が含まれます（法基通9-2-9）。

① 　役員等に対して物品その他の資産を贈与した場合におけるその資産の価額相当額
② 　役員等に対して所有資産を低い価額で譲渡した場合におけるその資産の価額と譲渡価額との差額相当額
③ 　役員等から高い価額で資産を買い入れた場合におけるその資産の価額と買入価額との差額相当額

④ 役員等に対して有する債権を放棄し又は免除した場合（貸倒れに該当する場合を除く）におけるその放棄し又は免除した債権相当額
⑤ 役員等から債務を無償で引き受けた場合におけるその引き受けた債務相当額
⑥ 役員等に対して居住用の土地又は家屋を無償又は低い価額で提供した場合における通常取得すべき賃貸料の額と実際に徴収した賃貸料の額との差額相当額
⑦ 役員等に対して金銭を無償又は通常の利率よりも低い利率で貸し付けた場合における通常取得すべき利率により計算した利息の額と実際に徴収した利息の額との差額相当額
⑧ 役員等に対して無償又は低い対価で⑥及び⑦以外の用役の提供をした場合における通常その用役の対価として収入すべき金額と実際に収入した対価の額との差額相当額
⑨ 役員等に対して機密費，接待費，交際費，旅費等の名義で支給したもののうち，その法人の業務のために使用したことが明らかでないもの
⑩ 役員等のために個人的費用を負担した場合におけるその費用相当額
⑪ 役員等が社交団体の会員となるため又は会員となっているために要するその社交団体の入会金，経常会費等の費用で，その役員等の負担すべきものを会社が負担した場合におけるその負担した費用相当額
⑫ 法人が役員等を被保険者及び保険金受取人とする生命保険契約を締結してその保険料の額の全部又は一部を負担した場合におけるその負担した保険料相当額

（参考）　給与等としてストック・オプションを付与した費用の損金算入時期

　会社が役員や従業員に対して，役務提供の対価として新株予約権を発行した場合には，その新株予約権と引き換えにする払込に代えて相殺すべき金額（新株予約権の発行価額相当額）は，その新株予約権が行使されたときに損金の額に算入されます（法法54①）。

練習問題

1 税法上の役員等の判定をしなさい。

氏　　　名	関　　係	役　職　名	持　株　数
A		代表取締役社長	20,000株
B	Aの友人	経理部長	10,000株
C	Aの友人	人事部長	8,000株
D		取締役営業部長	6,000株
E		工場長	5,000株
F		相談役	1,000株
その他の株主			50,000株

(1) B，C，Eは，職制上使用人の地位にはあるが，役員会等には常時出席しており，法人の経営に従事している。

(2) Fは，実質的に法人の経営に従事している。

2 税法上の役員等の判定をしなさい。

氏　　　名	関　　係	役　職　名	持　株　数
A		代表取締役社長	30,000株
B	Aの妻	取締役人事部長	10,000株
C	Aの友人	取締役総務担当	20,000株
D		理事	8,000株
E		監査役	7,000株
F		取締役営業部長	5,000株
その他の株主			20,000株

3 次の資料に基づき，京都株式会社の当期における役員給与の損金不算入額を計算しなさい。なお，当社は，非同族会社である。

(1) 当期における役員報酬及び賞与の支給状況は，次のとおりである。報酬として支給した給与は，毎月25日に定額を支給している。また，賞与のうち役員分として支給した金額は，支給時期及び支給金額について適法に税務署長への届出が行われている。

氏名	役　　職	報　　酬		賞　　与	
		役員分	使用人分	役員分	使用人分
A	会　　　　長	5,000,000円	－	2,000,000円	－
B	代表取締役社長	6,000,000円	－	3,000,000円	－
C	専　務　取　締　役	6,000,000円	－	2,000,000円	－
D	常務取締役工場長	3,000,000円	2,000,000円	3,000,000円	1,000,000円
E	取締役経理担当	6,000,000円	3,000,000円	3,000,000円	2,000,000円
F	取締役営業部長	4,000,000円	1,000,000円	2,000,000円	1,000,000円
G	取締役総務部長	4,000,000円	1,500,000円	1,000,000円	1,000,000円
H	監　　査　　役	3,000,000円		1,000,000円	－
合計		37,000,000円	7,500,000円	17,000,000円	5,000,000円

(2) 報酬適正額は，役員の職務内容に照らして，代表取締役社長は8,000,000円，専務取締役及び常務取締役は6,000,000円，使用人兼務役員はそれぞれ5,000,000円（うち使用人分1,000,000円）である。他の者については，いずれも実質基準に照らして適正額である（Eは取締役経理担当であり，役員であるが，実質基準に照らして適正額が支給されているので注意すること）。

(3) 当社の定款に定める取締役及び監査役に対する役員報酬の支給限度額は，使用人兼務役員の使用人分を含めず，毎期，取締役30,000,000円以内，監査役2,000,000円以内と定められている。

(4) 報酬及び賞与は，いずれも損金経理により支給している。

(5) 使用人兼務役員と同格の比準すべき使用人に支給した給与の額は，1,000,000円である。

(6) Aは，取締役でない会長であり，実質的に会社の経営に従事している。

4　次の資料により，東京株式会社の当期における税務上調整すべき金額を計算しなさい。

氏名	持株数	役　　職	報　　酬		賞　　与	
			役員分	使用人分	役員分	使用人分
A	25,000株	会　　　　長	3,000,000円	－	1,000,000円	－
B	15,000株	代表取締役社長	10,000,000円	－	8,000,000円	－
C	5,000株	専　務　取　締　役	6,000,000円	－	4,000,000円	－
D	6,500株	取締役営業部長	6,000,000円	2,000,000円	2,000,000円	1,000,000円
E	35,000株	取締役工場長	6,000,000円	2,000,000円	2,000,000円	1,000,000円
F	－	監　　査　　役	3,000,000円	－	2,000,000円	－
G	13,500株	経　理　課　長		4,000,000円		1,000,000円
合計	100,000株		34,000,000円	8,000,000円	19,000,000円	3,000,000円

(1) Aは，Bの父であり，D・GはBの息子である。Aは，実質的に会社の経営に従事している。Gは，常時取締役会に出席し，事実上経営に従事している。

(2) 全ての報酬・給料は，損金経理により支給している。報酬として支給した給与は，毎月25日に定額を支給している。また，賞与のうち役員分として支給した金額は，支給時期及び支

給金額について適法に税務署長への届出が行われている。
(3) 当社は，定款により，1事業年度当たりの取締役報酬総額を43,000,000円以内（使用人兼務役員が使用人職務に対して支給される給料は含めていない），監査役報酬の総額を5,000,000円以内と定めている。
(4) 適正な報酬・給与額は，各人の職務内容等から判断して，会長は4,000,000円，代表取締役は16,000,000円，専務取締役は9,000,000円，取締役営業部長は8,000,000円，取締役工場長は7,000,000円，経理課長は4,000,000円である。
(5) 使用人兼務役員と同格の比準すべき使用人に支給した給料の額は，5,000,000円である。

役員給与

役員に対する賞与は，伝統的に利益処分項目として取り扱われてきました。役員に対する賞与というのは，「会社の利益を獲得したことに対する功労に報いるために支出されるものであり，原則的には会社が利益を計上することができた場合にのみ，支払われるものである」ととらえれば，確かに利益処分項目です。しかし，会社法が役員に対する賞与も報酬と同様に扱うことにし，また企業会計基準第4号「役員賞与に対する会計基準」においても，役員賞与は，発生した期間において費用処理することとされました。

これまで税法は，企業会計と商法の論理をたてに，役員賞与は利益処分であり，損金不算入としてきました。しかし，そのもともとのよりどころであった商法（会社法）と企業会計が役員賞与を費用計上することにしたので，果たして税法はいったいどうなるのか，そのことに，人々の関心が集まっていました。武田昌輔先生の「役員賞与の税法上の問題点」（税経通信第60巻第10号・2005年8月号）にも，役員賞与の税法上の取り扱いについて，商法のよりどころがなくなり，税法は独自の立場に立ち，今後の対応をする必要性があるのではないかとの指摘がなされていました。

税法も役員賞与を損金算入とするのが論理的でしょうが，それでは税収が減少することになります。そこで考え出されたのが，事前に金額を確定し届出をすれば損金算入であり，それ以外であれば損金不算入とする新分類です。しかし，この事前に金額を確定し届出を行うことは，決してやさしいことではありません。利益がでるかどうか果たして事前にわかるでしょうか。とりわけ中小企業はわからない，それが正直なところではないでしょうか。金額を確定し届け出てはみたものの，実際は役員にその金額が払えない場合が出てきます。

また同時に，特殊支配同族会社の役員給与の損金不算入という制度ももうけられましたが，これは，会社設立の簡易化という会社法の意図に反するものとなっています。会社の役員に対して支払う給与が，法人の段階で損金となり，個人の段階で給与所得控除という経費を生ぜしめるのでは，二重控除であるという説明がなされていますが，それなら他の法人・個人も同様でしょう。給与は，法人で損金となり，個人段階で給与所得控除という経費を生ぜしめるのは当たり前です。だいたい何のための法人なのでしょう。これでは法人のうまみがまるでありません。いわゆる法人成りを後押しするため，会社法は，最低資本金制度を撤廃し，1円で株式会社を設立できることにしたのではないでしょうか。この新しい法人税制は，明らかにこの会社法の意図に反するものとなっています。

ところで，新しい役員給与制度の解説書としては，白土英成著『設例・図でみる役員給与の税務』（中央経済社・2007年）という本がお勧めです。ちなみに，筆者の著書『給与所得者の必要経費』（税務経理協会・2005年）が引用されています。

第9章

圧 縮 記 帳

 圧縮記帳とは

　国庫補助金は，法人税法上，原則的には益金となります。しかし，この補助金を益金の範疇に含めて課税するとすると，補助金を支給した意味がありません。また，建物が火災で焼失した場合に得られる保険金とその建物の帳簿価額の差額，いわゆる保険差益をそのまま益金として課税しますと，焼失した建物を再取得するのが難しくなります。また，固定資産を交換したり買い換えたりした場合に，取得資産の時価と譲渡資産の帳簿価額との間に差益が生じることがありますが，この差益に課税することには疑問が生じます。差益が生じているといっても，この差益の中身は貨幣価値変動による利得です。貨幣的な裏付けのある利益が稼得されたわけではありません。また，もともと実質的には単なる交換や買い換えですから，この差益に課税しますと，その単なる交換や買い換えに支障をきたすでしょう。

　そこで，法人税法では，**課税の繰延べ効果**により税を軽減する，いわゆる**圧縮記帳**という方法が用いられています。法人税法は，基本的には，企業会計に依存しているといいながらも，税法特有の制度が存在しますが，圧縮記帳もその一つです。

 国庫補助金

　国庫補助金等の交付を受け，その補助金等をもって**交付目的に適合した固定資産の取得又は改良**を行ったときは（その国庫補助金等の返還を要しないことがその事業年度終了の時までに確定

した場合に限ります），その取得又は改良に充てた国庫補助金等に相当する金額（圧縮限度額）の範囲内でその固定資産の帳簿価額を損金経理により減額し，又は所定の経理をしたときは，その減額し又は経理した金額に相当する金額は，損金の額に算入されます（法法42①）。

すなわち，圧縮限度額は，次のようになります。

$$\left.\begin{array}{l}\text{国庫補助金等の額}\\\text{目的資産の取得価額}\end{array}\right\}\text{少ない金額}$$

1 損金経理により帳簿価額を直接減額する方法

圧縮記帳は，絶対的な免税制度ではなく，課税の繰延べによる節税効果を提供するものとなっています。たとえば，国庫補助金100万円を取得し，その補助金を用いて，200万円の機械を購入したとすると，仕訳は次のようになります。

（借）現　　　　　金　1,000,000　　（貸）国庫補助金収入　1,000,000
（借）機　　　　　械　2,000,000　　（貸）現　　　　　金　2,000,000

このままでは，国庫補助金収入100万円に課税されてしまうので，同額の圧縮損を計上します。

（借）機 械 圧 縮 損　1,000,000　　（貸）機　　　　　械　1,000,000

という仕訳を加えて，国庫補助金収入100万円と相殺して，収益を消去してしまうのです。しかし，このまま，100万円が税を逃れるわけではありません。この仕訳により，機械の帳簿価額が100万円減少しますので，その分だけ，のちのち減価償却費が減少し，費用が減って，課税される所得金額が増加していくことになります。

しかし，会計上の取得原価が，圧縮損を計上した分だけ減少するので，企業会計上は望ましくありません。なぜなら，会計上は，資産は取得に要した金額で表示すべきであるからです。そのため，上記のように(1)損金経理により帳簿価額を直接減額する方法のほか，(2)損金経理により引当金に繰り入れる方法，(3)確定した決算において積立金として積み立てる方法という二つの会計処理が認められています。

❖ 例 題 ❖

次の資料により，当社の当期（令和6年4月1日～令和7年3月31日）において，税務上調整すべき金額を計算しなさい。

(1) 当社は，当期の6月6日に国庫補助金10,000,000円の交付を受け，収益に計上している。

(2) 当期の1月6日に交付の目的に合致した建物（耐用年数20年，定額法，償却率0.050）を20,000,000円で取得し，直ちに事業の用に供した。

(3) 国庫補助金は，当期末までにその全額の返還不要が確定したため，損金経理により，圧縮損20,000,000円及び減価償却費250,000円を計上した。

(1) 圧縮限度額　20,000,000円＞10,000,000円　∴　10,000,000円

(2) 圧縮超過額　20,000,000円－10,000,000円＝10,000,000円

(3) 減価償却限度額　$(20,000,000円-10,000,000円)\times 0.050\times \frac{3}{12}=125,000円$

(4) 減価償却超過額 （250,000円＋10,000,000円）－125,000円＝10,125,000円
　　減価償却超過額　10,125,000円（加算）
⑴ 圧縮記帳により損金に算入された金額があるときは，取得価額からその金額を除いて，減価償却費の計算をすること（法令54③）
⑵ 圧縮超過額は，「償却費として損金経理した金額」となるので，減価償却超過額の計算上その圧縮超過額を損金経理した減価償却費に含めること（法基通7－5－1⑵）。

2　損金経理により引当金に繰り入れる方法

　　　（借）機械圧縮引当金繰入　　1,000,000　　　（貸）機械圧縮引当金　　1,000,000

3　確定した決算において積立金として積み立てる方法

　　　（借）繰越利益剰余金　　　　1,000,000　　　（貸）機械圧縮積立金　　1,000,000

　しかし，会社法上は，2のような利益留保性の引当金の設定はできないので，確定した決算において積立金として積み立てる方法が採用される傾向があります。また，積立金形式を採用した場合には，**圧縮積立金認定損**として，**別表4上で減算**する必要があります。

❖ 例　題 ❖

次の資料により，当期（令和6年4月1日～令和7年3月31日）における税務上調整すべき金額を算出しなさい。
⑴ 当社は，当期（令和6年5月1日）に国庫補助金40,000,000円の交付を受けた。
⑵ 令和7年1月6日に交付の目的に合致した建物を40,000,000円で取得し，同日より事業の用に供している。
⑶ 令和6年12月1日に国庫補助金のうち，30,000,000円については返還を要しないことが確定し，当該金額を雑益に計上している。また，残額の10,000,000円に関しては，令和6年5月に返還している。
⑷ 減価償却費を損金経理により，300,000円を計上している。建物の耐用年数は20年であり，定額法償却率が0.050である。
⑸ 当期の決算に係る確定した決算において建物圧縮積立金36,000,000円を積み立てた。

⑴ 建物圧縮積立金積立　36,000,000円（減算）
⑵ 建物圧縮積立金積立超過額
　① 圧縮限度額　40,000,000円＞30,000,000円　∴　30,000,000円
　② 圧縮超過額　36,000,000円－30,000,000円＝6,000,000円
⑶ 減価償却超過額
　① 償却限度額　$(40,000,000円－30,000,000円)×0.050×\dfrac{3}{12}=125,000円$
　② 償却超過額　300,000円－125,000円＝175,000円
　　建物圧縮積立金積立超過額　6,000,000円（加算）

減価償却超過額　　　　　　　175,000円（加算）

　積立金経理した時は，積立超過額を損金経理した減価償却費に含めないこと。

4　特別勘定設定の場合

　国庫補助金等の交付を受けた事業年度末までに返還不要が確定しない時は，交付を受けた国庫補助金等に相当する金額以下の金額を確定した決算において，**特別勘定**として経理した時は，その特別勘定として経理した金額は，その事業年度の損金の額に算入されます（法法43①）。

　⑴**損金経理**又は⑵**確定した決算**において特別勘定とすることになりますが，利益処分経理の場合には，**圧縮特別勘定積立金認定損**として，**別表4上で減算**する必要があります。また，交付を受けた国庫補助金等の額相当額が，繰入限度額になります。

保険差益

　固定資産の滅失又は損壊により保険金等（保険金，共済金又は損害賠償金で所定のもの）の支払を受け，その保険金等によりその滅失した固定資産に代替する同一種類の固定資産の取得をし又はその損壊をした固定資産若しくは代替資産となる資産の改良をした場合に，次の算式で計算した圧縮限度額の範囲内で，その帳簿価額を損金経理により減額し，又はその圧縮限度額以下の金額を圧縮積立金（引当金）として経理した時は，その減額し又は経理した金額に相当する金額は，その事業年度の損金の額に算入されます（法法47，法令84）。

$$\text{保険差益金の額} \times \frac{\text{代替資産の取得等に充てた保険金等の額（分母を限度）}}{\text{差引保険金等の額}} = \text{圧縮限度額}$$

⑴　差引保険金等の額＝保険金等の額－滅失経費の額
⑵　保険差益金の額＝⑴－被災資産の被災直前の帳簿価額

　滅失経費の額には，その滅失等があった固定資産の**取壊し費，焼け跡整理費，消防費等**のようにその固定資産の滅失等に直接関連して支出される経費が含まれますが，**類焼者に対する賠償金，けが人への見舞金，被災者への弔慰金等**のようにその固定資産の滅失等に直接関連しない経費は，これに含まれません（法基通10－5－5）。

　たとえば，受け取った保険金が900万円，滅失経費が100万円，被災資産の帳簿価額が600万円で，代替資産の取得に充てた金額が600万円であるとすると，圧縮限度額は，次のようになります。

第9章 圧縮記帳

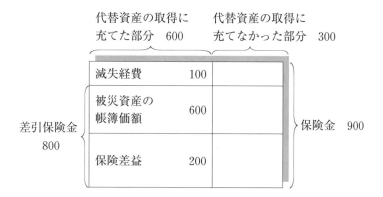

$$保険差益200万円 \times \frac{代替資産の取得に充てた部分600万円}{差引保険金800万円} = 圧縮限度額150万円$$

> ＊ 基本的に，保険差益の金額，すなわち，保険金額900万円－（滅失経費100万円＋被災資産の簿価600万円）＝200万円が圧縮限度額となりますが，代替資産の取得に充てなかった部分があるときは，**代替資産に充てた部分に係る保険差益150万円のみ**が，圧縮限度額となります。

　保険差益の場合にも，(1)損金経理により帳簿価額を直接減額する方法，(2)損金経理により引当金に繰り入れる方法，(3)確定した決算において積立金として積み立てる方法による圧縮記帳が認められています。

　原則として，代替資産は，保険金を受け取った事業年度に取得されなければなりませんが，翌期以後2年以内に代替資産を取得する見込みがあれば，特別勘定により経理したときは，その特別勘定経理した金額は，損金に認められます（法法48①，法令89）。

❖ 例　題 ❖

　次の資料により，当社の当期（令和6年4月1日～令和7年3月31日）において，税務上調整すべき金額を計算しなさい。

(1)　当期の7月1日に，当社所有の倉庫が火災によって焼失した。この火災によって，当社は，保険金10,000,000円を収受したので，それを益金に計上するとともに，被災倉庫の被災直前簿価4,000,000円を損金の額に算入した。被災倉庫には，既往の減価償却超過額が600,000円ある。また，当社は，この火災につき滅失資産の取壊し費2,000,000円及び被災者弔慰金2,000,000円を損金経理により支出した。

(2)　当社は，受け取った保険金で，代替資産たる建物を6,000,000円で当期の11月に取得し，12月に事業の用に供している（耐用年数20年，償却方法は定額法であり，償却率は，0.050である）。

(3)　当期末に損金経理により，6,000,000円の圧縮損を計上し，減価償却費100,000円を計上している。

(1)　差引保険金の額　　10,000,000円－2,000,000円＝8,000,000円
(2)　保険差益金の額　　8,000,000円－（4,000,000円＋600,000円）＝3,400,000円

⑶ 圧縮限度額

$$\frac{3,400,000円 \times 6,000,000円}{8,000,000円} = 2,550,000円$$

⑷ 圧縮超過額　6,000,000円 − 2,550,000円 = 3,450,000円

⑸ 減価償却限度額　$(6,000,000円 − 2,550,000円) \times 0.050 \times \dfrac{4}{12} = 57,500円$

⑹ 減価償却超過額　$(100,000円 + 3,450,000円) − 57,500円 = 3,492,500円$

　　減価償却超過額　　　　　3,492,500円（加算）

　　建物減価償却超過額認容　 600,000円（減算）

⑴ 滅失経費には，被災者弔慰金は含まれない。
⑵ 被災資産の帳簿価額は既往の償却超過額を加算して，税務上の帳簿価額にして計算し，同額を別表4上で減算する。
⑶ 圧縮記帳により損金に算入された金額があるときは，取得価額からその金額を除いて，減価償却費の計算をする（法令54③）。
⑷ 圧縮超過額は，「償却費として損金経理した金額」となるので，減価償却超過額の計算上その圧縮超過額を損金経理した減価償却費に含める（法基通7−5−1⑵）。

交換差益

　固定資産の交換により得られた交換差益に関して，次のような条件を満たす場合には，圧縮記帳が認められています（法法50，法令92）。
⑴ 取得資産と譲渡資産は，それぞれの所有者が1年以上有していた固定資産であること
⑵ その取得資産は，相手方が交換のために取得したものと認められるものではないこと
⑶ 取得資産は譲渡資産と種類を同じくする資産であり，かつ，譲渡資産の譲渡直前の用途と同一の用途に供すること
⑷ 交換時の取得資産の時価と譲渡資産の時価との差額がいずれか多い価額の20％相当額を超えないこと
　また，交換譲渡資産と交換取得資産は，次のものに限られます。
⑴ 土地（建物又は構築物の所有を目的とする地上権・賃借権等を含みます）
⑵ 建物（附属設備及び構築物を含みます）
⑶ 機械及び装置
⑷ 船舶
⑸ 鉱業権（租鉱権及び採石権その他土石を採掘し又は採取する権利を含みます）
　圧縮限度額は，**交換差益**の金額となります。交換差益は，取得した資産から，譲渡した資産（譲渡経費及び支払った交換差金を含みます）を控除した金額となります。

(1) 交換差金等の授受がない場合

　　取得資産の時価－（譲渡資産の帳簿価額＋譲渡経費）

(2) 交換差金等を交付した場合

　　取得資産の時価－（譲渡資産の帳簿価額＋譲渡経費＋交換差金）

(3) 交換差金等を取得した場合

　　取得資産の時価－（譲渡資産の帳簿価額＋譲渡経費）× $\dfrac{取得資産の時価}{取得資産の時価＋交換差金}$

　たとえば，交換取得した資産の時価が600万円，交換差金が300万円で，譲渡した資産の簿価が500万円で，譲渡経費が100万円であるとした場合の圧縮限度額は，次のようになります。

　　取得資産の時価600万円－（譲渡資産の簿価500万円＋譲渡経費100万円）

　　　　× $\dfrac{取得資産の時価600万円}{取得資産の時価600万円＋交換差金300万円}$ ＝圧縮限度額200万円

	交換取得資産の時価 600	交換差金 300
滅失経費	100	
譲渡資産の帳簿価額	500	
交換差益	300	

＊　基本的に，交換差益の金額，すなわち，（交換取得資産の金額600万円＋交換差金300万円）－（譲渡経費100万円＋譲渡資産の簿価500万円）＝300万円が圧縮限度額となりますが，交換差金を取得した場合には，**交換取得資産の時価に係る交換差益200万円のみが，圧縮限度額となります。**

❖ 例　題 ❖

　京都株式会社は，当期（令和6年4月1日～令和7年3月31日）の令和7年1月23日に，石川株式会社と同一用途を持つ建物を交換した。また，その交換された物件はともに10年以上所有していた物件である。交換に伴い，京都株式会社は，譲渡経費1,440,000円を支出し，損金経理している。取得交換差金は益金の額に算入し，交換した建物には交換譲渡した建物の帳簿価額を付している。税務上調整すべき金額を計算しなさい。なお，交換により取得した建物の耐用年数は25年（定額法：償却率0.040）であり，減価償却費として50,000円計上している。

区　分	交換譲渡資産		交換取得資産
	時　価	帳簿価額	時　価
建　物 交換差金	10,000,000円	3,000,000円	8,000,000円 2,000,000円
合　計	10,000,000円	3,000,000円	10,000,000円

(1) 判　定

　　10,000,000円－8,000,000円＝2,000,000円≦10,000,000円×20%　　∴　適用あり

(2) 圧縮限度額

$$8,000,000円 - (3,000,000円 + 1,440,000円) \times \frac{8,000,000円}{8,000,000円 + 2,000,000円} = 4,448,000円$$

(3) 圧縮超過額

$$(8,000,000円 - 3,000,000円) - 4,448,000円 = 552,000円$$

(4) 減価償却限度額

$$(8,000,000円 - 4,448,000円) \times 0.040 \times \frac{3}{12} = 35,520円$$

(5) 減価償却超過額

$$(50,000円 + 552,000円) - 35,520円 = 566,480円$$

減価償却超過額　566,480円（加算）

　交換により取得した資産の圧縮記帳の経理方法は，原則として，損金経理により帳簿価額を直接減額する方法で行われなければなりません（法法50①）。ただし，法人がその取得資産につき，その帳簿価額を損金経理により減額しないで，譲渡資産の譲渡直前の帳簿価額とその取得資産の取得のために要した経費の合計額に相当する金額を下らない金額をその取得価額としたときは，認められます（法基通10－6－10）。

　また，交換取得資産に交換譲渡資産の帳簿価額を付け替えている場合には，取得資産の時価と会社が譲渡した資産の簿価との差額を会社計上の圧縮損とします。

練習問題

1 次の資料により，当期（令和6年4月1日～令和7年3月31日）における税務上調整すべき金額を算出しなさい。
   (1) 当社は，当期（令和6年5月1日）に国庫補助金20,000,000円の交付を受け，返還不要が確定し，収益計上している。
   (2) 令和6年7月6日に交付の目的に合致した建物を40,000,000円で取得し，同日より事業の用に供している。
   (3) 確定した決算において損金経理により圧縮損10,000,000円を計上した。また，減価償却費は損金経理により，700,000円を計上している。耐用年数は20年であり，定額法償却率は0.050である。

2 次の資料により，当期（令和6年4月1日～令和7年3月31日）における税務上調整すべき金額を算出しなさい。
   (1) 当社は，当期の令和6年5月1日に国庫補助金6,000,000円の交付を受けた。
      令和6年10月6日に交付の目的に合致した機械を10,000,000円で取得し，同日より事業の用に供している。令和6年6月2日に国庫補助金のうち，3,000,000円については返還を要しないことが確定し，当該金額を雑益に計上している。減価償却費は損金経理により，300,000円を計上している。耐用年数は16年であり，定率法償却率は0.125である。確定した決算に基づいて，損金経理により圧縮損として，6,000,000円を計上している。
   (2) 上記の場合において，確定した決算において，建物圧縮積立金8,000,000円を積み立て，減価償却費を600,000円計上した場合はどうなるか。

3 次の資料により，当社の当期（令和6年4月1日～令和7年3月31日）において，税務上調整すべき金額を計算しなさい。
   当社は，当期に火災により建物を焼失した。この建物につき，保険会社から保険金を受け取り，焼失前と同じ目的で使用する建物を取得し，当期の1月5日より使用を開始している。
   (1) 焼失した建物の焼失直前の帳簿価額は6,000,000円（既往の償却超過額が1,000,000円ある）である。
   (2) 受取保険金の額は，60,000,000円であり，焼け跡整理のための費用が5,000,000円ある（このうち，けが人見舞金が1,000,000円ある）。
   (3) 代替資産の取得価額は，50,000,000円であり，減価償却費を300,000円計上し，圧縮損を50,000,000円計上している。なお，建物の償却方法は，定額法（20年，償却率0.050）である。

4 次の資料により，当社の当期（令和6年4月1日～令和7年3月31日）における税務上調整すべき金額を計算しなさい。

当期11月23日に当社保有の土地と他社所有の土地とを交換し，同日から従来どおりの用途で使用を開始している。また，交換取得資産について交換譲渡資産の簿価を付している。取引の内容は，以下のとおりである。

区　　　　分	取　得　年　月　日	帳　簿　価　額	時　　　　価
譲　渡　資　産	5　　年　　前	40,000,000円	50,000,000円
取　得　資　産	5　　年　　前	45,000,000円	50,000,000円

当社は，譲渡経費1,000,000円を支出し，損金経理している。また，譲渡資産である土地に既往の評価損否認額が100,000円ある。なお，この交換は圧縮記帳の要件を全て満たしている。

5 北海道株式会社は，当期（令和6年4月1日～令和7年3月31日）の令和7年1月23日に，九州株式会社と同一用途を持つ土地付き建物を交換した。また，ともに10年以上所有していた物件である。交換に伴い，北海道株式会社は，譲渡経費400,000円を支出し，損金経理している。取得交換差金は，益金の額に算入し，交換した土地，建物には，交換譲渡した土地建物の帳簿価額を付している。税務上調整すべき金額を計算しなさい。なお，交換により取得した建物の耐用年数は25年（定額法：償却率0.040）であり，減価償却費として100,000円を計上している。

区　　　分	交換譲渡資産		交換取得資産
	時　　価	帳　簿　価　額	時　　価
土　　　地	40,000,000円	4,000,000円	38,000,000円
建　　　物	10,000,000円	7,000,000円	11,000,000円
交　換　差　金			1,000,000円
合　　　計	50,000,000円	11,000,000円	50,000,000円

第9章 圧縮記帳

交換に係る圧縮記帳

　山本守之氏の『法人税全科』（ぎょうせい）という本があります。本書は，法人税法をめぐる山本氏の体験談，そして考え方がふんだんに盛りこまれたエッセイ集であり，おもしろくて，しかも法人税法の勉強になる，味わい深い一冊となっています。この本の中で，山本氏が関わった交換に係る圧縮記帳が取り上げられている箇所があります。

　圧縮記帳は，会計慣習たる企業会計原則には見られない，法人税法独自の考え方です。

　たとえば，国や地方公共団体が補助金を交付する場合がありますが，国等が交付する目的を損なわないために，圧縮記帳が認められています。交換に関しても，長期間所有していた固定資産を同種の固定資産と交換し，同一用途に供する場合には，同一の資産を所有しているのと同じであると考えることができるため，圧縮記帳が認められています（法法50）。

　ここにおける「譲渡資産の譲渡直前の用途と同一の用途に供すること」という条件に関して，山本氏が関わった興味深い事例がこの本で紹介されています。

　交換による圧縮記帳適用の条件である，「同一の用途に供すること」は，相当期間にわたって継続的に同一の用途に供していることを意味していますから，たとえば，交換差益の圧縮記帳による節税効果を享受していながら，現実には転売を予定していて，交換後すぐに他に譲渡したような場合には，圧縮記帳は当然認められません。

　しかし，実際には，あらかじめ転売予定があるが，それにもかかわらず，交換に係る圧縮記帳の適用を受けるという場合だけではありません。交換により取得した時点では，長期的に同じ用途で使用するつもりであったのですが，いざ営業を開始してみると，近くのビジネスホテルに客を取られてしまい，閑古鳥が鳴く始末。そこで，意を決して，建物を取り壊して，転売した。つまり，事情が変化して，譲渡せざるを得ない状況に経営者が追いこまれて，やむを得ず，土地を転売するという場合もあり，そして，それが山本氏の本で紹介されている事例なのです。

　このような場合には，交換による圧縮記帳が認められてしかるべきではないかと，山本氏は『法人税全科』の中で主張しています。

　税務執行は，ある程度画一性が求められるのは仕方がないとは思いますが，現実の事例は，全く同じものなど無く，状況に応じた対応が時に求められると思います。山本氏の事例は，まさにそのケースであるといってよいでしょう。

　ところで，（株）ぎょうせいから，『法人税全科＜Part 2＞－法人税の世界に誘う珠玉のエッセイ』という本がすでに出版されていることを知り，早速購入しました。また勉強させていただこうと思っております。

第10章

貸倒引当金

1 貸倒損失

1 貸倒損失とは

　法人の有する金銭債権が回収不能となった場合には，企業会計では，**貸倒損失**が計上されます。しかし，税務上貸倒損失として損金に算入するには，債権の回収が不可能であることを裏付ける，何らかの重要な事実が必要になります。

　たとえば，会社更生法による更生計画の認可決定がなされるとか，債権の全額の回収ができないことが明らかになるなどの事実が，税務上は，貸倒損失を計上するために求められます。

　債権が回収できるか否かの判断は主観的なものになる可能性があり，また実際は回収できるにもかかわらず，貸倒損失として損金に算入する法人がないとは限らないため，通達において，その取扱いの詳細が示されています。

2 貸倒れの判定

（金銭債権等の全部又は一部の切捨てをした場合）

　債務者等について，次のような事実が発生した場合には，それぞれ次に掲げる金額を貸倒損失として，必要経費に算入できます（法基通9－6－1）。

(1)　会社更生法又は金融機関等の再生手続の特例等に関する法律の規定による更生計画の認可の決定又は民事再生法の規定による更生計画の認可の決定があったこと
　　……その決定により切り捨てられることになった部分の金額
(2)　会社法の規定による特別清算に係る協定の認可の決定があったこと
　　……これらの決定により切り捨てられることになった部分の金額

(3) 法令の規定による整理手続によらない関係者の協議決定で，次に掲げるものによりその債務者に係る債務が切り捨てられたこと
　　……その切り捨てられることとなった部分の金額
　(イ) 債権者集会の協議決定で，合理的な基準により債務者の負債整理を定めているもの
　(ロ) 行政機関又は金融機関その他の第三者のあっせんによる当事者間の協議により締結された契約で，その内容が(イ)に準ずるもの
(4) 債務者の債務超過の状態が相当期間継続し，その金銭債権の弁済を受けることができないと認められる場合において，その債務者に対し債務免除額を書面により通知したこと
　　……その通知した債務免除額

（貸金等の回収不能が明らかになった場合）

　債務者の資産状況，支払能力などからみて，その債務者に対して有する**貸金等の全額**が回収できないことが明らかになった場合には，その貸金等の全額をその明らかになった日の属する事業年度の貸倒損失として処理することができます。貸金等のうちの一部を貸倒れとして処理することはできません。

　担保物があるときは，その担保物を処分した後でなければ貸倒れとすることはできません。また，保証債務は，現実に履行した後でなければ，貸倒れの対象とすることはできません（法基通9－6－2）。

（一定期間取引停止後弁済がない場合など）

　債務者に次のような事実が発生した場合には，その債務者に対して有する売掛債権（売掛金，未収請負金その他これに準ずる債権をいい，貸付金その他これに準ずる債権は含まれません）から備忘価額（最低1円までの任意の金額）を控除した残額を貸倒損失として処理することができます（法基通9－6－3）。

　(イ) 債務者につきその資産状況，支払能力等が悪化したため，取引停止後（最後の弁済期の方が遅い時は，その弁済期後）1年以上経過したにもかかわらず弁済がないこと。ただし，売掛債権について，担保を取っている場合を除きます。

　(ロ) 同一地域内の売掛債権の総額が，その取立旅費などの費用にも満たない場合で，督促しても弁済がないこと。

❖ **例　題** ❖

　次の場合における，法人税法上の貸倒損失の金額について答えなさい。
(1) 得意先新宿株式会社は，会社法の規定による特別清算に係る協定の認可の決定があり，貸付金6,000,000円のうち5,000,000円が切り捨てられることになった。
(2) 得意先中野商会は，相当期間債務超過の状況にあり，当店の有する売掛金5,000,000円（担保物処分後）については3,000,000円の回収が困難であると考えられ，債務免除とすることにし，3,000,000円の債務免除額を書面により通知した。
(3) 得意先高円寺株式会社は，支払能力が悪化したため2年前から取引を停止している。なお，川崎商店に対し，売掛金400,000円，貸付金8,000,000円がある。

(1)　5,000,000円

(2)　3,000,000円

(3)　400,000円 − 1 ＝ 399,999円

　(3)の場合，貸付金は対象とならないので，注意すること。

 ## 貸倒引当金

　事業に関して生じた売掛金，貸付金などの，金銭債権に関して，貸倒れによる損失の見込額として，一定の金額を**貸倒引当金**に繰り入れた時は，その金額が必要経費に算入されます（法法52）。

　適用法人は，銀行，保険会社その他これらに類する法人及び資本（出資）金の額が1億円以下の中小法人等に限定されています。令和4年4月1日以後開始事業年度から，貸倒引当金の対象となる個別評価金銭債権及び一括評価金銭債権について，「内国法人がその内国法人との間に完全支配関係がある他の法人に対して有する金銭債権」は，含まないことに改正されています。

　この改正により，グループ通算制度を適用していない企業グループとの中立性・公平性の観点から，グループ通算制度の適用の有無にかかわらず，完全支配関係にある法人に対する金銭債権は，貸倒引当金の対象外となりました（法法52⑨二）。

　なお，平成23年度税制改正において，①期末資本金1億円以下の中小法人，②銀行業・保険業の法人，③リース債権を有する法人等，以外の法人については，4年間の経過措置を経て，貸倒引当金（個別評価及び一括評価）は廃止されることになりました。

　個別評価債権に係る貸倒引当金は，旧法では債権償却特別勘定と呼ばれていたもので，債権回収の見込みがあまりない状態の債権に対して設けられる引当金です。貸倒損失を計上するというのが，不良債権の典型ですが，この個別評価債権に係る貸倒引当金を計上する必要がある場合というのも，貸倒損失を計上するまでではないが，貸倒れとなるリスクがかなり大きい場合であるといっていいでしょう。

　これに対して，**一括評価債権に係る貸倒引当金**は，旧法からある貸倒引当金のことであり，貸倒れの可能性は，個別評価債権に係る貸倒引当金を計上する場合よりも小さいですが，貸倒れの可能性を考慮して見積もり計上されるものです。

　したがって，①一括評価債権に係る貸倒引当金を計上する場合がもっとも貸倒れのリスクのレベルが低く，②債務超過の状態が長期間継続し事業好転の兆候がないとか，あるいは会社更生法の規定による更生手続の開始の申立てがあるといった，個別評価債権に係る貸倒引当金の計上が次に貸倒れのリスクのレベルが低いといえます。とはいえ，完全な貸倒れよりは，リスクのレベルが低いというだけで，個別評価の貸倒引当金の場合は，従来の債権償却特別勘定に相当するものであり，貸倒れに相当近い状態の債権に対して設けられている勘定であるということになります。

　結局，③法律的に貸倒れが決定するとか，経済的実質をみると回収可能性が全くないことが明らかになるといったように，リスクが顕在化した債権が**貸倒損失**として損金に算入することが認

められます。

　貸倒れのリスクのレベルでいうと，次のような順番になります。①の一括評価債権に係る貸倒引当金が最も貸倒れのリスクのレベルが低く，ついで②の個別評価に係る貸倒引当金が，そして最後に③の回収不可能な債権に係る貸倒損失がくるということになるでしょう。

| ① 一括評価債権に係る貸倒引当金 | → | ② 個別評価債権に係る貸倒引当金 | → | ③ 回収不可能な債権に係る貸倒損失 |

1 個別評価債権に係る貸倒引当金の繰入限度額 (法令96)

(1) 金銭債権につき長期棚上げがあった場合の繰入限度額

　金銭債権が次のような事実により弁済が猶予され，又は賦払により弁済されることとなった場合には，この金銭債権の額から，その事実が生じた事業年度終了の翌日から5年を経過する日までに弁済されることになっている金額と担保権の実行，その他により取立て等の見込みがあると認められる部分の金額を控除した残額が繰入限度額となります（法令96①）。

① 会社更生法又は金融機関等の更生手続の特例等に関する法律の規定による更生計画認可の決定
② 民事再生法の再生計画認可の決定
③ 会社法の規定による特別清算に係る協定の認可の決定
④ ①から③に準ずるものとして財務省令で定める事由

$$対象債権 - \begin{pmatrix} 特定の事由が生じた事業年度の終了の翌日 \\ から5年を経過する日までの弁済予定金額 \end{pmatrix} - 担保等$$

(2) 金銭債権の債務者の債務超過の状態が相当期間継続し，その営む事業に好転の見通しがないこと，災害，経済事情の急変等により多大な損害が生じたことその他の事由が生じ，その金銭債権の一部につき担保権の実行その他による取立て等の見込みがないと認められる場合（法令96②）

　対象債権 － 担保等

(3) 金銭債権の債務者につき，会社更生手続開始の申立て等の一定の事実が生じている場合（法令96③）

① 会社更生法又は金融機関等の更生手続の特例等に関する法律の規定による更生手続開始の申立て
② 民事再生法の規定による再生手続開始の申立て
③ 破産法の規定による破産の申立て
④ 会社法の規定による特別清算開始の申立て
⑤ ①から④に準ずるものとして財務省令で定める事由

$$\left(対象債権 - \begin{matrix}債務者から受け入れた金額があるため\\実質的に債権とみられない部分の金額\end{matrix} - 担保等\right) \times 50\%$$

(4) 外国の公的債権に対する繰入限度額（法令96④）

　外国の政府，中央銀行又は地方公共団体に対する金銭債権のうち，これらの者の長期にわた

る債務の履行遅滞によりその経済的な価値が著しく減少し,かつ,その弁済を受けることが著しく困難であると認められる金銭債権

$$\left(対象債権-\begin{array}{l}債務者から受け入れた金額があるため\\実質的に債権とみられない部分の金額\end{array}-担保等\right)\times 50\%$$

(注) 上記(3)(4)の**実質的に債権とみられない部分の金額**とは,たとえば,次のような金額が該当します(措通57-9-1)。
  ① 同一人に対する売掛金又は受取手形と買掛金がある場合
    ……売掛金,受取手形の金額のうち買掛金相当額
  ② 同一人に対する売掛金又は受取手形と買掛金がある場合に,買掛金の支払のために他から取得した手形を裏書譲渡したとき
    ……売掛金,受取手形の金額のうち裏書譲渡した手形(支払期日未到来のもの)の金額相当額
  ③ 同一人に対する売掛金とその者から受け入れた営業保証金がある場合
    ……売掛金の額のうち保証金相当額
  ④ 同一人に対する売掛金とその者から受け入れた借入金がある場合
    ……売掛金の額のうち借入金相当額
  ⑤ 同一人に対する完成工事未収金とその者から受け入れた未成工事受入金がある場合
    ……未収金の額のうち受入金相当額
  ⑥ 同一人に対する貸付金と買掛金がある場合
    ……貸付金の額のうち買掛金相当額
  ⑦ 使用人に対する貸付金とその使用人から受け入れた預り金がある場合
    ……貸付金の額のうち預り金相当額
  ⑧ 融資を受ける手段として受取手形を取得し,その見合いとして借入金を計上した場合
    ……受取手形の額のうち借入金相当額
  ⑨ 同一人に対する未収地代家賃と受け入れた敷金がある場合
    ……未収地代家賃のうち敷金相当額

2 一括評価金銭債権に係る貸倒引当金の繰入限度額

(1) 一括評価金銭債権等の意義

一括評価金銭債権にかかる貸倒引当金の対象となる金銭債権は,売掛金,貸付金,その他これらに準ずる金銭債権のうち,個別評価による貸倒引当金の設定対象となったものを除いたものです(法法52②)。

「その他これらに準ずる債権」には,次のようなものが含まれます(法基通11-2-16)。
① 未収の譲渡代金,未収加工料,未収請負金,未収手数料,未収保管料,未収地代家賃等又は貸付金の未収利子で,益金の額に算入されたもの
② 他人のために立替払をした場合の立替金(前払給料,概算払旅費,前渡交際費等のように将来精算される費用の前払として一時的に仮払金,立替金等として経理されている金額を除く)
③ 未収の損害賠償金で益金の額に算入されたもの
④ 保証債務を履行した場合の求償権
⑤ 法人税の負担額又は法人税の減少額として収入すべき金額に係る未収金
  (注) 法人がその有する売掛金,貸付金等の債権について取得した先日付小切手を同項に規定する金銭債権に含めている場合には,その計算は認められます。

(2) 売掛債権等に含まれないもの（法基通11-2-18）

① 預貯金及びその未収利子，公社債の未収利子，未収配当その他これらに類する債権
② 保証金，敷金（借地権，借家権等の取得等に関連して無利息又は低利率で提供した建設協力金等を含む），預け金その他これらに類する債権
③ 手付金，前渡金等のように資産の取得の代価又は費用の支出に充てるものとして支出した金額
④ 前払給料，概算払旅費，前渡交際費等のように将来精算される費用の前払いとして一時的に仮払金，立替金等として経理されている金額
⑤ 金融機関における他店為替貸借の決済取引に伴う未決済為替貸勘定の金額
⑥ 証券会社又は証券金融会社に対し，借株の担保として差し入れた信用取引に係る株式の売却代金に相当する金額
⑦ 雇用保険法，雇用対策法，障害者の雇用の促進等に関する法律等の法令の規定に基づき交付を受ける給付金等の未収金
⑧ 仕入割戻しの未収金
⑨ 保険会社における代理店貸勘定（外国代理店貸勘定を含む）の金額
⑩ デリバティブ取引に係る利益相当額の益金算入等（法法61の5）に規定する未決算デリバティブ取引に係る差金勘定等の金額
⑪ 法人がいわゆる特定目的会社（SPC）を用いて売掛債権等の証券化を行った場合において，その特定目的会社の発行する証券等のうちその法人が保有することになったもの

（注）仮払金等として計上されている金額については，その実質的な内容に応じて売掛債権等に該当するかどうかを判定します。

(3) 繰入限度額

① 貸倒実績率による原則的な繰入限度額の計算

繰入限度額＝期末一括評価金銭債権の帳簿価額の合計額×実績繰入率

② 中小企業等の繰入限度額の特例

$$\text{貸倒実績率}_{\text{(法令96⑥)}} = \frac{\begin{pmatrix}\text{分母の各事業年度における売掛債権等の貸倒損失の合計額}\\+\text{個別評価分の引当金繰入額}\\-\text{個別評価分の引当金戻入額}\end{pmatrix} \times \frac{12}{\text{各事業年度の合計月数}}}{\text{当期首前3年以内に開始した各事業年度末の一括評価金銭債権の帳簿価額の合計額} \div \text{左の各事業年度の数}}$$

（注）小数点以下4位未満の端数切上げ

資本（出資）金の合計額が1億円以下の会社は，①の実績繰入率の繰入限度額計算と次の算式の法定繰入率による繰入限度額の計算のうち，いずれか有利な方を選択することができます（措法57の10①）。

$$\text{繰入限度額} = \begin{pmatrix}\text{一括評価金銭債権の}\\\text{帳簿価額の合計額}\end{pmatrix} - \begin{pmatrix}\text{実質的に債権とみ}\\\text{られないものの額}\end{pmatrix} \times \text{法定繰入率}$$

実質的に債権とみられないものの額（債権と相殺的関係にあるものは，売掛債権等の範囲から除かれる）

(イ) 原　則　法（措令33の9②）

同一人に対する債権の合計額と債務の合計額のうち小さい方

(ロ) 簡　便　法（措令33の9③）

実質的に債権とみられないものの額＝期末一括評価金銭債権等の額×割合

$$割合 = \frac{基準年度末の原則法による実質的に債権と見られないものの額の合計額}{平成27年4月1日から平成29年3月31日までの間に開始した各事業年度末における一般売掛債権等の合計額}$$

(注)　小数点以下3位未満切捨

(ハ) (イ)と(ロ)のうち小さい方

ただし、資本（出資）金の額が5億円以上の法人の100％子法人及び100％グループ内の複数の資本（出資）金の額が5億円以上の法人に発行済株式等の全部を保有されている法人に該当する普通法人には、貸倒引当金の損金算入制度は、適用されません。

法定繰入率（中小法人のみ、措令33の7④）

業　　　　種	繰　入　率
卸売及び小売業	$\frac{10}{1,000}$
製　造　業	$\frac{8}{1,000}$
金融及び保険業	$\frac{3}{1,000}$
割賦販売小売業及び割賦購入あっせん業	$\frac{7}{1,000}$
その他の事業	$\frac{6}{1,000}$

貸倒引当金の益金算入

貸倒引当金の繰入額は、その翌事業年度にその全額を益金の額に算入しなければなりません（法法52⑩）。

❖　例　題　❖

次の資料に基づき、山形株式会社の当期（自令和6年4月1日至令和7年3月31日）における税務上調整すべき金額を計算しなさい。

(1) 当社の貸借対照表に計上されている債権等の額（貸倒引当金控除前の金額）は、次のとおりである。

売掛金 60,000,000円　受取手形 20,000,000円　貸付金 40,000,000円

前渡金 10,000,000円　差入営業保証金 10,000,000円　預貯金の未収利子 10,000,000円

未収配当金 20,000,000円　概算払旅費 2,500,000円　仕入割戻しの未収金 3,000,000円

先日付小切手 2,000,000円

(2) 上記の債権等の額のうちには，A社に対する受取手形200,000円が含まれている。これについては，当事業年度において手形交換所の取引停止処分を受けており，その後の状況に変化はない。

(3) 上記の債権等の額のうちには，B社に対する貸付金400,000円が含まれているが，当事業年度において，会社更生法の手続きの申立てが行われている。

(4) 上記の債権等の額のうちには，C社に対する売掛金1,000,000円が含まれているが，当期において，同社に係る債権者集会が開かれ，次の協議決定がなされた。
① 債権金額のうち，100,000円は切り捨てる。
② 5年以内に，弁済される金額400,000円。
上記の債権等の金額のうちには，D社に対する貸付金400,000円があるが，当社は，D社に対して，買掛金が200,000円ある。

(5) 基準年度における実質的に債権とみられないものの額は，次のとおりである。

事 業 年 度	令和3年4月1日～令和4年3月31日	令和4年4月1日～令和5年3月31日
一般売掛債権等の額	60,000,000円	84,000,000円
原則法による実質的に債権と見られないものの額	1,200,000円	1,100,000円
実際に控除した実質的に債権と見られないものの額	1,000,000円	980,000円

(6) 最近における一般売掛債権等の額及び貸倒損失の額の資料は，次のとおりである。

事 業 年 度	令和3年4月1日～令和4年3月31日	令和4年4月1日～令和5年3月31日	令和5年4月1日～令和6年3月31日
一般売掛債権等の額	84,000,000円	60,000,000円	86,000,000円
貸倒損失額	400,000円	420,000円	280,000円

なお，個別評価分の引当金繰入額及び戻入額は，上記の期間はなかった。

(7) 前期の貸借対照表に計上されている貸倒引当金の金額は，1,000,000円（うち繰入超過額120,000円）であり，当期においてその全額を取り崩して益金に算入している。また，当期においてA社分200,000円，B社分400,000円，C社分1,000,000円の個別評価引当金と，一括評価引当金1,000,000円を繰り入れ，費用に計上している。

(8) 当社は，製造業を主たる事業とする期末資本金1億円の内国法人（株主はすべて個人である）である。

（貸倒損失認定損）
　100,000円
（一括貸倒引当金繰入超過額認容）
　120,000円
（貸倒引当金）
1　個別評価

(1) A　社
　① 繰入限度額　200,000円×50％＝100,000円
　② 繰入超過額　200,000円－100,000円＝100,000円
(2) B　社
　① 繰入限度額　400,000円×50％＝200,000円
　② 繰入超過額　400,000円－200,000円＝200,000円
(3) C　社
　① 繰入限度額　1,000,000円－100,000円－400,000円＝500,000円
　② 繰入超過額　1,000,000円－500,000円＝500,000円

2　一括評価
(1) 繰入限度額
　① 実績基準額
　　(イ) 一括評価金銭債権等の額
　　　　60,000,000円－1,000,000円＋20,000,000円－200,000円＋40,000,000円
　　　　－400,000円＋2,000,000円＝120,400,000円
　　(注) 前渡金，差入営業保証金，預貯金の未収利子，未払配当金，概算払旅費及び仕入割戻しの未収金は，対象になりません。
　　(ロ) 120,400,000円×0.0048$^{(注)}$＝577,920円
　　(注) $\dfrac{(400,000円＋420,000円＋280,000円)×12／36}{(84,000,000円＋60,000,000円＋86,000,000円)÷3}$＝0.00478→0.0048
　　　　　　　　　　　　　　　　　　　　　　　　　　　　（小数点以下4位未満切上）
　② 法定基準額
　　(イ) 一括評価金銭債権の額　120,400,000円
　　(ロ) 実質的に債権とみられないものの額
　　　㋑ 原　則　法　400,000円＞200,000円　∴　200,000円
　　　㋺ 簡　便　法　120,400,000円×0.015$^{(注)}$＝1,806,000円
　　　(注) $\dfrac{1,200,000円＋1,100,000円}{60,000,000円＋84,000,000円}$＝0.0159→0.015（小数点以下3位未満切捨）
　　　㋑＜㋺　∴　200,000円
　　(ハ) ((イ)－(ロ))×$\dfrac{8}{1,000}$＝961,600円
　③ ①＜②　∴　961,600円
(2) 繰入超過額
　　1,000,000円－961,600円＝38,400円
　　一括貸倒引当金繰入超過額認容　120,000円（減算）
　　貸倒損失認定損　100,000円（減算）
　　貸倒引当金繰入超過額（A社）　100,000円（加算）
　　貸倒引当金繰入超過額（B社）　200,000円（加算）
　　貸倒引当金繰入超過額（C社）　500,000円（加算）
　　貸倒引当金繰入超過額（一括評価）　38,400円（加算）

練習問題

1 次の場合における，法人税法上の貸倒損失の金額を計算しなさい。
 (1) 得意先荻窪株式会社は，会社更生法の認可の決定があり，貸付金4,000,000円のうち，2,000,000円が切り捨てられることになった。
 (2) 得意先阿佐ヶ谷商会は，相当期間債務超過の状況にあり，当店の有する売掛金9,000,000円（担保物処分後）については5,000,000円の回収が困難であると考えられ，債務免除とすることにし，5,000,000円の債務免除額を書面により通知した。
 (3) 得意先高円寺株式会社に対して，売掛金総額200,000円があるが，取立旅費がその売掛金総額よりもかかり，また催促しても弁済がない。

2 次の資料に基づき，新今宮株式会社（株主はすべて個人である）の当期（令和6年4月1日～令和7年3月31日）における個別評価の貸倒引当金の繰入限度額を計算しなさい。
 (1) 当社は，弁天町株式会社に対して貸付金100,000,000円を有しているが，弁天町株式会社については，当期において会社更生法の規定による更生計画の認可決定があり，次の事実が判明した。なお，この貸付金は，弁天町株式会社の土地20,000,000円が担保に供されている。
  ① 債権のうち，20,000,000円は切り捨てる。
  ② 翌期首から5年以内に弁済される金額が，30,000,000円ある。
 (2) 得意先西九条商店は，債務超過の状態が相当期間継続し，売掛金2,000,000円は，取り立て等の見込みがないと認められる。
 (3) 得意先天王寺商店は，不渡手形を出し，手形交換所の取引停止処分を受けた。当社は，天王寺商店に対して，受取手形2,000,000円がある。なお，当社は，天王寺商店に対して，支払手形400,000円と買掛金100,000円がある。

3 次の資料により，卸売業を営む資本金1億円の京都株式会社（株主はすべて個人である）の当期（令和6年4月1日～令和7年3月31日）における税務上調整すべき金額を計算しなさい。

種　　類	金　　額	備　　　　　考
売　掛　金	90,000,000円	このうち，横浜商店に対する売掛金が5,000,000円あり，東京商店に対する売掛金が10,000,000円ある（東京商店に対する買掛金6,000,000円がある）。横浜商店は，本年2月3日に会社法の規定による特別清算開始の申立てをしている。
受 取 手 形	424,000,000円	このうち，横浜商店に対する受取手形が，14,000,000円ある。
貸　付　金	28,000,000円	このうち，仙台商店に対するものが，6,000,000円あり，仙台商店は，債務超過の状態が相当期間継続し，事業に好転の見通しがなく，この金額は回収不能であると考えられている。

未 収 入 金	6,000,000円	① 未収手数料 200,000円 ② 公社債の未収利子 1,000,000円 ③ 未収家賃 4,800,000円
仮 払 金	800,000円	① 前渡交際費 600,000円 ② 役員に対する貸付金 200,000円

(1) 一括評価債権に係る実績繰入率は，0.0095である。
(2) 基準年度実績による実質的に債権とみられないものの額の控除割合（簡便法による割合）は，0.089である。
(3) 当社は，当期において横浜商店分19,000,000円，仙台商店分6,000,000円の個別評価貸倒引当金と，一括評価貸倒引当金10,000,000円を繰り入れ，費用に計上している。

4 次の資料に基づき，新潟株式会社の当期（令和6年4月1日～令和7年3月31日）における税務上調整すべき金額を計算しなさい。

(1) 当社の貸借対照表に計上されている債権等の額（貸倒引当金控除前の金額）は，次のとおりである。

売　　掛　　金	30,000,000円	受　取　手　形	10,000,000円
貸　　付　　金	20,000,000円	前　　渡　　金	15,000,000円
差入営業保証金	4,000,000円	預貯金の未収利子	5,000,000円
未　収　配　当　金	10,000,000円	概　算　払　旅　費	500,000円
仕入割戻しの未収金	7,000,000円	先　日　付　小　切　手	1,000,000円

(2) 上記の債権等の額のうちには，A社に対する受取手形100,000円が含まれている。これについては，当事業年度において民事再生法の規定による再生手続開始の申立てが行われており，その後の状況に変化はない。
(3) 上記の債権等の額のうちには，B社に対する貸付金200,000円が含まれているが，当事業年度において，破産法の規定による破産の申立てが行われている。
(4) 上記の債権等の額のうちには，C社に対する売掛金500,000円が含まれているが，当期において，同社に係る債権者集会が開かれ，次の協議決定がなされた。
　① 債権金額のうち，200,000円は切り捨てる。
　② 5年以内に，弁済される金額100,000円。
　上記の債権等の金額のうちには，D社に対する貸付金240,000円があるが，当社は，D社に対する買掛金が180,000円ある。
(5) 基準年度における実質的に債権とみられないものの額は，次のとおりである。

事　業　年　度	令和3年4月1日～ 令和4年3月31日	令和4年4月1日～ 令和5年3月31日
一般売掛債権等の額	42,000,000円	41,000,000円
原則法による実質的に債権と見られないものの額	800,000円	780,000円
実際に控除した実質的に債権と見られないものの額	840,000円	820,000円

(6) 最近における一般売掛債権等の額及び貸倒損失の額の資料は、次のとおりである。

事 業 年 度	令和3年4月1日～ 令和4年3月31日	令和4年4月1日～ 令和5年3月31日	令和5年4月1日～ 令和6年3月31日
一般売掛債権等の額	41,000,000円	42,000,000円	43,000,000円
貸倒損失額	200,000円	220,000円	240,000円

なお、個別評価分の引当金繰入額及び戻入額は、上記の期間はなかった。

(7) 前期の貸借対照表に計上されている貸倒引当金の金額は、660,000円（うち繰入超過額220,000円）であり、当期においてその全額を取り崩して益金に算入している。また、当期においてA社分100,000円、B社分200,000円、C社分500,000円の個別評価貸倒引当金と、一括評価貸倒引当金1,000,000円を繰り入れ、費用に計上している。

(8) 当社は、卸売業を主たる事業とする期末資本金1億円の内国法人（株主はすべて個人である）である。

減価償却制度の改正

　平成19年度の税制改正で，減価償却制度が改正されています。これにより，定額法償却の残存価額が廃止され，250%定率法が導入されました。もちろん，非常に大きな改正です。本書を改訂するにしても，定額法の問題であれば，取得価額に乗じられた0.9を取り除かなければならないし（大学で教えていると，必ず毎年「この0.9って何ですか」という質問を受けます），定率法であれば，償却率を修正しなければなりません。ですが，少し面倒なだけで，時間を割けばできるぐらいに当初は考えていました。

　ところが，いざ大学の授業が始まってみると，解決しなければならない，いくつかの問題点があることに気づかされました。

　まず，4月の授業で，筆者は，いきなり誤った修正をしてしまいました。新規取得資産は，新しい減価償却制度の適用になりますが，従来から使用している資産は，従来の減価償却制度が適用されます。ですから，従来の減価償却資産は，従来どおり，定額法であれば0.9を乗じるし，定率法であれば従来の償却率で，減価償却費の計算をすればいいのです。ところが，従来取得の減価償却資産まで新制度を適用し，定額法の0.9を削除し，定率法の新しい償却率で減価償却費を計算してしまったのです。

　また，資本的支出に関する問題を解いたときに，さてどうなるのだろうと悩んだこともありました。ご存知のように，資本的支出部分は，新規取得と同様に扱われます。ですから，従来分は，従来の減価償却制度の下に減価償却費を計算するのであろうとは思いましたが，資本的支出分は，従来の減価償却資産の価値や耐用年数の延長に関連がある支出なので，従来の減価償却制度で減価償却するとも考えられるし，あくまで新規取得分として新制度の適用になるとも考えました。この疑問を筆者の父である小池幸夫氏（税理士）に「資本的支出の場合，新規取得といっても従来の資産に対する支出であって，面倒だし，従来の制度で減価償却する方が合理的ではないか」と話したところ，「学者は理論的に考えるべきであり，面倒だからという理由はまったく合理的ではない」と反論されました。学者は，常に理論的に考えているわけではありませんし，また簡単な方が（時間やコストの節約という意味で）合理的であるともいえるように思うのですが。

　ところで，実際には，新制度では，資本的支出部分は，新規取得として新制度の適用を受けるのが原則ですが，資本的支出分を従来分に含めて全体として償却することもできることになりました。

　次に，中古資産を取得した場合の減価償却もどうなるのかなと思いました。中古資産は，新規取得とはいえ，あくまで中古です。ですから，従来の減価償却制度の適用になるのではとも思いました。しかし，これについては，新制度で減価償却されることになりました。

第11章

繰延資産の償却

 繰延資産の性格

　繰延資産は，費用収益の対応という観点から，繰り延べ処理されるものであり，貨幣的資産の裏づけはありませんし，通常，財産価値はありません。このようなことから，繰延資産は，**擬制資産**といわれています。かつての商法では，このような財産価値のない資産を貸借対照表上に計上しておくことには消極的になりますので，その範囲が限定されていました。法人税法では，企業会計上の繰延資産も繰延資産として認められていますが，これに加えて，税法特有の繰延資産の計上が認められています。

 企業会計上の繰延資産

　企業会計上の繰延資産は，次の5項目に限定されています（実務対応報告第19号「繰延資産の会計処理に関する当面の取扱い」）。

項　　目	内　　　容	税法上の償却
① 創　立　費	発起人に支払う報酬，設立登記のために支出する登録免許税その他会社の設立のために支出する費用で，会社の負担に帰すべきもの	臨時償却（法令64①一）

	項目	内容	償却方法
②	開業費	設立後，会社が実際の営業活動を開始するまでの間に開業準備のために特別に支出する費用	臨時償却（法令64①一）
③	開発費	新技術，新経営組織の採用，資源開発，市場開拓などのために特別に支出した金額	臨時償却（法令64①一）
④	株式交付費	株式等の印刷費，増資登記の登録免許税その他自己の株式の交付のための費用	臨時償却（法令64①一）
⑤	社債等発行費	社債印刷費，転換社債の登記についての登録免許税，新株予約権の発行費その他債券の発行のための費用	臨時償却（法令64①一）

　企業会計上で認められている繰延資産については，法人税法上は，任意の時期に損金算入することができます（法令64①一）。つまり，支出した年度に全額を費用処理することもできますし，毎期均等額を償却することもできます。さらには，均等額以上償却することも認められます。しかし，繰延資産の償却費が損金に認められるためには，**損金経理**しなければなりません。

　社債発行差金に関しては，繰延資産から除かれ，法人が社債の発行その他の事由により，金銭債務の債務者となった場合において，その金銭債務にかかる収入額が債務額を超え，又はその収入額が債務額に満たない場合には，次の計算式により計算した金額を，各事業年度の所得の金額の計算上，益金の額又は損金の額に算入されることになっています（法令136の2①）。

(1) 収入額が債務額を超える場合の各事業年度の損金算入額

$$（収入額－債務額）\times \frac{当該事業年度の月数}{償還期間の月数}$$

(2) 収入額が債務額に満たない場合の各事業年度の益金算入額

$$（債務額－収入額）\times \frac{当該事業年度の月数}{償還期間の月数}$$

❖ **例　題** ❖

　次の資料に基づいて，当期（令和6年4月1日～令和7年3月31日）における税務上調整すべき金額を計算しなさい。

項目	金額	当期償却額（損金経理している）	期末帳簿価額	支出年月日
開発費	2,000,000円	2,000,000円	0円	令和2年8月11日
社債等償還損	40,000円（注）	40,000円	0円	令和2年10月1日

（注）　社債発行価額1,000,000円（額面）である。発行価額は96円であり，償還期限は5年である。

(1) 開発費

　① 償却限度額　2,000,000円

　② 償却超過額　2,000,000円－2,000,000円＝0

(2) 社債等償還損
① 償却限度額　$(1,000,000円 - 960,000円) \times \dfrac{6}{60} = 4,000円$
② 償却超過額　$40,000円 - 4,000円 = 36,000円$
社債等償還損損金不算入額　36,000円（加算）

3 法人税法上の繰延資産

　法人税法における繰延資産は，上記の企業会計上の繰延資産のほか，次のような法人税法独自の繰延資産があります。これらの繰延資産は，企業会計上の繰延資産とは異なり，支出の効果の及ぶ期間で**均等償却**しなければなりません。なお，法人税法上の繰延資産は，企業会計上の繰延資産とは異なりますので，貸借対照表の繰延資産の区分に計上できないため，**無形固定資産**や**長期前払費用**として貸借対照表に計上されます。

種　　類		細　　目	償　却　期　間
公共的施設などの負担金	公共的施設の負担金	その施設等を負担者がもっぱら使用する場合	その施設の耐用年数の$\dfrac{7}{10}$
		その他の場合	その施設の耐用年数の$\dfrac{4}{10}$
	共同的施設の負担金	その施設がその負担者又は構成員の共同の用に供される場合又は協会等の本来の用に供されるものである場合	その施設の耐用年数の$\dfrac{7}{10}$（土地の取得部分は45年）
		商店街における共同のアーケード，日よけ，アーチ，すずらん灯など共同の用，一般公衆の用に供される場合	5年（その施設の耐用年数が5年未満の場合はその年数）
資産を賃借するための権利金など	建物を賃借するために支出する権利金など	新築建物の賃借部分の建築費の大部分に相当し，かつ，建物の存続期間中賃借できる状況にある場合	その建物の耐用年数の$\dfrac{7}{10}$
		上記以外の権利金で，契約により借家権として転売できるものである場合	その建物の見積残存耐用年数の$\dfrac{7}{10}$
		その他の場合	5年（賃借期間が5年未満の場合はその年数）
	電子計算機などの機器の賃借に伴って支出する費用		その機器の耐用年数の$\dfrac{7}{10}$（その年数が契約による賃借期間を超えるときはその賃借期間）

役務提供など権利金	ノーハウの頭金など		5年（有効期間が5年未満の場合はその期間）
広告宣伝用資産	広告宣伝の用に供する資産を贈与したことにより生ずる費用		その機器の耐用年数の$\frac{7}{10}$（その年数が5年を超えるときは5年）
その他の繰延資産	同業者団体の加入金		5年
	出版権の設定の対価，職業運動選手などの契約金		契約期間（契約期間の定めがないときは3年）
	スキー場のゲレンデ整備費用		12年
	職業運動選手等の契約金等		契約期間（契約期間の定めがないときは3年）

　税務上の繰延資産は，その支出の及ぶ期間で均等に償却しなければならないことになっています（法令64①二）。

$$繰延資産の額 \times \frac{当期に含まれる償却期間の月数}{支出の効果の及ぶ期間（償却期間）の月数} = 償却限度額$$

　（注）　月数に1か月未満の端数が生じたときは，1か月とします（法令64④）。

　なお，法人が償却費として損金経理した金額のうち，損金の額に算入されなかった金額（償却超過額）は，翌事業年度の償却費として損金経理した金額に含まれます。したがって，減価償却超過額と同様，前期から繰り越された償却超過額は，当期以後の償却不足額が生じたときには，その範囲内で損金に認容されることになります（法法32⑥）。

 少額の繰延資産の損金算入

　税法上の繰延資産で支出金額が20万円未満のものは，損金経理を条件に，その全額を支出事業年度の損金の額に算入することができます（法令134）。
　なお，20万円未満かどうかは，次の基準で判定します（法基通8－3－8）。
　①　公共的施設又は共同的施設の設置等のために支出する費用
　　　一の設置計画又は改良計画について支出する金額（分割して支出する場合は，支出時に見積もられる金額の合計額）
　②　資産の貸借又は役務の提供を受けるための権利金など
　　　契約ごとに支出する金額

③ 広告宣伝用資産を贈与するための費用
　対象資産の1個又は1組ごとに支出する金額

❖ 例　題 ❖

次の資料に基づいて，税務上調整すべき金額を計算しなさい（令和6年4月1日～令和7年3月31日）。

(1) 当社は，当期の10月3日に当社の社名と商品名入りの広告宣伝用の自動車（耐用年数5年・取得価額1,360,000円）を得意先に1,000,000円で譲渡した。譲渡対価の額と取得価額との差額360,000円は，当期の費用に計上している。

① 償却期間　5年 × $\frac{7}{10}$ = 3.5年 → 3年 < 5年　∴　3年

② 超過額
360,000円 − 360,000円 × $\frac{6}{3 \times 12}$ = 300,000円

(2) 当社は，コンピューターを当期の7月4日に6年契約で賃借し，400,000円を支払い，損金経理した。このコンピューターの耐用年数は，5年である。

① 償却期間　5年 × $\frac{7}{10}$ = 3.5年 → 3年 ≦ 6年　∴　3年

② 超過額
400,000円 − 400,000円 × $\frac{9}{3 \times 12}$ = 300,000円

(3) 当社は，当社工場前の公道（耐用年数15年）の設置負担金が6,000,000円である旨の通知を受け（10年間均等分割払い），当期の1月に600,000円を支払って，費用に計上した。この公道は，一般の人も通行するもので，設置工事は平成20年中に着工している。

① 公共的施設に係る設置負担金である。

② 分割支払期間　10年 ≧ 15年 × $\frac{4}{10}$ = 6年

③ 分割支払額が均等

④ 負担金の徴収が工事着工後に開始

∴　調整なし（法基通8−3−4）

(4) 当社は，出版権の設定の対価として，300,000円を当期の1月3日に支出し，全額を損金経理している。なお，契約期間の定めはない。

① 償却期間　3年

② 超過額
300,000円 − 300,000円 × $\frac{3}{3 \times 12}$ = 275,000円

(5) 当社は，横浜商事株式会社に，ノーハウの頭金として，8,000,000円を当期4月3日に支払い，その全額を損金経理している。この契約は有効期間が2年で，契約更新時に再び一時金を支払うことにしている。

① 償却期間　5年 > 2年　∴　2年

② 超　過　額
$$8,000,000円 - 8,000,000円 \times \frac{12}{2 \times 12} = 4,000,000円$$

繰延資産償却超過額
　（自　動　車）　　300,000円（加算）
　（コンピュータ）　　300,000円（加算）
　（出　版　権）　　275,000円（加算）
　（ノ　ー　ハ　ウ）　4,000,000円（加算）

練習問題

1 次の資料に基づいて，税務上調整すべき金額を計算しなさい（令和6年4月1日〜令和7年3月31日）。

項　　　目	金　　　額	当期償却額 （損金経理している）	期末帳簿価額	支 出 年 月 日
開 発 費	1,000,000円	1,000,000円	0円	令和6年6月6日
社債等償還損	20,000円（注）	20,000円	0円	令和2年10月1日

（注）　社債発行価額は，1,000,000円（額面）である。発行価額は98円であり，償還期限は5年である。

2 次の資料に基づいて，税務上調整すべき金額を計算しなさい（令和6年4月1日〜令和7年3月31日）。

(1) 当社は商店街の共同のすずらん灯に関する建設負担金2,000,000円を当期の10月に支出した。耐用年数は，6年である。当社は，負担金2,000,000円を繰延資産に計上し，400,000円を償却している。

(2) 当社は，建物を賃借するための権利金8,000,000円を当期の7月に支払い，損金経理した。契約期間は，6年である。なお，更新時は，新たに一時金を支払う契約をしている。

(3) 当社は，当期の1月に奈良株式会社からノーハウの提供を受ける契約を締結したため，8,000,000円を支払い，損金経理している。この契約の有効期間は，7年であり，契約更新時に再び一時金を支払うことになっている。

(4) 当社は，当期の4月10日に，広告宣伝を目的として，陳列ケース（耐用年数6年・取得価額200,000円）を得意先に無償譲渡している。

(5) 当社は，同業者団体の加入金180,000円を当期の11月7日に支出し，損金経理した。

研究開発費

　わが国の研究開発費会計基準によると，研究開発費は，すべて発生時に費用計上すべきことになっています（研究開発費会計基準三）。会計原則上，研究開発費は繰延資産として資産計上することはできず，全額費用計上しなければならないことになっているのです。

　繰延資産は，将来の便益が生じることが期待されており，その将来の便益が発生した時点で，将来の費用と対応させる方が，適正な期間損益計算が可能になるという考え方の下に繰り延べられますが，経済的にもまた法律的にも価値はありませんので，その資産性には，もともと疑義があります。

　たとえば，実務対応報告第19号「繰延資産の会計処理に関する当面の取扱い」でも，創立費，開業費，開発費，株式交付費，社債発行費の5項目に限定して，繰延資産の計上が許容されています。

　また，会社法では，繰延資産の限定列挙が廃止されましたが，計上に関しては，上記の会計慣行に委ねられることになっています。

　法人税法では，上記以外に法人税法特有の繰延資産が依然として認められているものの，この企業会計の動向に対応して，試験研究費が繰延資産から除かれることになりました（法令14①）。

　ところで，研究開発費について考えてみますと，特有の事情として，研究開発というものが，成功するかどうかがわかりませんので，将来の収益と対応させるため繰り延べるといっても，果たしてその将来の収益というものが，発生するかどうかが不確実であるということもあります。

　アメリカに目を転じますと，また別の理由を見出すことができます。アメリカにおいて，研究開発費が全額費用計上されることになった理由の一つは，監査人のリスク回避です。研究開発費を資産計上し，利益を計上し続けた結果，その会社が倒産すれば，監査人は，その責任を追及されます。ですが，全額発生時に費用計上すれば，監査人は訴えられるリスクを回避することができます。

　このようなことが，研究開発費の発生時全額費用計上の背景にあるといえます。

　しかしながら，たとえば，研究開発を行い，資金を注ぎ込んでいる時には償却をなるべく控えて，後の年度に多額の収益が生じた時に，一気に償却費として落とすといったことが可能であれば，企業にとってはメリットがあるでしょう。これは，繰延資産を利益操作に用いていることを意味しますが，企業にとって赤字を回避できるという実際的なメリットがあることは否めません。

第12章

損益の期間帰属

1 収益の計上基準

1 引渡し基準

(1) **計上時期**（法22の2①）

資産の販売等に係る収益の額は，別段の定めがあるものを除き，その資産の販売等に係る目的物の引き渡し又は役務の提供の日の属する事業年度の益金の額とされます。

(2) **計上額**（法22の2④）

資産の引渡しの時における価額又はその提供をした役務につき通常得べき対価の額相当額とされます。

(3) **引渡しの日**（法基通2－1－2）

棚卸資産の販売に係る収益の額は，その引き渡しがあった日の属する事業年度の益金の額に算入されます。

　　例：出荷日，船積日，着荷日，検収日，使用収益日

2 延払基準

法人税法では，入金の日をもって売上収益実現の日とするいわゆる「**回収基準**」は認められていませんでしたが，割賦金の回収期限到来の日をもって売上収益実現の日とするいわゆる「**回収期限到来基準**」である，**割賦基準・延払基準**は認められていました。税法は，**権利確定主義**の思考に基づくといわれることがあります。この点からすると，引渡基準よりも，回収期限到来基準の方が，税法の思考に合致する方法であるといえます。

しかし，平成10年の改正で，割賦基準が廃止されています。その理由として，税制調査会・法

人課税小委員会報告は,「割賦や延払いによる商品の販売等は,販売する者が商品の供給機能と金融機能の双方を果たしていると考えると,商品等の供給機能のみを果たし金融機能は第三者に委ねている法人の収益の計上時期との比較において不均衡が生じている」ことをあげています。

この理由との調整を図る意味で,金利相当部分を商品の販売収益と区分している場合には,その金利相当部分については,一般の利子収入と同様に,販売損益から除外して期間経過に従って,収益を計上することが認められることになりました(法基通2-1-1の9)。

法人税法では,長期割賦販売等に関して延払基準が認められていました。しかし,平成30年の改正で長期割賦販売における延払基準が廃止されています。

一方,リース譲渡においては,依然として延払基準が認められています。リース譲渡を行った場合に延払基準の方法により経理したときは,その経理した金額を収益・費用の額とします(法63①)。

具体的には,次のいずれかの方法により計算した金額が,当期の収益・費用となります。

(1) 通常の延払基準

収益の額＝対価の額×賦払金割合

費用の額＝原価の額(販売手数料を含む)の額×賦払金割合

$$賦払金割合 = \frac{当期中に支払期日の到来する賦払い金の額等}{長期割賦販売等の対価の額}$$

(2) リース譲渡に係る延払基準の方法

$$収益の額 = (対価の額 - 利息相当額) \times \frac{当期のリース期間の月数}{リース期間} + 当期に帰せられる利息相当額$$

$$費用の額 = 原価の額 \times \frac{当期のリース期間の月数}{リース期間}$$

❖ 例　題 ❖

大阪株式会社は,当期(令和6年4月1日～令和7年3月31日)の8月25日に,所有する土地を売却した。賦払回数は,6回(毎年度3月31日に100,000千円ずつ均等払い)で,賦払期間は6年であり,目的物の引渡しの期日までに支払期日の到来する賦払金は0円である。当期に計上すべき損益を計算しなさい。なお,当期中に支払を受けた金額で翌期以後に支払期日が到来するものはない。

(1) 譲　渡　対　価　　600,000千円
(2) 譲渡直前の簿価　　400,000千円
(3) 譲　渡　手　数　料　　50,000千円

(判　定)
(1) 賦払回数6回(3回以上)
(2) 賦払期間6年(2年以上)

(3) 頭金　0　（600,000千円の3分の2以下）
　　∴　延払基準が適用できる。
(1) 収益の額　100,000千円
(2) 費用の額 ＝ $(400,000千円 + 50,000千円) \times \dfrac{100,000千円}{600,000千円} = 75,000千円$
(3) 利益の額 ＝ (1) － (2) ＝ 25,000千円

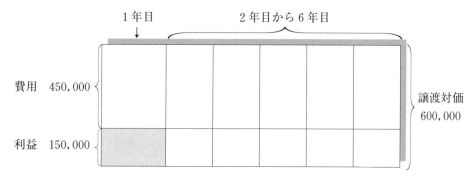

　　　　が1年目の利益（25,000千円）となります。
（注）　結局のところ，2年未満の割賦販売については，引渡基準により収益を計上しなければならないということになります。

3　長期請負工事

(1) 長期大規模工事

　平成10年度の改正で，長期大規模工事（製造及びソフトウエアの開発を含みます）に関しては，工事進行基準の方法により収益・費用の額を計算することになっています（法法64①）。ここにおける工事進行基準が適用される「長期大規模工事」とは，次の条件の全てを満たす工事をいいます。

① 工事着手の日からその工事契約において定められている目的物の引渡しの期日までの期間が1年以上であること（法法64①）
② その請負の対価の額が10億円以上の工事であること（法令129①）
③ その請負の対価の額の2分の1以上がその工事の目的物の引渡しの期日から1年経過後に支払われることが契約で定められていないものであること（法令129②）

　具体的には，次の算式により計算した金額が当期の収益・費用となります（法令129③）。

　　当期の収益の額＝工事請負金額×工事進行割合－前期までに計上した工事収益の額

　　当期の費用の額＝期末の現況による工事原価の見積額×工事進行割合－前期までに計上した工事原価の額

❖ 例　題 ❖

京都不動産（株）の建設請負契約及びその工事の進捗状況は，次のとおりである。この工事は，長期大規模工事に該当するため，工事進行基準で収益を計上しなければならない。各期に計上すべき損益を計算しなさい。

区　　　　分	令和6年末	令和7年末	令和8年末
請　負　金　額	90,000,000千円	90,000,000千円	90,000,000千円
予想工事原価の総額	60,000,000千円	72,000,000千円	－
予想工事利益の額	30,000,000千円	18,000,000千円	－
実際工事原価の期末累計額	20,000,000千円	48,000,000千円	70,000,000千円

工事進行基準は赤字の工事についても適用されますが，会計上の工事損失引当金は法人税法上の引当金ではありませんので，工事原価の額に計上した工事損失引当金相当額は損金不算入とされ，申告調整が必要になります（法基通2－4－19）。

令和6年末
　① 収益の額 ＝ $90,000,000千円 \times \dfrac{20,000,000千円}{60,000,000千円} = 30,000,000千円$

　② 費用の額　20,000,000千円

　③ 利益の額　30,000,000千円 － 20,000,000千円 ＝ 10,000,000千円

令和7年末
　① 収益の額 ＝ $90,000,000千円 \times \dfrac{48,000,000千円}{72,000,000千円} - 30,000,000千円 = 30,000,000千円$

　④ 費用の額　48,000,000千円 － 20,000,000千円 ＝ 28,000,000千円

　⑤ 利益の額　30,000,000千円 － 28,000,000千円 ＝ 2,000,000千円

令和8年末
　① 収益の額 ＝ 90,000,000千円 －（30,000,000千円＋30,000,000千円）＝ 30,000,000千円

　② 費用の額 ＝ 70,000,000千円 － 48,000,000千円 ＝ 22,000,000千円

　③ 利益の額 ＝ 30,000,000千円 － 22,000,000千円 ＝ 8,000,000千円

(2)　**長期大規模工事で工事進行基準を適用しなくてよい場合**

事業年度終了時において次のいずれかに該当する場合には，工事進行基準を適用しないことができます（法令129⑥）。
　① 工事着手の日から6月を経過していないもの
　② 工事進行割合が20／100に満たないもの

ただし，確定した決算において工事進行基準により経理した場合には，以後の事業年度についても工事進行基準を適用しなければならないことになります（法令129⑥ただし書）。

割戻しの計上時期

1 売上割戻し

売上割戻しの計上時期は，次のようになります（法基通2－1－1，同2－1－1の12）。

(1) 割戻し等による対価の変動の可能性がある取引について，見積もられた変動対価につき引渡し等事業年度の確定した決算において，収益の額を減額又は増額して経理した場合
　① 割戻し等の額又はその算定基準が，相手方へ明示されている又は内部決定されていること
　② 合理的見積りに基づいて変動対価が確定されていること
　③ ①及び②の根拠となる書類が保存されていること

(2) (1)に該当しない売上割戻し
　　売上割戻しの金額の通知又は支払をした日の属する事業年度

2 仕入割戻し

仕入割戻しの計上時期は，次のようになります（法基通2－5－1）。

(1) その算定基準が購入価額又は購入数量によっており，かつ，その算定基準が契約その他の方法により明示されている仕入割戻し
　　購入した日の属する事業年度

(2) (1)に該当しない仕入割戻し
　　その仕入割戻しの金額の通知を受けた日の属する事業年度

練習問題

1 沖縄不動産（株）の建設請負契約及びその工事の進捗状況は，次のとおりである。この工事は，長期大規模工事に該当するため，工事進行基準で収益を計上しなければならない。各期に計上すべき損益を計算しなさい。

区　分	令和6年末	令和7年末	令和8年末
請負金額	90,000,000千円	90,000,000千円	100,000,000千円
予想工事原価の総額	60,000,000千円	80,000,000千円	－
予想工事利益の額	30,000,000千円	10,000,000千円	－
実際工事原価の期末累計額	10,000,000千円	68,000,000千円	84,000,000千円

輸出売上の収益認識基準

「ある人達は，会計記録に反映すべき収益が販売財貨を生産する行為のみで生じると主張する。また，ある人達は，現金と財貨もしくは用役の交換だけが収益認識のテストを果たしているという。さらにまた，多くの人たちは，現金もしくは現金に対する法律上の請求権といったような現金等価物（cash equivalent）と財産もしくは用役との交換が収益の認識に関する唯一の適切な基準を与えると主張する。」〔片野一郎監訳『ギルマン会計学（上巻）』（同文舘出版・1976年，p. 127）〕

一般的には，販売基準が収益認識基準として選ばれています。それは，販売時点が，①代金回収上の確実性が保証される，②販売という客観性のある行為が存在する，③掛けや手形による信用経済を考慮しているために，販売基準が一般的に収益認識基準として採用されていると考えられます。しかし，ギルマンがいみじくも指摘したように，収益認識時点には，さまざまな議論があります。「収益をどの時点で認識するか」という問題は，昔から存在する難問の一つなのです。

税法上，収益の認識時点が問題となった事例として，『輸出売上の収益認識基準』があります。ある輸出業者は，商品を船で輸送して販売する形態をとっていました。輸出業者は，商品を輸送した際に，運送業者から船荷証券を受取り，その船荷証券とその他の書類を添付し，いわゆる荷為替手形としていました。輸出業者は，荷為替手形と船荷証券を銀行に渡し，為替を取り組んだ時点で収益を認識する，いわゆる為替取組日基準を採用していましたが，課税当局は，運送会社に商品を手渡した時点で収益を認識すべきであるとしました。

ここでの論点の一つは，①代金回収の確実性でした。輸出業者は，輸出取引は，代金回収の危険が伴うこともあり，少しでも代金回収の確実な為替取組日基準のほうが収益認識基準として適していると主張しています。一方，課税当局は，輸出業者は，銀行に信用状を発行してもらっているので，輸出代金回収の危険はないと主張しています。もう一つの論点は，②商品の引渡し時点がいつかでした。輸出業者は，船積は，買主に対する商品の引渡しが完了する時点でもないし，また，商品に相当する船荷証券が引き渡された時点でもないと主張しました。これに対し，課税当局は，たとえ資産の所有権の移転がなくても，輸出業者が事実上経済的利益を支配し，享受していると認められたときに，引渡しがあったとみることができると主張しています。

③収益計上時期の恣意性も問題になっています。船積日基準は，客観性が保たれ，収益認識時点について，恣意性が入りこむ余地はありません。しかし，為替取組日基準は，輸出業者が荷為替の取り組みを故意に遅らせることにより，期間損益の調整が可能となり，恣意性の入る余地が大きくなります。課税当局は，この点を指摘しています。

結局のところ，判決では，輸出業者の主張は通らなかったのですが，最後の税務執行上の理由（③収益計上時期の恣意性）が決め手になっているように思われます。

第13章

借地権課税

  借地権とは

　更地としての土地は，**地主**が有する部分とその土地を借りている借地人が有する部分とに便宜上分類され，前者は**底地権**と呼ばれ，後者は**借地権**と呼ばれています。

　借地権の設定により，土地に建物等が建設された場合には，地主は，借地人に土地を貸すことにより，その土地を直接利用する権利を失い，逆に借地人は，その土地を利用する権利を獲得します。その結果，その土地は，その利用が恒久的に制限されますので，いわゆる地代を収受する権利である，底地の価値しかなくなり，その価額（地価）は下落してしまいます。この下落分の対価として，権利金を収受する慣行が確立してきました。

　権利金の収受の慣行が習熟していくにつれ，借地権課税の法制化が必要になり，昭和37年に法制化されるに至っています。

　法人が借地権又は地役権を設定して，他人に土地を使用させた場合に受ける権利金その他の一時金は，その事業年度の所得の金額の計算上益金の額に算入されます。

権利金の認定

1 権利金の認定課税

　権利金収受の慣行がない場合や一般的に権利金を収受しない取引に関しては，たとえ権利金を収受していなくても，**認定課税**されることはありません。しかし，逆に，権利金収受の慣行があり，一般的に権利金を収受するような取引に関しては，認定課税されます。

　すなわち，法人税法では，権利金の収受の慣行のある地域において，借地権の設定があったにもかかわらず，権利金の収受がなされていないときは，地主から借地人に権利金相当額の贈与があったものとして取り扱われることになります。

　　借地人：（借）借　地　権　　○○　　　（貸）受　贈　益　　　○○
　　地　主：（借）寄　附　金　　○○　　　（貸）権　利　金　収　入　○○

2 相当の地代

　しかし，権利金を収受することに代えて，いわゆる**相当の地代**を収受しているときには，その取引は，正常な取引条件でされたものとして，認定課税は行われません（法令137）。もっとも，法人が借地権の設定等により他人に土地を使用させた場合において，これにより収受する地代の額が相当の地代に満たないときは，一定の算式で計算される認定権利金の額を借地人に対して，贈与（借地人が役員又は使用人である場合には，給与となります）したものとみなされます。

　この場合の相当の地代については，土地の更地価額（権利金を収受しているとき又は特別の経済的な利益の額があるときは，これらの金額を控除した金額）に対し，おおむね年6％の地代であればよいことになっています（法基通13-1-2）。

　この相当の地代を算定する地代率は，昭和36年の国債の応募利回り6.2％に固定資産税等の租税公課を加えて8％とされましたが（昭和37年），昭和60年代のバブル時に地価が高騰したため，現在の6％に変更されています。しかし，低金利時代が到来し，これでも高いという批判があります。

　また，**相当の地代を計算するときの土地の更地価額**は，その**借地権設定時の土地の取引価額**（**時価**）をいいますが，**公示価格等**又は**財産評価基本通達による評価額**（**相続税評価額**）若しくはその**財産評価基本通達による評価額の過去3年間における平均額**も認められています（これらの価額のうち，最少額を選択した方が納税者にとって有利になります）。

　（注）「過去3年間」とは，借地権を設定し，又は地代を改定する年以前3年間をいいます。

　　　相当の地代＝（土地の更地価額－収受した権利金の額）×6％

3 権利金の改訂

　なお，相当の地代の年額を計算するときに，土地の更地価額から差し引かれるべき権利金又は特別の経済的な利益の額があるときは，これらの金額は，次の算式により控除されます。

第13章　借地権課税

$$その権利金又は特別の経済的な利益の額 \times \frac{公示価額又は財産評価基本通達による評価額若しくはその価額の過去3年間における平均額}{更地としての通常の取引価額}$$

すなわち，権利金又は特別の経済的な利益の額を**上記算式の分子の公示価額等に見合う金額に改訂（権利金の改訂）**することになります。

4　認定権利金

認定権利金は，次の算式により，計算されます。

$$認定権利金 = 土地の更地価額 \times \left(1 - \frac{実際に収受している地代の年額}{年6\%の相当の地代の年額}\right) - 収受した権利金等の額$$

(注) 上記算式の土地の更地価額は，通常の取引価額となり，年6％の相当の地代を計算する際の土地の価額は，公示価額等のうち，最小金額となります。

❖ **例　題** ❖

当社は，子会社に対して土地を賃貸することにし，借地権の設定を行った。次の資料に基づいて，認定権利金を算出しなさい。借地権利金は，40,000,000円であり，地代は，年間で2,400,000円である。

更地としての時価は，次のとおりであった。
(1) 公示価額　120,000,000円
(2) 財産評価基本通達による評価額　100,000,000円
(3) 財産評価基本通達による評価額の当期以前3か年間の平均値　110,000,000円
(4) 通常の取引価額　160,000,000円

---

(1) 相当の地代の判定
　① 更地価額　160,000,000円 > 120,000,000円 > 110,000,000円 > 100,000,000円
　　　　　∴　100,000,000円
　② 権利金の改訂
　　$40,000,000円 \times \dfrac{100,000,000円}{160,000,000円} = 25,000,000円$
　③ 相当の地代　$(100,000,000円 - 25,000,000円) \times 6\% = 4,500,000円 > 2,400,000円$
　　∴　権利金の認定あり
(2) 認定権利金
　$160,000,000円 \times \left(1 - \dfrac{2,400,000円}{100,000,000円 \times 6\%}\right) - 40,000,000円$

　＝56,000,000円（寄附金の限度額計算に含める）

　(注) 権利金の認定については，
　　　（借）寄　附　金　56,000,000　　（貸）権 利 金 収 入　56,000,000
　　　となり，これに関しての税務上の調整は不要である。

特別の経済的利益

借地権又は地役権の設定に伴い、通常の場合の金銭の貸付の条件に比し特に有利な条件による金銭の貸付けその他特別の経済的利益を受けたときは、その金銭の貸付等の経済的な利益の額を権利金の額に加算した金額をもって、借地権等の設定の対価の額とされます（法令138②）。

なお、金銭の借入による経済的利益は、次の算式で計算されます（法令138③）。

> 特別の経済的利益の額＝貸付けを受けた金額－通常の利率の2分の1に相当する利率による複利の方法で計算した現在価値に相当する金額

借地権等の設定により地価が著しく低下する場合の土地簿価の損金算入

借地権等の設定により、土地の時価が著しく下落したとき（2分の1以上の下落）は、その土地の帳簿価額の一部を損金に算入できます（法令138①）。

> 損金算入額＝設定直前の土地の帳簿価額×$\dfrac{借地権の価額（権利金＋認定権利金＋特別の経済的利益）}{設定直前の土地の価額}$

❖ 例　題 ❖

次の資料により、当社の税務上調整すべき金額を計算しなさい。当社は、借地権の設定により、権利金20,000,000円を収受したが、これにより、更地時価が50,000,000円（帳簿価額4,000,000円）から、14,000,000円に下落している。

(1) 判　　定

$\dfrac{50,000,000円－14,000,000円}{50,000,000円}=0.72≧0.5$

∴　土地簿価損金算入の適用あり

(2) 土地簿価の損金算入額

$4,000,000円×\dfrac{20,000,000円}{50,000,000円}=1,600,000円$

土地簿価の損金算入額　1,600,000円（減算）

権利金の認定見合わせ

 すでに説明したように，法人が借地権等を設定していながら，権利金を収受せず，しかも相当の地代も収受しない場合には，認定課税が行われることになっています。しかし，借地権等の設定が，関係会社間や同族会社とその役員の間で行われることがあり，このような特殊関係にある場合に，利害を異にする第三者間を前提としている権利金の認定課税を同様の方法で行うことは，適切ではありません。というのも，関係会社や役員との間で権利金が授受されても，双方が権利を主張し合うということがなく，このような取引について，無理に権利金の認定課税を行うことは，経済的な実態に即していないからです。

 そこで，次の三つの条件を満たす場合には，**権利金の認定が見合わされる**ことになっています（法基通13－1－7）。

① 権利金又は特別な経済的利益を受けていないこと
② 借地権設定契約書において将来借地人等が無償で返還することを定めていること
③ ②の旨を借地人等と連名でその法人の納税地の所轄税務署長に書面で届け出ること

 しかしながら，権利金の認定が見合わされた場合には，以後の事業年度で毎年**相当の地代の認定課税**が行われます。すなわち，相当の地代から実際に収受している地代を控除した金額が，地主から借地人に贈与されたものとみなされます（法基通13－1－7）。

　借地人：(借) 支　払　地　代　　○○　　　(貸) 受　贈　益　　○○
　地　主：(借) 寄　附　金　　　　○○　　　(貸) 地　代　収　入　○○

❖ 例　題 ❖

　名古屋商事（株）は，関係会社三重商事（株）に対して，当期（令和6年4月1日～令和7年3月31日）の10月1日から土地190,000,000円を賃貸し，当期分の地代として2,000,000円を収受しているが，将来その土地を無償で返還を受ける予定であるため，その旨を三重商事(株)と連名による書面で所轄税務署長に届け出ている。税務上調整すべき金額を算出しなさい。なお，相当の地代を計算するにあたっては，相続税評価額100,000,000円を利用することにした。

(1) 相当の地代　$100,000,000円 \times 6\% \times \dfrac{6}{12} = 3,000,000円$

(2) 認定課税　$3,000,000円 - 2,000,000円 = 1,000,000円$（寄附金の限度額の計算に含める）

更新料の取扱い（当社が借地権者である場合）

　法人がその有する借地権等の存続期間を更新する場合において，その更新の対価の支払をしたときは，その支払った更新料の額は借地権等の帳簿価額に加算され，それと同時に借地権等の帳簿価額の一部を減額し，損金の額に算入することができます（法令139）。

　借地人である法人が支払った権利金については，税法上は減価償却をすることを認めていません。しかし，借地権等の存続期間が満了したなどのため，土地所有者に更新料を支払った場合には，借地権等の帳簿価額の一部を減額することができることになっています。

$$損金算入額＝その借地権等の更新直前の帳簿価額 \times \frac{更新料の額}{更新時の借地権等の時価}$$

この結果，更新料支払後の借地権の帳簿価額は，次のようになります。

$$更新料支払後の借地権等の帳簿価額＝更新直前の借地権等の帳簿価額＋更新料の額－損金算入額$$

❖ 例　題 ❖

　当社は，借地権の更新に際し，更新料を支払い，その金額を損金経理した。次の資料により，税務上調整すべき金額を計算しなさい。

(1) 借地権の帳簿価額　　　　　300,000円
(2) 更新時の借地権の時価　10,000,000円
(3) 更　新　料　　　　　　　4,000,000円

(1) 借地権簿価の損金算入額

$$300,000円 \times \frac{4,000,000円}{10,000,000円} = 120,000円$$

(2) 更新後の借地権簿価

300,000円＋4,000,000円－120,000円＝4,180,000円

(3) 借地権計上もれ

4,180,000円－300,000円＝3,880,000円

借地権計上もれ　3,880,000円（加算）

練習問題

1　当社は，子会社に対して，土地を賃貸することにし，借地権の設定を行った。次の資料に基づいて，認定権利金を算出しなさい。借地権利金は，50,000,000円であり，地代は，年間で，2,160,000円である。

　　更地としての時価は，次のとおりであった。
　(1)　公 示 価 額　　　　　　　　　　140,000,000円
　(2)　財産評価基本通達による評価額　　120,000,000円
　(3)　財産評価基本通達による評価額
　　　の当期以前3か年間の平均値　　　 130,000,000円
　(4)　通常の取引価額　　　　　　　　　200,000,000円

2　次の資料により，当社の税務上調整すべき金額を計算しなさい。当社は，借地権の設定により権利金25,000,000円を収受したが，これにより更地時価が40,000,000円（帳簿価額4,500,000円）から16,000,000円に下落している。

3　九州商事（株）は，関係会社四国商事（株）に対して，当期（令和6年4月1日～令和7年3月31日）の10月1日から土地160,000,000円を賃貸し，当期分の地代として2,600,000円を収受しているが，将来その土地を無償で返還を受ける予定であるため，その旨を四国商事（株）と連名による書面で所轄税務署長に届け出ている。税務上調整すべき金額を算出しなさい。なお，相当の地代を計算するにあたっては，相続税評価額の過去3か年の平均額である140,000,000円を利用することにした。

4　当社は，借地権の更新に際し，更新料を損金経理した。次の資料により，税務上調整すべき金額を計算しなさい。
　(1)　借地権の帳簿価額　　　　　 600,000円
　(2)　更新時の借地権の時価　　 20,000,000円
　(3)　更　新　料　　　　　　　10,000,000円

商　品　券

　商品券は，販売した側では，負債として処理されます。商品券を販売した時点では，現金あるいは現金等価物を受け取っていますが，一方で，実際の商品あるいはサービスの提供はまだないので，会計上は収益には計上できず，負債となるのです。商品券は，性格的には前受金です。原則的には，収益を計上するのは，商品券を販売した時点ではなく，あくまで実際の商品を販売した時点であるはずなのです。

　しかし，税務上は，商品券発行時に収益に計上することになっています（法基通2－1－39，2－2－11）。

　(イ)　商品券を発行した場合には，その発行時に収益を計上する。そして，期末の未引換券について売上原価を見積もり計上する。

　(ロ)　商品券を発行したときには収益を計上せず負債としてよいが，発行年度の翌年度開始の日から3年を経過した日における未引換券は，その日（発行年度を含めて5年目の年度）に収益に計上する。

　商品券は，贈答に利用される場合が多く，贈る側は意識していない場合が多いですが，受け取る側ではいっこうに利用されず，そのまま家のどこかで眠っている場合が少なくありません。税務上の考え方は，このような実態を考慮した取扱いであるといえます。

　確かに，阪急でしか買い物をしない主義の人が，高島屋の商品券をもらっても，それは無価値でしょう。筆者も地方の呉服屋が発行した贈答用商品券を長年所有していますが，今でもそうですが，これからも使用する予定はありません。その店でしか使えないような商品券はいただいても，使われない場合が多いのは事実です。

　このように考えてきますと，明らかに使われる見込みのない商品券を売上とみて，課税対象とするのは，わからないわけではありません。

　しかし，通達のような取扱いは，すでに指摘した会計上の原則的な会計処理とは異なりますし，また，特定のデパートの商品券や先ほどの地方の呉服屋でしか使用できないような商品券の使用される可能性と，デパート共通の商品券の使用される可能性は異なるでしょう。それをまるっきり無視して，たとえ5年でもどうかと思うのに，商品券を販売した時点で収益とみて課税するのは明らかにいきすぎでしょう。できれば会計の原則に沿って課税してもらいたいですし，あるいはそれがたとえできなくとも，商品券の使用可能性に関する見積もりが当然必要なのではないでしょうか。

　通達は税務署のいわば内規で，一つの解釈にしか過ぎないといわれていますが，実際にはかなり強制力があります。ですから，商品券の取扱いに関して，"取る側の論理"だけではない，もう少し考慮した通達を出してほしいものです。

第14章

有価証券の損益

 有価証券の範囲

　法人税法上，有価証券とは，金融商品取引法第2条に規定する有価証券その他これに準ずるもので，次のような有価証券をいいます（法法2二十一，法令11）。

① 国債証券
② 地方債証券
③ 社債券
④ 特別の法律により設立された法人の発行する出資証券
⑤ 株券又は新株予約権証券
⑥ 証券投資信託の受益証券
⑦ 貸付信託の受益証券
⑧ 合名会社，合資会社又は合同会社の社員の持分，協同組合等の組合員又は会員の持分，その他法人の出資者の持分

 有価証券の区分

1 売買目的有価証券（企業支配株式を除く）（法法61の3①一，法令119の12）

(1) 短期的な価格変動を利用して利益を得る目的（「短期売買目的」といいます）で行う取引に専ら従事する者が，短期売買目的でその取得の取引を行った有価証券

(2) 短期売買目的で取得したものである旨を財務省令で定めるところにより帳簿書類等に記載したもの（(1)に該当するものを除きます）
(3) 金銭の信託のうち，その契約を締結したことに伴いその信託財産となる金銭を支出した日において，その信託財産として短期売買目的の有価証券を取得する旨を財務省令で定めるところにより帳簿書類に記載したもののその信託財産に属する有価証券
(4) 適格合併，適格分割，適格現物出資又は適格事後設立により被合併法人，分割法人，現物出資法人又は現物分配法人（以下「被合併法人等」といいます）から移転を受けた有価証券のうち，その移転の直前にその被合併法人等において上記(1)から(3)まで又は下記(5)に掲げる有価証券とされていた有価証券
(5) 法人税法施行令第119条第1項第5号，第6号，第8号，第9号又は第11号に規定する合併，分割型分割，株式交換又は株式移転（以下「合併等」といいます）により交付を受けたその合併等にかかる合併法人若しくは第5号に規定する親法人，分割承継法人若しくは第6号に規定する親法人，株式交換完全親法人若しくは第8号に規定する親法人又は株式移転完全親法人の株式（出資を含みます）で，その交付の起因となったその合併等に係る被合併法人，分割法人，株式交換完全子法人又は株式移転完全子法人の株式が上記(1)から(4)に掲げる有価証券とされていた有価証券

2　満期保有目的等有価証券 （法令119の2②）

(1) 償還期限のある定めのある有価証券（売買目的有価証券に該当するものを除きます）のうち，その償還期限までに保有する目的で取得したものとして，その取得の日に「満期保有目的債権」等の勘定科目により区分した有価証券
(2) 企業支配株式等（法人の特殊関係株主等がその法人の発行済株式の総数又は出資金額の20％以上に相当する数の株式又は出資を有する場合におけるその特殊関係株主等の有する株式又は出資をいいます）

3　その他有価証券 （法令119の2③）

1及び2以外の有価証券

有価証券の譲渡損益とその計上時期

1　有価証券の譲渡損益の計上時期

　法人が有価証券の譲渡をした場合には，その譲渡に係る譲渡利益額又は譲渡損失額は，その譲渡に係る**契約をした日**の属する事業年度の所得の金額の計算上，益金の額又は損金の額に算入されます（法法61の2①）。従来は，棚卸資産と同様，損益の計上時期は，引渡し時でしたが，金融商品の会計基準において，**約定日基準**（契約した日に損益を認識すべしとする基準）が採用されることになり，法人税法もこれを取り入れることになったものです。

法人税法上，期末に保有する有価証券は，時価で測定すべきことになり，その有価証券の譲渡について，契約日と引渡日が期末日をまたがる場合，従来のように，引渡基準で譲渡損益の計算を行うことにすると，譲渡契約成立済みの有価証券が期末日に時価で評価され，評価損益を計上してしまうことになります。このような不合理を解消するためにも，時価評価を採用した場合には，有価証券の譲渡損益の計上時期を，契約日の属する事業年度としたものと思われます（売買目的有価証券以外の有価証券については，一定期間の経過措置がありましたが，これは売買目的有価証券以外の有価証券は，時価で評価しませんので，上記のような不合理が生じないためであると考えられます）。

　また，譲渡損益は，次の算式により計算します。

　　有価証券の譲渡対価の額－有価証券の譲渡原価の額＝譲渡利益額（譲渡損失額）

　ここにおける譲渡原価の額は，法人があらかじめ選定した方法（移動平均法又は総平均法）により計算します（法法61の2①ニ，法令119の2①）。なお，その譲渡原価の計算は，有価証券を売買目的有価証券，満期保有目的等有価証券及びその他有価証券に区分して，それぞれの銘柄ごとに計算します（法令119の2②）。

2　空売りをした場合

　法人が，有価証券の現物を有しないで行う，いわゆる**空売り**（有価証券を有しないでその売付けをし，その後に同銘柄の有価証券の買戻しをして決済をする取引で，信用取引及び発行日取引に係るものを除きます）をした場合の譲渡損益の額は，売付けに係る対価の額と買付けに係る対価の額の差額として計算し，買戻しの契約をした日の属する事業年度に計上することとされています（法法61の2⑲）。

3　信用取引又は発行日取引に係る譲渡損益とその計上時期

　信用取引とは，証券会社からその取引に必要な資金又は有価証券を借り入れて，有価証券の売買を行う取引のことをいいます。

　また，**発行日取引**とは，有価証券が発行される前にその未発行の有価証券の売買を行う取引のことをいいます。発行日取引は，増資などにより新株の割り当てを受ける株主が，新株を発行されるまでの間，それを売却できないという不便さを取り除くために，設けられた取引形態です。

　法人が信用取引又は発行日取引をした場合の譲渡損益の額は，個別法により，次の(イ)の額と(ロ)の額の差額として計算し，決済に係る買付け又は売付けの契約をした日の属する事業年度に計上することとされています（法法61の2⑳）。

　(イ)　売付けをした株式の売付けに係る対価の額
　(ロ)　買付けをした株式の買付けに係る対価の額

有価証券の譲渡原価の計算

　有価証券の譲渡原価の額は，その有価証券について法人が選定した一単位当たりの帳簿価額の算出の方法により算出した金額にその譲渡をした有価証券の数を乗じて計算した金額です（法法61の2①ニ）。

　一単位当たりの帳簿価額の算出方法として，移動平均法か総平均法のいずれかを選定すべきことになっています（法令119の2①）。また，法人がその算出方法を選定しなかった場合又は選定した算出方法によらなかった場合には，移動平均法（法定算出方法）によって算出することとされています（法法61の2①ニ，法令119の7）。

有価証券の取得原価

　有価証券の取得価額は，有価証券の区分に応じ，次のように取り扱われます（法令119①）。

(1) **購入した有価証券**

　　購入代価＋付随費用

(2) **金銭の払込みにより取得した有価証券**

　　払いこんだ金額

(3) **無償交付によるもの**

　　ゼロ

(4) **有利な発行価額で取得した有価証券**

　　払い込み期日の価額

(5) **合併により交付を受けた株式**

　　被合併法人の株式の合併直前の帳簿価額に相当する金額＋みなし配当の金額＋付随費用

(6) **分割型分割により交付を受けた株式**

　　分割直前の旧株の帳簿価額×分割割合＋みなし配当の金額＋付随費用

(7) **適格分社型分割又は適格現物出資により交付を受けた株式**

　　分割又は現物出資直前の移転資産の帳簿価額－直前の移転負債の帳簿価額＋付随費用

(8) **株式交換等により交付を受けた完全親会社の株式（新株のみの交付を受けた場合に限る）**

　　旧株の株式交換等の直前の帳簿価額＋付随費用

(9) **その他の有価証券**

　　取得時の価額＋付随費用

第14章 有価証券の損益

 有価証券の期末評価

1 売買目的有価証券

有価証券は、次に掲げる区分に応じ、それぞれ次に定める金額をもって、その時における評価額とされます（法法61の3①）。

(1) **売買目的有価証券**
　時　価
(2) **売買目的外有価証券**
　その時における帳簿価額

売買目的有価証券の時価とは、取引所売買有価証券、いわゆる上場有価証券の場合には、期末日の最終価格になります（法令119の13）。

売買目的有価証券については、時価法が導入され、評価益又は評価損は、益金の額又は損金の額に算入されることになりました（法法61の3②）。しかし、評価益は、あくまで未実現の利益ですから、これに課税することに関しては、問題があるという指摘もあります。

2 償還有価証券

償還有価証券とは、償還期限及び償還金額の定めある売買目的外有価証券のうち、償還期限に償還されないと見込まれる新株予約権付社債その他これに準ずるものを除く有価証券をいいます。

売買目的有価証券以外の有価証券である売買目的外有価証券については、期末帳簿価額でもって期末評価がなされますが、その売買目的外有価証券が、公社債その他償還有価証券であり、かつ、その取得価額がその償還金額（額面金額）と異なっている場合には、その期末帳簿価額は、その差額（償還差額）をその保有期間の経過に応じて調整した後の金額になります。この方法を**償却原価法**といいます（法令119の14）。

❖ **例　題** ❖

次の資料により、当社の当期（令和6年4月1日〜令和7年3月31日）における税務上調整すべき金額を計算しなさい。

青森工業（株）の株式（売買目的有価証券）の異動状況は、次のとおりである。なお、当社は、総平均法を採用している。

日　付	摘　要	株式数	単　価	金　額
令和6年4月1日	前期繰越	200株	@100	20,000円
6月6日	取　得	200株	@110	22,000円
8月10日	譲　渡	100株	@120	12,000円
12月19日	取　得	100株	@115	11,500円

期末の時価は、@125円である。

(1) 1株当たりの帳簿価額

$$\frac{20,000円 + 22,000円 + 11,500円}{200株 + 200株 + 100株} = @107円$$

(2) 期末帳簿価額

@125円×400株 − @107円×400株 = 7,200円

有価証券計上もれ　7,200円（加算）

次の資料により，当社の当期（令和6年4月1日～令和7年3月31日）における税務上調整すべき金額を計算しなさい。

山形工業(株)の株式（売買目的有価証券）の異動状況は，次のとおりである。なお，当社は，移動平均法を採用している。

日　　付	摘　　要	株式数	単　価	金　　額
令和6年4月1日	前期繰越	200株	@100円	20,000円
6月6日	取　得	200株	@110円	22,000円
8月10日	譲　渡	100株	@120円	12,000円
12月19日	取　得	100株	@115円	11,500円

期末の時価は，@90円である。

現行消費税法の盲点

"Take care of the sense and the sounds will take care of themselves"

「まずものごとの意味を知覚しなさい。そうすれば適切な言葉が自然に見つかる」

〔ルイス・キャロル『不思議の国のアリス』9 ウミガメモドキの物語より〕

非課税取引というのは、文字通りに読めば、税がまったく課税されない取引のことですが、消費税に関していうと、税がまったく課税されない取引を非課税取引というわけではありません。現行消費税法にいう非課税取引とは、あくまでも自己の売上にかかる消費税が非課税になるのみであり、仕入にかかる消費税の方は課税される取引のことをいいます。すなわち、非課税取引は、付加価値税の枠外にあるとされ、いわゆる仕入税額控除が受けられないのです。

消費税に関しては、様々な問題がありますが、この非課税取引の問題も重要な問題のひとつでしょう。非課税という名称が与えられているにもかかわらず、課税されている実態が取り上げられないままでよいのでしょうか。消費になじまないという理由や社会政策的な配慮に基づいて、非課税とされている取引に、消費税が課税されているという実態が無視されてよいわけがないでしょう。

実は、ゼロ税率という制度を適用すれば、文字通り、消費税が非課税になります。ゼロ税率が適用される取引は、ゼロという税率が適用されるので、付加価値税の枠内にあるとされ、付加価値税がまったくかかりません。

冒頭に掲げた『不思議の国のアリス』の世界では、言葉は、その使い手が表現したいものを意味することになるし、また、ものごとを知覚すれば、必然的に適切な言葉を見つけることができます。この種の命題は、アリスの世界が、現実の世界と異なり、ナンセンスな世界であるがゆえに成立します。

現実の世界では、アリスの世界とは異なり、ものごとに対して、自由に言葉を割り当てることはできませんし、また、ものごとを知覚すれば、必然的に適切な言葉が見つかるとは、考えられていません。現実の世界においては、100人が知覚したものに、それぞれが言葉を割り当てるとすると、同じものに100の言葉が割り当てられる可能性があり、それでは言語として成立しないでしょう。

しかしながら、筆者が取りあげた消費税の「非課税とゼロ税率」の議論には、課税されているものに非課税という名前が付されているという意味で、アリスの世界のごときナンセンスを見出すことができます。

第15章

リース取引等

1 リース取引

1 リース取引の取扱い

リースには，オペレーティング・リースとファイナンス・リースとがあります。

オペレーティング・リースは，借り手からリース料を受け取る一方で，リース物件の管理やコスト負担等を貸し手が引き受けるというもので，いつでも契約の解除ができるという特徴を持っています。一方のファイナンス・リースは，リース物件の取得価額その他のコストをすべて借り手が負担するものであり，リース期間の中途における契約の解除ができないものをいいます。

ファイナンス・リースは，企業にとって利点があり，昭和40年代から50年代にかけて，多くの企業により利用されました。ファイナンス・リースの場合，契約の終了時にそのリース物件の所有権が借り手に移りますので，実質的には，そのリース物件を割賦で購入したのと変わりません。しかし，ファイナンス・リースは，リース物件の耐用年数よりも短い期間をリース期間とするのが通例ですので，借り手側は，通常の方法により資産を購入した場合に比して，早期に費用化することができるという節税メリットがあったのです。

さて，逆に，法定耐用年数よりも長い期間でリースすることにより節税効果をねらったリース取引が昭和60年代に出現しています。今度は，貸し手側のメリットとなるのですが，たとえば，航空機のような巨額な資産を購入し，これを法定耐用年数よりも長い期間でリースし，定率法で償却するのです。そうしますと，リース後の数年間は，リース料収入よりも償却費の方が多くなり，損失を作り出すことができ，これにより節税できるというわけです。このような"税のてこ入れ効果"があるため，この種のリース取引は，**レバレッジド・リース**と呼ばれています。

このような節税戦略に対処するため，現在では，ファイナンス・リースに関する特別な規定が

設けられています。

2 法人税法上のリース取引（ファイナンス・リース取引）

平成20年４月１日以後に締結されるリース取引のうち一定のものを法人税法上のリース取引と定義し，リース資産を賃貸人から賃借人に引き渡したときに売買があったものとして取り扱われます（法法64の２①）。

① リース期間の中途において契約の解除ができないものであること又はこれに準ずるものであること

② 賃借人がリース資産からもたらされる経済的な利益を実質的に享受することができ，かつ，リース資産の使用に伴って生ずる費用を実質的に負担することになっているものであること

なお，リース期間（契約の解除をすることができないものとされている期間に限ります）において賃借人が支払うリース料の額の合計額がその資産の取得のために通常要する価額のおおむね90％相当額を超える場合には，リース資産の使用に伴って生じる費用を実質的に負担すべきこととされているものであることに該当します（法令131の２②）。

これまでは，所有権移転外リースに関しては，原則法である売買取引にかかる方法のほか，通常の賃貸借取引にかかる方法に準ずる方法の選択が例外的に認められてきましたが，平成18年７月に企業会計基準委員会により公表された「リース取引に関する会計基準（平成19年３月）」に従い，税法も，原則法である売買取引として処理することになりました。

3 資産の賃貸借から除かれるものの範囲

土地の賃貸借のうち次に掲げるものは，法人税法上のリース取引の範囲から除かれます（法令131の２①）。

(1) 法人税法施行令第138条（借地権の設定等により地価が著しく低下する場合の土地等の帳簿価額の一部損金算入）の規定の適用があるもの

(2) 次に掲げる要件（これらに準ずるものを含みます）のいずれの要件にも該当しないもの

① 賃貸借期間終了時又は中途において，無償又は名目的な対価の額で賃借人に譲渡されるもの

② 賃貸借期間の終了時又は中途において，その土地を著しく有利な価額で買い取る権利がその賃借人に与えられているものであること

4 所有権移転外リース取引

所有権移転外リース取引とは，次のいずれかに該当するもの以外のものをいいます（法令48の２⑤五）。

① リース期間の終了時又はその中途において，リース資産が無償又は名目的な対価の価額で賃借人に譲渡されるものであること

② 賃借人に対し，リース期間の終了時又はその中途において著しく有利な価額でリース資産を買い取る権利が与えられているものであること

③ リース資産の種類，用途，設置の状況等に照らし，リース資産がその使用可能期間中，賃

借人によってのみ使用されると見込まれるものであること又はリース資産の識別が困難であると認められるものであること

④ リース期間がリース資産の法定耐用年数に比して相当の差異があるため，賃貸人又は賃借人の法人税又は所得税の負担を著しく軽減することになると認められるものであること

5 賃貸人と賃借人における処理

(1) 賃貸人

① 売買があったものとされる場合

賃貸人のリース譲渡の収益計上については，リース料総額からその原価の額を控除した金額のうち，利息相当額（リース料の対価の額のうちに含まれる利息に相当する金額をいいます）については，利息法により収益に計上し，それ以外の対価の部分については，そのリース資産のリース期間にわたって均等額により収益に計上することになります（法法63②，法令124④）。

② 金銭の貸付けがあったものとされる場合

法人税法上のリース取引が金銭の貸付けであったものとされる場合には，その賃貸人は，金銭の貸付けがあったものとして取り扱います。

(2) 賃借人

① 売買があったものとされる場合

法人税法上のリース取引が売買取引であったものとされる場合には，その賃借人は，そのリース資産を自己の資産として次のリース取引の区分に応じて償却します（法令48の2①）。

イ 所有権移転外リース取引

リース期間定額法

$$（リース資産の取得価額 － 残価保証額^{(注)}） \times \frac{当該事業年度におけるリース期間の月数}{リース期間の月数}$$

＝償却限度額

(注) 残価保証額とは，リース期間終了の時にリース資産の処分価額が所有権移転外リース取引に係る契約において定められている保証額に満たない場合にその満たない部分の金額を当該所有権移転外リース取引に係る賃借人がその賃貸人に支払うこととされている場合における当該保証金額をいいます（法令48の2⑤六）。

ロ イ以外のリース取引

資産の種類に応じてその法人が選定している償却方法

② 金銭の貸付けがあったものとされる場合

法人税法上のリース取引が金銭の貸付けであったものとされる場合には，その賃借人は，金銭の借入れがあったものとして取り扱います。

6 金融取引とみなされるセール・アンド・リースバック

航空機のような巨額な資産を購入し，これを法定耐用年数よりも長い期間でリースする，いわゆるレバレッジド・リース取引は，航空機とは全く関係のない会社が節税メリットを得ようとして行うものであるため，決して望ましいものではありません。そこで，平成10年に，この種の取

引に関して，**セール・アンド・リースバック**という名称がつけられ，法制化されています。

　セール・アンド・リースバックとは，航空会社などが自己の所有する資産（中古航空機）をリース会社にいったん譲渡し（セール），すぐにその資産をリース会社から賃借する（リース・バック）ことをいいます。

　この種の取引は，実質的には，企業が自己の資本を担保に借入れを行うことを意味します。そこで，法人税法では，たとえ資産の売買が行われても，その資産の種類，その売買及び賃貸に至るまでの事情その他の状況に照らし，これら一連の取引が**実質的には金銭の賃借**であると認められるときは，その売買がなかったものとみなし，リース会社から，資産を売却した航空会社等に対して金銭の貸付けがあったものとみなすことにしています（法法64の2②）。

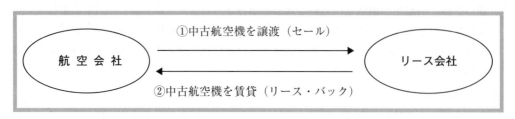

　上記のように，航空会社は資産を譲渡することにより，譲渡代金を受け取りますが，この譲渡代金は，借入金とみなされます。したがって，リース期間中に航空会社が支払うリース料は，借入金の元本部分と利息部分とに区分され（法基通12の5－2－2），利息部分は時の経過とともに，損金に算入されますが，元本部分は，**償却費として損金経理した金額**に含まれることになります（法令131の2③）。

❖ 例　題 ❖

　次の資料に基づき東京株式会社の当期（自令和6年4月1日至令和7年3月31）における税務上調整すべき金額を計算しなさい。

(1)　当社は，リース会社より下記(2)の機械装置を賃借し，事業の用に供している。なお，このリース取引は，リース期間終了時において当該機械装置が無償で当社に譲渡される契約となっており，法人税法上売買取引とみなされるリース取引である。

(2)　リース資産は，機械装置であり，リース期間中のリース料総額は，120,000,000円である。当期において費用計上したリース料は，月額2,000,000円であり，年間で総額16,000,000円を支払っている。

基本リース期間	法定耐用年数	定率法償却率	事業供用日
5年	16年	0.125	令和6年8月1日

(1)　償却限度額

　　$120,000,000円 \times 0.125 \times \dfrac{8}{12} = 10,000,000円$

(2)　償却超過額

　　$16,000,000円 - 10,000,000円 = 6,000,000円$

　　減価償却超過額　6,000,000円（加算）

リース取引が売買として取り扱われる場合には，賃借人は，そのリース物件を購入したものとみなされ，減価償却の計算を行うことになります。また，支払ったリース料は，償却費として損金経理した金額となります（法令131の2③）。

消費税

消費税は，法人税や所得税などの直接税とは異なり，国内の商品の販売，サービスの提供に課税される**間接税**です。消費税は，商品を購入したり，サービスの提供を受ける消費者が，最終的には負担する税金ですが，企業が物品を売買したり，サービスを提供する時に，その売買価格に消費税分だけ上乗せがなされています。

1 経理方式

消費税の会計処理方法には，**税抜方式**と**税込方式**とがあります。税抜方式とは，消費税等の額をその対象となった売上又は仕入の取引の対価の額と区分し仮受消費税又は仮払消費税という勘定で経理する方法です。一方の税込方式とは，売上又は仕入に際し，これに含まれる消費税等の額を区分しないで，その合計額をもって売上又は仕入等の対価として経理する方法です。

❖ 例　題 ❖

次の取引を税抜方式と税込方式で仕訳しなさい（税率は8％とする）。
1　商品を税込価格10,800円で仕入れ，代金は，現金で支払った。
2　商品を税込価格21,600円で販売し，代金は現金で受け取った。
3　決算となり，仮払消費税勘定と仮受消費税勘定の金額との差額を未払（未収）消費税勘定に計上する。
4　納付期限となり，未払消費税800円を小切手を振り出して支払った。

	税　抜　方　式	税　込　方　式
1	（借）仕　　入　　10,000 　　　仮払消費税　　　800 　　　（貸）現　　金　　10,800	（借）仕　　入　　10,800 　　　（貸）現　　金　　10,800
2	（借）現　　金　　21,600 　　　（貸）売　　上　　20,000 　　　　　　仮受消費税　　1,600	（借）現　　金　　21,600 　　　（貸）売　　上　　21,600
3	（借）仮受消費税　　1,600 　　　（貸）仮払消費税　　800 　　　　　　未払消費税　　800	（借）租税公課　　　800 　　　（貸）未払消費税　　800
4	（借）未払消費税　　800 　　　（貸）当座預金　　800	（借）未払消費税　　800 　　　（貸）当座預金　　800

2 控除対象外消費税額の取扱い

　課税期間中の課税売上割合が，95％以上かつ課税売上高が5億円以下の場合，課税仕入高に対する消費税額は，課税売上高に対する消費税額から控除されますが（**仕入税額控除**），課税売上割合が95％未満又は課税売上高が5億円を超える場合には，課税売上に対応する部分のみが控除されます。

> （個別対応方式）
>
> 控除額＝課税売上のみに対応する課税仕入高に対する消費税等＋課税・非課税に共通する課税仕入高に対する消費税額×課税売上割合
>
> （一括比例配分方式）
>
> 控除額＝課税仕入高に対する消費税額×課税売上割合

　この算式で控除できなかった消費税は，**控除対象外消費税**と呼ばれます。

　さて，消費税法に上記の取扱いがあるため，課税売上割合が95％未満又は課税売上高が5億円を超える場合で，しかも税抜方式が採用されている場合には，仕入税額控除できない金額が仮払消費税勘定に残ることになります。

　その控除対象外消費税は，法人税法上，次のように取り扱われることになっています（法令139の4）。①控除対象外消費税が，経費に係るものであるときは，その控除対象外消費税を損金経理したときは，その損金経理した金額は，その事業年度の損金の額に算入されます。

　また，②課税売上割合が，80％以上である事業年度において，資産に係る控除対象外消費税が生じた場合において，その控除対象外消費税を損金経理したときは，その損金経理した金額は，その事業年度の損金の額に算入されます。さらに，③棚卸資産と20万円未満の資産に係る控除対象外消費税に関しても，その控除対象外消費税を損金経理したときは，その損金経理した金額は，その事業年度の損金の額に算入されます。④上記①〜③以外の場合の控除対象外消費税については，資産の取得原価に算入し，減価償却を通じて費用化するか，一括して**繰延消費税**として処理して，60か月で費用化することになります。

> ❖ 例　題 ❖
>
> 　当社の消費税法に規定する課税売上割合は，80％未満である。当期の控除対象外消費税額は，2,480,000円であり，その内訳は，次のとおりである。なお，当社は，消費税の経理処理につき税抜方式を採用しており，下記の金額は全額損金経理している。
>
> (1)　経費に係るもの　　　　800,000円
> (2)　棚卸資産に係るもの　　900,000円
> (3)　備品に係るもの　　　　180,000円
> (4)　機械に係るもの　　　　600,000円

　経費に係る控除対象外消費税，棚卸資産に係る控除対象外消費税，200,000円未満の資産に係る控除対象外消費税は，損金となります。しかし，600,000円の機械に係る控除対象外消費税は，繰延消費税として処理し，60か月で費用化します。

$$600,000円 \times \frac{12}{60} \times \frac{1}{2} = 60,000円$$

繰延消費税損金不算入額＝600,000円－60,000円＝540,000円

繰延消費税損金不算入額　540,000円（加算）

(注)　発生事業年度は，$\frac{1}{2}$しか償却できません（法令139の4③）。

繰延消費税額 発生事業年度	繰延消費税額発生後の事業年度				
損金　60,000	損金　120,000	損金　120,000	損金　120,000	損金　120,000	損金　60,000
繰延消費税額 損金不算入 540,000	繰延消費税額 認　　　容 120,000	繰延消費税額 認　　　容 120,000	繰延消費税額 認　　　容 120,000	繰延消費税額 認　　　容 120,000	繰延消費税額 認　　　容 60,000

③ 繰越欠損金

　確定申告書を提出する法人の各事業年度開始の日前10年以内の各事業年度において，欠損金額がある場合には，その欠損金額に相当する金額は，当期の損金の額に算入できます（法法57①）。ただし，この規定は，法人が欠損金が生じた事業年度において，**青色申告書である確定申告書を提出**し，かつ，その後において**連続して確定申告書を提出**している場合に限り適用されます。

　ただし，所得の金額の50％が限度になります（大法人以外は全額）。

　なお，普通法人のうち，資本金の額若しくは出資金の額が1億円以下であるもの又は資本若しくは出資を有しないものその他一定の法人については，所得の金額に相当する金額が限度となります（法法57①）。

　しかし，青色申告書を提出しなかった事業年度において生じた欠損金額であっても，棚卸資産，固定資産又は政令で定める繰延資産について，震災，風水害，火災その他政令で定める災害により生じた損失に係るものは，その災害損失に係る欠損金額については，各事業年度の所得の金額の計算上損金に算入されます（法法58①）。

　法人が青色申告書を提出する事業年度に欠損金がある場合には，欠損事業年度開始の日前1年以内に開始したいずれかの事業年度の法人税額について，還付を受けることができます（法法80①）。また，この欠損金の繰戻し還付の適用を受けるためには，還付所得事業年度から欠損事業年度の前事業年度までの各事業年度において連続して青色の確定申告書を提出期限までに提出している場合に限り適用されます（法法80③）。

$$還付金額 = 還付所得事業年度の法人税額 \times \frac{欠損事業年度の欠損金額}{還付所得事業年度の所得金額}$$

　この欠損金の繰戻し還付の規定は，平成21年2月1日以後に終了する事業年度，つまり平成21年4月1日以後に法人税の法定申告期限が到来する事業年度に生じた欠損金がある場合に，資本

金が1億円以下の中小企業等に限って，適用されます（措法66の13①）。

前年度	欠損年度	次年度	2年度	3年度	4年度	5年度	6年度	7年度	8年度	9年度

欠損金の繰戻還付　　　欠損金の繰越控除

（注）　欠損金額が発生した年度には，前年度の法人税の還付を受けることができます。また，その後10年間にわたり，その欠損金額を繰越控除することもできます。

（注）　欠損金の繰越控除の全額適用及び欠損金の繰戻し還付制度は，資本（出資）金の額が5億円以上の法人の100％子法人及び100％グループ内の複数の資本（出資）金の額が5億円以上の法人に発行済株式等の全部を保有されている法人に該当する普通法人には，適用されません。

❹ 還 付 金

還付された税金は，原則として，益金に算入されます。しかし，納付の際，損金不算入とされている次のものは，益金の額に算入されません（法法26①）。

① 法人税，住民税（住民税利子割を含む）等の還付金
② 所得税，外国法人税等の還付金
③ 欠損金の繰戻しによる還付金

練習問題

1 次の資料に基づき京都株式会社の当期（令和6年4月1日～令和7年3月31日）における税務上調整すべき金額を計算しなさい。

(1) 当社は，リース会社により下記の機械を賃借し，事業の用に供している。

基本リース期間	法定耐用年数	定率法償却率	事業供用日
5年	16年	0.125	令和6年4月1日

(2) リース資産である機械装置は，当社が取得したものをリース会社から当社に対する賃貸を条件にリース会社に帳簿価額42,000,000円で売却した。リース期間中のリース料総額は，60,000,000円であり，リース料は，月額1,000,000円であり，年間総額12,000,000円を支払っている。この取引は，法人税法上金融取引とみなされるセールス・アンド・リースバックに該当する。なお，当期において，費用に計上したリース料のうち，元本部分は，11,760,000円である。

2 当社の消費税法に規定する課税売上割合は，80％未満である。当期の控除対象外消費税額は，2,240,000円であり，その内訳は，次のとおりである。なお，当社は，消費税の経理処理につき，税抜方式を採用しており，下記の金額は全額損金経理している。

(1) 経費に係るもの　　　　　900,000円
(2) 棚卸資産に係るもの　　1,000,000円
(3) 備品に係るもの　　　　　280,000円
(4) 機械に係るもの　　　　　 60,000円

レバレッジド・リース

　リース取引には，オペレイティング・リース取引とファイナンス・リース取引とがあります。オペレイティング・リースは，借り手からリース料を受け取りますが，リース物件の保守，管理，コストの負担等は貸し手が引き受けるものであり，また，いつでも契約の解除ができるという特徴を持っています。一方のファイナンス・リースは，借り手がリース物件の取得価額その他のコストを負担するものであり，リース期間の中途における契約の解除ができない点にその特徴があります。ファイナンス・リースは，リース物件の耐用年数よりも短い期間をリース期間とするのが通常であるため，実質的には資産を割賦で購入したのと変わらないにもかかわらず，資産を購入した場合に比べて早期の費用化が可能になり，節税効果があります。そのため，このファイナンス・リースが昭和40年代から50年代にかけて流行しています。しかし，このような取引を税務上認めるのは，望ましくありません。そこで昭和53年に，上記のようなファイナンス・リースの場合には，売却したものとみなされる通達（平成10年には法制化）が明らかにされています。

　昭和60年代には，今度は航空機をリース物件とする"レバレッジド・リース"が現れました。レバレッジド・リースの場合には，リース会社のほうが節税効果を得られます（ちなみに，このような税のてこ入れ効果があるため，この種のリースには，"レバレッジド"という名称が与えられています）。航空機を購入して，これを法定耐用年数よりも長い期間でリースし，その航空機を定率法で償却しますと，リース後数年間は，リース料収入よりも償却費のほうが多くなり，損失が生じます。この損失を利益と相殺すれば，節税することが可能になります。当時，この節税メリットだけが目的で，航空機とは何ら関係のない企業が共同の投資家として航空機の所有者となる実態がありました。

　このような状態は，課税のあり方として，明らかに望ましくありません。そこで，またもや新たに昭和63年に通達が明らかにされています（平成10年には法制化）。レバレッジド・リースは，たとえば，航空会社が取得した物件が，リースすることを条件に，いったんリース会社に譲渡される，セール・アンド・リースバック取引に該当します。通達では，このセール・アンド・リースバック取引の実質が金銭の貸借である場合には，資産の売買はなかったものとみなし，リース会社から航空会社に対して金銭の貸付けがあったものとみなすとされています。

　また，国外リース資産については，リース期間定額法により償却を行うこととされています（法令48①七）。この規定は，わが国の課税権が及ばない外国法人を相手として，リース資産の法定耐用年数よりも長い期間をリース期間にすることによる脱税行為を防止するために設けられたものです。

第16章

同族会社の留保金課税

同族会社とは

同族会社とは，株主等の3人以下（株主又は合名会社や合資会社，合同会社の社員その他法人の出資者）が所有する株式の数及び出資総額がその会社の発行済株式の総数又は出資総額の50％超である会社をいいます（法法2十）。これに対し，同族会社でない会社を**非同族会社**といいます。

また，同族会社のうち，その判定の基礎となる株主等に非同族会社である株主等を含めてはじめて同族会社となるものを**非同族の同族会社**と呼びます。

同族会社の特別規定

同族会社は，非同族会社と異なり，少数の同族の株主等に有利になるように経営される可能性がありますので，法人税法では，特別規定を設けて対処しています。一つは，すでに説明した，**役員・使用人兼務役員に対する規定**（法令7，71）がありますが，他に**特定同族会社の留保金課税に関する規定**（法法67）と**同族会社の行為又は計算の否認に関する規定**（法法132）があります。

特定同族会社とは，株主等の1人とその同族関係者の所有割合が50％を超えている会社（被支配会社）で，株主等のうちに被支配会社でない法人がある場合，その法人を除外して判定しても被支配会社になるもの（資本又は出資の金額が1億円以下であるものは除きます）をいいます。

同族会社の場合，少数の同族株主が支配していますので，配当や賞与を自由に決定することが

できますので，配当や賞与に対する所得税の課税を逃れる目的で，過大な利益を社内に留保することが可能になります。そこで，法人税法では，同族会社が過大に利益留保した場合には，その留保金に対して特別に課税することにしているのです。

　また，同族会社の場合，租税負担を回避するために，不当な行為又は計算が行われる可能性がありますので，同族会社の行為又は計算で，これをそのまま認めた場合には法人税の負担を不当に減少する結果となると認められるものがあるときは，その行為又は計算にかかわらず，税務署長の認めるところにより，課税標準等を計算することができることになっています。

３ 特定同族会社の留保金課税の計算

　同族会社のうち，株主等の一人とその同族関係者の持株割合が50％を超える会社（被支配会社）の留保した金額が，一定の控除金額（留保控除額）を超える場合には，その超える部分（課税留保金額）に対して特別税率を乗じて計算した金額が，通常の法人税額に加算されます（法法67①）。ただし，被支配会社である同族会社であっても，被支配会社でない法人株主をその判定株主から除外した場合には，被支配会社にならない非同族の同族会社には適用されません（法法67①）。

　ただし，資本（出資）金の額が５億円以上の法人の100％子法人及び100％グループ内の複数の資本（出資）金の額が５億円以上の法人に発行済株式等の全部を保有されている法人に該当する普通法人には，特定同族会社の特別税率が適用されます。

　また，資本金の額又は出資の金額が１億円以下の法人は除かれます（法法67①）。

　特定同族会社の課税留保金額は，次の算式で計算されます。

　課税留保金額＝当期留保金額－留保控除額（千円未満端数切捨）

❖ 例　題 ❖

　次の資料により，東京株式会社が同族会社であるかどうかと，留保金課税の適用があるかどうかを判定しなさい。

株　主　名	備　　考	持　株　数
東　京　太　郎	代表取締役	30,000株
東　京　花　子	太　郎　の　妻	5,000株
大　阪　一　郎	専務取締役	6,000株
京　都　株　式　会　社	非同族会社	15,000株
広　島　和　夫	東京太郎の友人	2,000株
その他の少数株主		42,000株
合　　　　　計		100,000株

(1)　同族会社の判定

　① 東京グループ　30,000株＋5,000株＝35,000株

② 大阪グループ　　　　　　　　　6,000株
③ 京都株式会社　　　　　　　　　15,000株

$$\frac{①+②+③}{100,000株}=56\%>50\% \quad ∴ \quad 同族会社$$

(2) 留保金課税の判定

東京グループ　35,000株

$$\frac{35,000株}{100,000株}=35\%≦50\% \quad ∴ \quad 特定同族会社ではないので，留保金課税の適用なし$$

1　当期留保金額

当期留保金額＝留保所得金額－法人税額－住民税額

(1) **所得等の金額**

その事業年度の所得金額（別表四総計の額）＋課税外収入項目

課　税　外　収　入　項　目
受取配当等の益金不算入額
還付金等の益金不算入額
欠損金又は災害損失金の当期控除額
収用等特別控除額　　など

（注）　課税外収入項目とは，所得は減少するが純資産は減少しない項目をいう。

(2) **留保所得金額**

所得等の金額－社外流出額

社　外　流　出　額
剰余金の配当又は利益の配当
寄附金・交際費等・役員給与の損金不算入額
過大な使用人給与の損金不算入額
損金の額に算入した附帯税，罰科金等
控除又は還付の適用を受ける所得税額・外国税額　など

（注）　社外流出額とは，所得は増加するが純資産は増加しない金額をいう。

(3) **法 人 税 額**

通常の税率によって計算した法人税額 － (控除所得税額・外国税額・措置法規定の各種税額控除額)

(4) **住民税の額**

{通常の税率によって計算した法人税額 －(外国税額・措置法規定の各種税額控除額)} ×16.3％

2　留保控除額

留保控除額は，次の(1)から(3)のうち，最も多い金額になります。

(1) **所得基準額**

   所得等の金額 × $\dfrac{40}{100}$

(2) **定額基準額**

   年2,000万円（半年決算の場合には，1,000万円）

(3) **積立金基準額**

   期末資本金額 × $\dfrac{25}{100}$ － 期末利益積立金額（その事業年度の所得等の金額にかかる部分を除く）

4 税　　　率

(1) 年3,000万円以下の金額　$\dfrac{10}{100}$
(2) 年3,000万円超1億円以下の金額　$\dfrac{15}{100}$
(3) 年1億円超の金額　$\dfrac{20}{100}$

❖ **例　題** ❖

　次の資料に基づき，当社（同族の特定同族会社に該当）の当期（令和6年4月1日から令和7年3月31日）における課税留保金額に対する特別税額を計算しなさい。

(1) 別表四に関する事項

　① 交際費等の損金不算入額　2,600,000円
　② 減価償却超過額　100,000円
　③ 役員賞与損金不算入額　12,000,000円
　④ 損金計上過怠税　400,000円
　⑤ 損金計上附帯税等　200,000円
　⑥ 損金計上罰金等　600,000円
　⑦ 寄附金の損金不算入額　1,400,000円
　⑧ 法人税額から控除される所得税額　800,000円
　⑨ 税額控除の対象とした外国法人税の額（法人税額から全額控除される外国法人税の額）　200,000円
　⑩ 受取配当等の益金不算入額　1,200,000円

　なお，別表四総計の金額（調整後の適正額）は，564,400,000円である。

(2) 別表一に記載されているもののうち，留意すべき項目は，次のとおりである。

　① 別表一の通常の税率により計算した法人税額は，140,000,000円である。
　② 措置法規定の特別控除額は，12,000,000円である（当期留保金額の計算の際，法人税額及び住民税額から差し引くこと）。

(3) 剰余金の配当に関する事項

　株主総会の決議に係る配当　48,000,000円

(4) 当社の当期末における資本構成は，次のとおりである。
　　資 本 金 額　400,000,000円
　　利益積立金額　　8,000,000円

(1) 当期留保金額
　① 留保所得金額
　　(イ) 所得等の金額564,400,000円（別表四総計の金額）＋1,200,000円（受配）＝565,600,000円
　　(ロ) 社外流出項目（配当）48,000,000円＋2,600,000円（交際費）＋12,000,000円（役員給与の損金不算入）＋400,000円（過怠税）＋200,000円（附帯税）＋600,000円（罰金）＋1,400,000円（寄附金）＋800,000円（控除所得税）＋200,000円（控除外国税）＝66,200,000円
　　(ハ) (イ)－(ロ)＝499,400,000円
　② 法人税額　140,000,000円－800,000円（所得税）－200,000円（外国税）
　　　　　　　－12,000,000円（措置法規定の特別控除額）＝127,000,000円
　③ 住民税額　｛140,000,000円－200,000円（外国税）－12,000,000円（措置法規定の特別控除額）｝×16.3％＝20,831,400円
　④ ①－②－③＝351,568,600円
(2) 留保控除額
　① 所得基準額　565,600,000円×40％＝226,240,000円
　② 定額基準額　20,000,000円×$\frac{12}{12}$＝20,000,000円
　③ 積立金基準額
　　　400,000,000円×25％－8,000,000円＝92,000,000円
　④ 最も多い金額
　　①から③のうち，最も多い金額　　∴　226,240,000円
(3) 課税留保金額
　　(1)－(2)＝125,328,000円（千円未満切捨）
(4) 税率適用区分
　① 年3,000万円以下相当額　30,000,000円
　② 年3,000万円超1億円以下相当額　70,000,000円
　③ 年1億円超相当額　25,328,000円
(5) 特 別 税 額
　① 30,000,000円×10％＝3,000,000円
　② 70,000,000円×15％＝10,500,000円
　③ 25,328,000円×20％＝5,065,600円
　④ ①＋②＋③＝18,565,600円

練習問題

1 次の資料により，大阪株式会社が同族会社であるかどうかと，留保金課税の適用があるかどうかを判定しなさい。

株　主　名	備　　　考	持　株　数
大　阪　太　郎	代表取締役	30,000株
大　阪　花　子	太　郎　の　妻	39,000株
名　古　屋　一　郎	専務取締役	10,000株
東　京　和　夫	大阪太郎の友人	5,000株
京　都　株　式　会　社	非　同　族　会　社	15,000株
その他の少数株主		1,000株
合　　　　計		100,000株

2 次の資料に基づき，当社（同族の特定同族会社に該当）の当期（令和6年4月1日～令和7年3月31日）における課税留保金額に対する特別税額を計算しなさい。

(1) 別表四に関する事項

① 減価償却超過額　200,000円

② 交際費等の損金不算入額　2,400,000円

③ 役員給与損金不算入額　1,000,000円

④ 損金計上過怠税　200,000円

⑤ 損金計上附帯税等　300,000円

⑥ 損金計上罰金等　400,000円

⑦ 寄附金の損金不算入額　1,000,000円

⑧ 法人税額から控除される所得税額　600,000円

⑨ 税額控除の対象とした外国法人税の額（法人税額から全額控除される外国法人税の額）
　　100,000円

⑩ 受取配当等の益金不算入額　1,400,000円

なお，別表四総計の金額（調整後の適正額）は，400,000,000円である。

(2) 別表一に記載されているもののうち，留意すべき項目は，次のとおりである。

① 別表一の通常の税率により計算した法人税額は，100,000,000円である。

② 措置法規定の特別控除額は，14,000,000円である（当期留保金額の計算の際，法人税額及び住民税額から差し引くこと）。

(3) 剰余金に関する事項

株主総会の決議に係る配当　42,000,000円

(4) 当社の当期末における資本構成は，次のとおりである。

資 本 金 額　160,000,000円
利益積立金額　　12,000,000円

同族会社の行為計算の否認

　いわゆる逆さ合併をして、欠損金の繰越控除を受けようとする企業行動があります。単に、欠損金の繰越控除という税の恩典を利用したいがために逆さ合併をして、納めるべき税金を回避しようとしたならば、欠損金の繰越控除は認められません。しかし、その逆さ合併について、合理的な理由があれば、認められるとの判例解釈があります。

　名古屋地裁昭和52年11月14日判決では、形式上、欠損金を有する"休眠会社"を合併会社とし、ある合資会社を被合併会社として合併しています。このケースでは、合資会社を株式会社にする有効な手段として逆さ合併をしたという、合理的な理由があります。ですから、欠損金の繰越控除が認められるとの解釈も成立する余地があります。

　しかし、このケースでは、同族会社の行為又は計算の否認が適用され、納税者の経理は、否認されています。同族会社の行為又は計算の否認という規定は、あまり適用例はないものの、法人税を節約しようとする、あらゆる行為・計算に対して適用されてしまう可能性がある、恐ろしく汎用性の高い規定で、同族会社にとっては頭の痛い存在です。

　同族会社の行為又は計算の否認の規定は、直接法人税の回避を目的としたかどうかということを問わずに、その行為・計算が不合理あるいは不自然なもので法人税の負担を不当に減少させる結果となると認められれば適用されるという規定なので、逆さ合併にいくら合理的な理由があっても、この規定が適用されてしまったら、おしまいなのです。

　他にも留保金課税というやっかいな課税制度が、同族会社に対しては、設けられています。その趣旨はというと、「同族会社の場合、少数の同族株主が支配していて、配当や賞与を自由に決定することができ、配当や賞与に対する所得税の課税を逃れる目的で、過大な利益を社内に留保することが可能になる。そこで、法人税法では、同族会社が過大に利益留保した場合には、その留保金に対して特別な課税を行うことにしている」というのです。

　しかしながら、一般に、大企業と比べ、中小企業というのは、常に不安定な状況に置かれており、大企業よりもいっそう利益を社内に留保しなければならない存在ではないでしょうか。中小企業は、銀行の貸し渋りなどに苦しんでいます。特別課税ではなくて、むしろ軽減すべきでしょう。

　そこで、平成19年の税法改正で、資本金1億円以下の中小企業は特定同族会社の留保金課税の適用対象から除外する措置が講じられることになりました。

第17章

税額の控除

所得税額の控除

1 所得税額控除とは

　所得税法の規定により，源泉徴収される利子や配当などに対する所得税は，法人税の前払い的性格を有しています。そこで，これらの源泉所得税額は，法人税法上控除され，控除しきれない金額があれば，還付されることになっています（法法68，78①）。

2 所得税額控除の対象

　法人税額から控除される所得税額の規定が適用されるのは，たとえば，法人が支払を受ける次に掲げるものが対象になります。
　① 公社債の利子
　② 法人から受ける利益（利息）の配当（中間配当を含みます）又は剰余金の分配
　③ 投資信託又は特定目的信託の収益の分配
　④ 割引債の償還差益
　⑤ 預貯金の利子
　⑥ 合同運用信託及び証券投資信託の収益の分配
　⑦ みなし配当

3 控除税額の計算

　源泉徴収された所得税額のうち，利益の配当等，投資信託又は特定目的信託の収益の分配及び割引債の償還差益などに対する所得税額については，元本であるその公社債や株式等を所有して

いた期間に対応する所得税額のみが控除の対象になります。

これら以外の公社債の利子，預貯金の利子，合同運用信託の収益の分配の収益に対する所得税額などについては，その全額が控除の対象になります。

元本を所有していた期間に対応する部分の金額に関しては，次に掲げる個別法又は簡便法で計算した金額になります。

(1) 個 別 法

個別法は，株式については1株ごとに，社債については一口ごとに，所得税額のうち元本の所有期間に対応する金額を計算する方法です（法令140の2②）。

$$\text{利子配当等に対する所得税額} \times \frac{\text{分母の期間のうち元本所有期間の月数}}{\text{利子配当等の計算の基礎となった期間の月数}} \text{（小数点以下3位未満端数切上）}$$

$$= \text{控除を受ける所得税額}$$

(2) 簡 便 法

簡便法は，利子又は配当等の元本を①公社債，②株式・出資，③受益証券の三つのグループに分け，さらに利子・配当等の計算期間が1年を超えるものと1年以下のものとに区分して，それぞれの銘柄ごとに算定する方法です（法令140の2③）。なお，公社債の利子については，按分計算をせず，その全額が控除されます。

$$\text{利子配当等に対する所得税額} \times \frac{\text{利子配当等の計算期間の期首時点で有していた元本の数（A）} + (B-A) \times \frac{1}{2}^{(注)}}{\text{利子配当等の計算期間の期末時点で有していた元本の数（B）}}$$

$$= \text{控除を受ける所得税額}$$

(注) 計算期間中に増加した元本は，期央に取得したとみなして，$\frac{1}{2}$を乗じます。なお，計算期間の1年を超えるものは，$\frac{1}{12}$になります。

❖ 例 題 ❖

次の資料に基づいて，大阪株式会社の当期（令和6年4月1日〜令和7年3月31日）における法人税額から控除される所得税額及び住民税利子割額を計算しなさい。なお，源泉徴収税額のうち（ ）内は，住民税に係るものである。

区 分	取得年月日	配当等の計算期間	受取配当等の額	源泉徴収税額	差引手取額
A 株 式	令和6年1月20日	令和5年4月1日〜令和6年3月31日	2,000,000円	408,400円	1,591,600円
B 株 式	令和5年5月20日	令和5年4月1日〜令和6年3月31日	1,000,000円	204,200円	795,800円
C 社 債	令和6年8月20日	令和6年1月1日〜令和6年12月31日	900,000円	182,835円（うち45,000円）	717,165円
D 証 券 投 資 信 託	令和6年9月20日	令和6年1月1日〜令和6年12月31日	120,000円	24,378円（うち6,000円）	95,622円
E 銀 行 預 金 利 子			300,000円	60,945円（うち15,000円）	239,055円

（法人税額から控除される所得税額）
(1) 株式・出資
 ① 個別法
   (A) $408,400円 \times \dfrac{3}{12}$ (0.250) = 102,100円
   (B) $204,200円 \times \dfrac{11}{12}$ (0.917) = 187,251円
   (A)＋(B)＝289,351円
 ② 簡便法
   (A) $408,400円 \times \dfrac{1}{2}$ (0.500) = 204,200円
   (B) $204,200円 \times \dfrac{1}{2}$ (0.500) = 102,100円
   (A)＋(B)＝306,300円
 ③ ①＜②　∴　306,300円
(2) 公社債
 182,835円－45,000円＝137,835円
(3) 受益証券
 $(24,378円 － 6,000円) \times \dfrac{1}{2} = 9,189円$
(4) その他
 60,945円－15,000円＝45,945円
(5) 控除所得税額　(1)＋(2)＋(3)＋(4)＝499,269円
 （損金計上住民税利子割）
 45,000円＋6,000円＋15,000円＝66,000円

外国税額控除

1　外国税額控除とは

　わが国の法人が，海外に支店や工場を有している場合，海外における所得に対して外国法人税が課されることがあります。一方で，そのわが国の法人は，わが国における所得と海外における所得とを合算して，いわゆる全世界所得に対して課税されますので，このままでは二重課税になってしまいます。そこで，この二重課税を排除するため，わが国の法人税のうち，国外に源泉がある所得に対応する部分の法人税額に相当する金額について，わが国の法人税額から控除されることになっています。これを**外国税額控除**といいます（法法69①）。

2　控除対象外国法人税額

　納付した外国法人税額から，所得に対する負担が高率な部分を除いた残額が控除対象法人税額となります。ここでいう所得に対する負担が高率な部分とは，税率が35％を超える部分をいいます（法法69①，法令142の2①）。

3 控除限度額

わが国では，全ての国外所得を一括して控除限度額を算定する**一括限度額方式**が採用されています（法法69①）。

$$\text{各事業年度の所得に対する法人税額}^{(注)}（差引法人税額）\times \frac{\text{当期の国外所得金額}}{\text{当期の所得金額（差引計）}}$$

（注）所得金額に税率を適用して計算した金額（附帯税を除きます）

一括限度額方式は，控除限度額の計算が簡便であるという利点がありますが，高税率で課された外国税を控除できるようにするため，控除枠を創出するような投資行動をとる企業がでてくる可能性を有しています。そのような企業行動が生じないようにいくつかの規定が設けられています（法令142③）。

まず，分子の当期の国外所得金額は，国外源泉所得から外国法人税が課されない国外源泉所得を控除しなければなりません。これは，わが国の実効税率を超える高税率で外国税が課された場合，その高税率で課された税を控除できるようにするため，法人税の軽課国又は非課税に投資し，その所得から生じる控除限度額を利用するケースが考えられるからです。

また，当期の国外所得金額は，分母の当期の所得金額の90％までに制限されています（法令142③）。これは，海外に支店等を有している場合でも，全所得の10％程度は，日本にある本社の貢献もあるのではないかと考えて，わが国の法人税を課すことにしているのです。

❖ **例　題** ❖

次の資料により，京都株式会社の当期（令和6年4月1日～令和7年3月31日）における税務上調整すべき金額を計算しなさい。

(1) 当期において，当社の外国支店に対して課され，納付した外国法人税額8,000,000円を当期の費用に計上している。

(2) 当期の所得金額（差引計）は，60,000,000円であり，うち外国支店の所得金額は，20,000,000円である。

(3) 別表1差引法人税額は，10,000,000円である。

---

(1) 控除対象外国法人税額

8,000,000円＞20,000,000円×35％＝7,000,000円　　∴　7,000,000円

(2) 控除限度額

$10,000,000円 \times \dfrac{20,000,000円^{(注)}}{60,000,000円} = 3,333,333円$

(3) 控除外国税額　(1)＞(2)　∴　3,333,333円

（注）① 20,000,000円（外国支店の所得金額）
　　　② 60,000,000円×90％＝54,000,000円
　　　③ ①＜②　∴　20,000,000円

4　繰越控除限度額

　当期の控除対象外国法人税額が当期の控除限度額を超えるため控除しきれない金額が生じたときは，その控除しきれない金額（控除限度超過額）は，翌期以降に繰り越して，その後3年以内の事業年度において控除限度額に余裕が生じた際にその範囲内で法人税額から控除することができます（法法69②）。

　また，当期の控除対象外国法人税額が当期の控除限度額に満たないため控除限度額に余裕が生じたときは，その余裕額は，翌期以降3年以内の事業年度において控除限度額として使用することができます（法法69③）。

5　控除対象外国法人税額の損金不算入

　控除対象外国法人税額について，控除又は還付の適用を受ける場合には，その控除対象外国法人税の額は，損金に算入されません（法法41）。

6　外国子会社から受ける配当等の益金不算入

　平成21年度税制改正により，海外子会社の配当について，外国税額控除方式から国外所得免除方式に移行することになりました。これにより，外国税額の間接控除制度が廃止されました。

　内国法人が外国子会社から受ける剰余金の配当等の額がある場合には，その剰余金の配当等の額からその剰余金の配当等の額に係る費用の額に相当するものとして政令で定めるところにより計算した金額を控除した金額は，その内国法人の各事業年度の所得の金額の計算上，益金の額に算入されません（法法23の2）。

　下記のように，配当等の額の5％は，控除されます。これは，配当収入を非課税とするのであれば，配当収入を得るために要したコスト（5％は概算経費）も損金に算入しないという趣旨からのものです。

　　配当等の額－配当等の額×5％

　この場合の外国子会社とは，その内国法人が保有しているその株式等の数又は金額がその株式等（自己株式を除く）を配当等の支払義務が確定する日以前6月以上引き続き，総数又は総額の25％以上を有している場合のその外国法人をいいます。

　また，外国子会社から受ける配当金の額につき，益金不算入の適用を受ける場合には，その配当等に係る外国源泉税の額は損金の額に算入されません（法法39の2）。

　外国子会社からの配当を益金不算入とすることにより，日本と外国での二重課税が排除されるため，受取配当に対して外国子会社の所在地で課される源泉税は，損金不算入とされ，また直接外国税額控除の対象からもはずれます。

> ❖ 例 題 ❖
>
> 　当社は，A国に本店を有するB外国子会社の発行済株式数の80％を6か月以上引き続き所有している。当期において，B社から配当金9,000,000円を受け，源泉税900,000円を差し引いた残額8,100,000円を収益に計上している（負担が高率な部分の金額はない）。B社の配当事業年度における所得金額は，180,000,000円であり，配当年度における外国法人税の額は，90,000,000円であった。
>
> 　当期の所得金額（別表4仮計）は，315,900,000円であり，差引法人税額は，180,000,000円であった。
>
> 　税務上調整すべき金額を計算しなさい。

(1) 外国子会社に係る受取配当等の益金不算入
    9,000,000円 － 9,000,000円 × 5％ ＝ 8,550,000円

(2) 外国子会社に係る外国源泉税等の損金不算入
    900,000

練習問題

1 次の資料により，奈良株式会社の当期（令和6年4月1日～令和7年3月31日）における法人税額から控除される所得税額及び住民税利子割額を計算しなさい。

区　分	銘　柄　等	配当等の額	源泉徴収税額 （うち住民税利子割）	差引手取額	計算期間
中間配当	A　株　式	450,000円	91,890円	358,110円	令和6年4月1日～ 令和6年9月30日
確定配当	B　株　式	900,000円	183,780円	716,220円	令和5年4月1日～ 令和6年3月31日
収益分配	C公社債 投資信託	400,000円	81,260円 （うち20,000円）	318,740円	令和5年6月1日～ 令和6年5月31日
収益分配	Dオープン 証券投資信託	900,000円	162,520円 （うち40,000円）	737,480円	令和6年1月1日～ 令和6年12月31日
利　　子	E銀行預金	1,000,000円	203,150円 （うち50,000円）	796,850円	

(1) A社の中間配当の基準日は，9月30日である。なお，A株式は，令和6年6月20日に取得している。

(2) B株式の移動状況は，次のとおりである。
　① 令和5年4月1日　　所有株数　　　60,000株
　② 令和6年3月28日　　取得株数　　　40,000株
　③ 令和6年3月31日の所有株式数　　100,000株
　④ 令和6年4月12日　　取得株数　　　60,000株
　⑤ 令和6年5月10日　　譲渡株数　　　10,000株

(3) C公社債投資信託は，令和5年11月に取得したものである。

(4) Dオープン証券投資信託には，特別分配金が100,000円含まれている。令和6年10月21日に取得。

2 次の資料により，三重株式会社の当期（令和6年4月1日～令和7年3月31日）における税務上調整すべき金額を計算しなさい。

(1) 当期において，当社の外国支店に対して課され，納付した外国法人税額10,000,000円を当期の費用に計上している。

(2) 当期の所得金額（差引計）は，80,000,000円であり，うち外国支店の所得金額は，40,000,000円である。

(3) 別表1差引法人税額は，14,000,000円である。

3　当社は，A国に本店を有するB外国子会社の発行済株式数の80％を6か月以上引き続き所有している。当期において，B社から配当金4,500,000円を受け，源泉税450,000円を差し引いた残額4,050,000円を収益に計上している（負担が高率な部分の金額はない）。B社の配当事業年度における所得金額は，90,000,000円であり，配当年度における外国法人税の額は，45,000,000円であった。

当期の所得金額（別表4仮計）は，157,950,000円であり，差引法人税額は，90,000,000円であった。

税務上調整すべき金額を計算しなさい。

欠損金の繰越控除の判例解釈

「人間はそれぞれ自分流に物事を解釈するもの，物事自体の意味とはまるでかけ離れてな。」〔シェイクスピア『ジュリアス・シーザー』1幕3場34-35行〕

　欠損金の繰越控除という制度が税法上存在します。この制度は，過去に生じた欠損金を後の年度の収益でもって相殺することができるというもので，企業にとって極めて重要なタックス・ベネフィットの一つとなっています。

　しかし，合併会社が欠損金を有する被合併会社を合併したとき，合併会社に対して，税法上の恩典である欠損金の繰越控除が認められるかどうかという問題が存在しています（形式上欠損金を有する会社を合併会社として合併することにより，欠損金の繰越控除という税の恩典を得ようとする"逆さ合併"が行われることもあります）。

　この種の事例に関する，わが国における重要判例として，たとえば，行田電線事件（最高裁，昭和43年5月2日判決）があります。行田電線株式会社は，三木圧延伸銅工業株式会社を合併し，三木圧延伸銅工業株式会社の欠損金をその年度の利益と相殺しています。所轄税務署長は，これを認めず，そのため裁判となっています。

　原告である納税者は，「わが国の法人税法は，持分プーリング法を採用しており，またわが国の商法103条の下では，合併会社は被合併会社の全ての権利・義務を承継するとある。したがって欠損金の繰越控除に対する権利も承継できる」と主張しました。

　これに対して，被告である所轄税務署長は，商法第103条の権利には，繰越欠損金の控除に関する権利は含まれないとしています。すなわち，「欠損金の繰越控除の規定は，所得金額を計算していくうえでの単なる技術的な規定である。被合併会社にこのような計算方法が認められているからといって，商法第103条の規定に従い，欠損金の繰越控除に関する権利が，合併会社に当然引き継がれるというものではない。会社の合併に際し，承継されるのは権利および義務であって，資産たり得ないような単なる法人の計算上の数額的なものまでは承継されない」と主張しているのです。

　立法段階では，予見し得なかった事例が発生したとき，われわれは，創造することが求められ，法を解釈する必要に迫られることになります。

　しかしながら，その解釈は，関係者，それぞれの立場により異なるものになります。原告である納税者と被告である所轄税務署長の解釈は，まったく反対の立場からなされるのが一般的でしょう。解釈者の共通了解を得られる部分もあることはあります。しかし，それぞれの立場が異なり，それぞれの利害が対立すると，重要な部分では，どうしても平行線を辿ることになってしまいます。

第18章

法人税の申告

1 確定申告

　法人は，各事業年度終了の日の翌日から2か月以内に，所轄税務署長に対して，確定した決算に基づき確定申告書を作成し，貸借対照表，損益計算書その他財務省令で定める書類を添付して提出しなければなりません（法法74）。

　また，確定申告書を提出した法人は，確定申告により納付すべき法人税額をその確定申告書の提出期限までに納付しなければなりません（法法77）。

2 中間申告

　法人は，その事業年度が6か月を超える場合には，その事業年度開始の日以後6か月を経過した日から2か月以内に中間申告書を提出しなければなりません（法法71，72）。

1　前事業年度の実績に基づく中間申告

　中間仮決算の手間をはぶき，前期の実績を基にして，当期6か月分の予定納税額を計算します。

$$予定納税額 = 前期分の法人税額 \times \frac{6}{前事業年度の月数}$$

　なお，次の場合には，中間申告は必要ありません。

(1)　新設された普通法人のうち，適格合併により設立されたもの以外のものの設立後最初の事業

年度
(2) 前記の算式により計算された税額が，10万円以下である場合又はその金額がない場合

2 仮決算に基づく中間申告

　法人は，前期実績基準による中間申告に代えて，その事業年度開始の日以後6か月の期間を一事業年度とみなして，その期間に係る課税標準である所得金額又は欠損金額を計算し，それに対する法人税額を算出して中間申告を行うことができます（法法72①）。

　この中間申告書には，貸借対照表，損益計算書その他財務省令で定める書類を添付しなければなりません（法法72②）。

　また，中間申告書を提出した法人は，中間申告により納付すべき法人税額をその確定申告書の提出期限までに納付しなければなりません（法法76）。

　ただし，次のいずれかに該当する場合には，仮決算による中間申告書を提出することができません（法法72①ただし書）。
(1) 前事業年度実績に基づく中間申告の申告不要に該当する場合
(2) 仮決算に基づく法人税額が前事業年度実績に基づく法人税額を超える場合

申告期限の延長

1 災害等により決算が確定しない場合の期限延長

　確定申告書を提出すべき法人が，災害その他やむを得ない理由によって決算が確定しないため，本来の提出期限までに提出することができない場合には，納税地の所轄税務署長は，その法人の申請に基づき，期日を指定してその提出期限を延長することができます（法法75①）。

2 会計監査等のために決算が確定しない場合の期限延長

　確定申告書を提出すべき法人が，会計監査人の監査を受けなければならないことその他これに類する理由により決算が確定しないため，その事業年度以後の各事業年度の申告書を本来の提出期限までに提出することができない状況にあると認められる場合には，納税地の所轄税務署長は，その法人の申請に基づいて，各事業年度の申告書の提出期限を，原則として1か月延長することができます（法法75の2①）。

1 所得税額等の還付

　確定申告書の提出があった場合において，各事業年度の確定申告における法人税額から控除さ

れるべき所得税額又は外国法人税額で，その法人税額から控除しきれなかった金額は，控除不足額として確定申告書に記載することにより還付されます（法法78）。

2　中間納付額の還付

確定申告書の提出があった場合において，確定申告における法人税額から控除しきれなかった中間申告納付税額は，還付されます（法法79①）。また，中間納付額について納付された延滞税があるときは，還付される中間納付税額に対応する金額もあわせて還付されます（法法79②）。

修正申告

納税申告書を提出した法人は，申告した税額に不足額があったり，欠損金額が過大であったり，還付金額が多額であるときは，修正申告書を提出することができます（通則法19）。

更正の請求

納税申告書を提出した後で，申告書に記載した税額などの記載を誤り，税金を多く納めすぎた場合には，法定申告期限から5年，一定の場合については10年以内に限り，税額を少なくする更正の請求をすることができます（通則法23）。

練習問題

1 次の資料により，当期（令和6年4月1日～令和7年3月31日）の京都株式会社（株主はすべて個人である）の納付すべき法人税額を計算しなさい。

1 期末資本金等の額　42,000,000円
2 当期利益の額　20,000,000円
3 税務調整すべき事項
   (1) 当期における納税充当金の移動状況は，次のとおりである。

区　　分	期首現在額	当期減少額	当期増加額	期末現在額
法　人　税	40,000,000	40,000,000	50,000,000	50,000,000
住　民　税	9,000,000	9,000,000	10,000,000	10,000,000
事　業　税	11,000,000	11,000,000	11,000,000	11,000,000
合　　計	60,000,000	60,000,000	71,000,000	71,000,000

　　期首現在額及び期中増加額は，それぞれ前期及び当期に損金経理により引き当てた金額である。また，期中減少額は，前期分の法人税等のそれぞれに掲げる税額を納付するために取り崩した金額である。

　　なお，前事業年度の延滞税（延滞金）等を当期に支出している。
   ● 法人税の利子税　500,000円
   ● 住民税の延滞金（納期限延長にかかるもの）　200,000円
   ● 事業税の延滞金（納付遅延にかかるもの）　100,000円
   (2) 損金の額に算入した中間納付の法人税額　14,000,000円
   (3) 損金の額に算入した中間納付の県民税及び市民税の額　2,000,000円
   (4) 損金の額に算入した県民税利子割額　39,000円
   (5) 建物減価償却超過額　1,200,000円
   (6) 機械装置減価償却超過額の当期認容額　499,800円
   (7) 当期において損金経理により売上割戻し勘定に計上した金額は700,000円であり，その内訳は，次のとおりである。
      ① 売上高に比例して得意先に対して支出した金銭の額　400,000円
      ② 売上高に比例して得意先を観劇に招待した費用の額　180,000円
      ③ 売上高に比例して得意先に交付した物品に要した費用の額　120,000円
   (8) 当期において損金経理により接待交際費勘定に計上した金額は7,900,000円であり，その内訳は，次のとおりである。
      ① 販売促進の目的で特定の事業者である得意先に対して支出した販売奨励金
      　　　　　　　　　　　　　　　　　　　　　　　　　　　　　　　1,000,000円

② 得意先に対して，中元・歳暮として贈答した物品に要した費用　500,000円
③ 得意先等に当社社名入りのカレンダーを贈与した費用　400,000円
④ 当社の製品を原価以下で使用人に販売した際における原価と販売価額との差額
6,000,000円
(9) 受取配当の益金不算入額は，1,335,000円である。

(別表4）

(単位：円)

区 分		金 額	計 算 過 程
当 期 純 利 益			
加算			
	小　　　計		

減算			
	小　　　計		
仮　　　計			
合計・差引計・総計			
所　得　金　額			

(別表1)

(単位:円)

区　　　分		税率	金　　額	計　算　過　程
所　得　金　額				
法人税額の計算				
	法　人　税　額			
差引法人税額				
法　人　税　額　計				
控　除　税　額				
差引所得に対する法人税額				
中間申告分の法人税額				
この申告により納付すべき法人税額				

2 次の資料により，奈良株式会社（株主はすべて個人である）の当期（令和6年4月1日〜令和7年3月31日）に納付すべき法人税額を計算しなさい。なお，当期に計上すべき受取配当等の益金不算入の額は60,000,000円，当期純利益の額は20,000,000円，及び資本金の額及び資本準備金の合計額又は出資金の額は60,000,000円である。

1　税務調整すべき事項
 (1)　損金の額に算入した中間納付の法人税額　12,000,000円
 (2)　損金の額に算入した中間納付の県民税及び市民税の額　3,000,000円
 (3)　損金の額に算入した納税充当金　11,000,000円，納税充当金から支出した前期分事業税額　1,600,000円
 (4)　法人税額から控除される所得税額　334,377円
 (5)　損金計上住民税利子割　42,500円
 (6)　役員給与損金不算入額　491,600円
 (7)　交際費等の資料は，次のとおりである。
  ①　得意先・仕入先の慶弔・禍福に際し出資した費用　900,000円
  ②　会議に際して支出した茶菓・弁当の費用　300,000円
  ③　創立記念行事に際して支出した費用の額
   (イ)　当社従業員におおむね一律に社内で供与された飲食に要する費用　300,000円
   (ロ)　記念式典における宴会費及び来客に支出した記念品代
    400,000円（うち飲食費280,000円）
   (ハ)　上記(ロ)の金額は，来客からの祝金600,000円を控除した金額である。
   (ニ)　法人会員として入会したゴルフクラブの入会金　10,000,000円
   上記に係る諸経費として，(イ)年会費・年決めロッカー料60,000円と(ロ)得意先接待のためのプレー代金8,000,000円がある。
 (8)　寄附金に関する資料は，次のとおりである。

寄　附　先	内　　容	金　額	備　　考
町　内　会	祭礼費用	2,000,000円	期中支出
G　　　寺	祭礼費用	500,000円	期中支出
日本商工会議所	経常経費	800,000円	前期仮払当期償却
日本赤十字社	義援金（最終的に義援金配分委員会に拠出されることが明らか）	200,000円	未払金計上

　　上記のほか，K神社に対する寄附金40,000円があり，仮払経理している。
　　また，国立大学に対する寄附金（新校舎建設）140,000円があり，これは前期未払計上していたものを当期において支出したものである。
 (9)　当期中に計上すべき受取配当等の益金不算入の額　676,500円

(別表4)

(単位:円)

区 分		金 額	計 算 過 程
	当 期 純 利 益		
加算			
	小 計		

減算			
	小　　計		
仮　　計			

合計・差引計・総計		
所　得　金　額		

(別表1)

(単位:円)

区　　分		税率	金　　額	計　算　過　程
所　得　金　額				
法人税額の計算				
	法　人　税　額			
差　引　法　人　税　額				
法　人　税　額　計				
控　除　税　額				
差引所得に対する法人税額				
中間申告分の法人税額				
この申告により納付すべき法人税額				

利己的な遺伝子

　生物学者リチャード・ドーキンスは，この世に存在するあらゆる生物は，自己の遺伝子を残そうと行動していると説明します。一見利他的に見える行動も，よくよく分析してみると，実は，"自分の遺伝子を残す"という目的にかなった利己的な行動であるというのです。ドーキンスの著書『利己的な遺伝子』によると，たとえば，アリには，女王になるアリとワーカーとしての雌アリがいますが，一見何のメリットもないようにみえるワーカーとしての雌アリに，実は，自己の遺伝子を残せるというメリットがあるというのです。

　ウォルト・ディズニーには，将来の医療がよみがえらせてくれることを期待して，世界のどこかで，冷凍保存されて眠っているといううわさがあります。マイケル・ジャクソンもまた，冷凍保存の予約をしていたといううわさがあります。彼らのこのうわさを道徳的ではないと非難する人がいるかもしれません。また，人間はいつか死ぬべき運命にあるものと悟り，そんなに生きたくはないとさらりといってのける人もいます。

　しかしながら，仮にあなたの生命が明日途絶えるとしたら，まだ生きたい，そして，まだまだやり残したことがあると思うのではないでしょうか。この世に未練があるのが普通であるし，またせめて，遺伝子を残そうとするのは，生物的なレベルにおいても当然のことといえます。

　さて，人がお亡くなりになりますと，その人（被相続人）の財産に相続税が課される場合があります。この場合，注意しなければならないことの一つに，被相続人が死亡する前3年間に贈与した財産も相続財産に含めなければならないということがあります。

　被相続人が入院して1か月後に死亡したとしましょう。被相続人が重病だと医者から聞かされた"家族"は，被相続人が入院してすぐに，慌てて被相続人の預金口座から，預金を引き出します。この場合，被相続人が入院したのは，死亡する1か月前ですから，この引き出された預金は，本来は，当然相続財産に含めなければなりません。しかし，相続税を払いたくないがために，相続財産に含めず，被相続人の息子の奥さんがその預金を下ろして，奥さん名義と自分の子供名義の預金通帳にその預金を移し，そのことを旦那さんには全く知らせない場合があります。

　このような現実を目の当たりにしますと，人間も自らの遺伝子を残そうとする利己的な存在であることを再認識せざるを得ません。

　生命とお金に対する執着，それは，人間の"さが"といえるものかもしれません。伊丹十三監督の映画『マルサの女2』では，主演の三國連太郎扮する宗教法人代表が「金は生き物だ。金は時間と共に育つんだ。金は私の子供だ。金は未来。金は未来の命だ。金と共にいる時，私は不老不死になるのだ。」と絶叫します。このせりふは，人間が生まれながらに持っている生命とそして，お金に対する強烈な執念を端的に表現しています。

第19章

グループ通算制度

　連結納税制度は，グループ通算制度に移行することになりました。グループ通算制度とは，完全支配関係にある企業グループ内の各法人を納税単位として，各法人が個別に法人税額の計算及び申告を行い，その中で，損益通算等の調整を行う制度です。平成14年度の連結納税制度創設以降，損益通算等の有効利用により企業グループの一体的経営が進展しました。

　しかし，経営が多様化して必要な情報が必ずしも親法人に集約していない，税額計算が煩雑，修正や更正があった場合にグループ全体で再計算が必要になるなどの問題があり，損益通算等のメリットがあるにもかかわらず制度を選択していない企業が多くありました。

　そこで，損益通算の仕組みを維持しつつ簡素化したグループ通算制度へ移行されることになりました。

 グループ通算制度の意義

　グループ通算制度とは，完全支配関係にある企業グループ内の各法人を納税単位として，各法人が個別に法人税額の計算及び申告を行い，その中で損益通算等の調整を行う制度です。後発的に修更正事由が生じた場合には，原則として他の法人の税額に反映させない（遮断措置），開始又は加入時の時価評価課税及び欠損金の持ち込み等について組織再編税制と整合性を図り，持ち込み制限の対象を縮小する等の制度設計がなされています。

2 適用対象法人

適用対象となる法人は，親法人及びその親法人との間にその親法人による完全支配関係がある子法人です（法法64の9①）。

3 納税主体

通算グループ内の各通算法人を納税主体として，その各通算法人が個別に法人税額の計算及び申告を行います（法法74）。

4 申告期限

通算法人は，各事業年度終了の日の翌日から2月以内に確定申告書を提出しなければなりません（法法74①）。また，通算法人は，e-Taxを使用する方法により納税申告書を提出する必要があります（法法75の4①）。

5 中小法人の判定

通算グループ内のいずれかの法人が中小法人・中小企業者等に該当しない場合には，グループ内のすべての法人が中小法人に該当しないこととされます（法法57⑪，法法66⑥）。

6 適用要件

親法人及び子法人が通算承認を受けようとする場合には，その親法人の通算制度の適用を受けようとする最初の事業年度開始の日の3月前の日までに，その親法人及び子法人のすべての連名で承認申請書を国税庁長官に提出しなければなりません（法法64の9②）。

しかし，やむを得ない事情があるときは，国税庁長官の承認を受けて通算制度の適用を取りやめることができます（法法64の10）。

7 所得金額及び法人税額の計算

1 税額計算の流れ

連結納税制度と異なり，グループ通算制度では，所得金額を一旦個別に計算した後に全体でグループ調整計算を行い，その後，個別に法人税額を計算して申告・納付を行います（法法64の5①）。

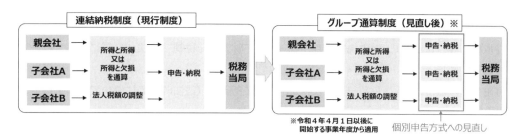

（経済産業省：zeiseikaisei.pdf（meti.go.jp））

2 損益通算

通算グループ内の欠損金額の合計額が，所得法人の所得の金額の比で配分されて損金の額に算入されます（法法64の5①）。

損金算入された金額の合計額と同額の所得の金額が，欠損法人の欠損金額の比で配分されて益金の額に算入されます（法法64の5③）。

例えば，P社（親法人）の所得が400万円，S1社（子法人）の所得が200万円，S2社（子法人）の欠損金額が200万円，S3社（子法人）の欠損金額が100万円であるとすると，次のように計算します。

　P　社（親法人）　300万円×400／600＝200万円（損金算入）
　S1社（子法人）　300万円×200／600＝100万円（損金算入）
　S2社（子法人）　300万円×200／300万円＝200万円（益金算入）
　S3社（子法人）　300万円×100／300万円＝100万円（益金算入）

3 欠損金の通算

通算法人に特定欠損金額とそれ以外の欠損金額がある場合には，その合計額相当額を損金の額に算入して，通算法人の所得の金額から控除されます（法法57①，法法64の7）。欠損金額は，特定欠損金（当該通算法人においてのみ使用可能）と非特定欠損金（通算グループ全体で使用可能）に分けられ，発生した事業年度の古い順に，まず特定欠損金を控除し，次に非特定欠損金を控除します。この場合の特定欠損金とは，通算制度開始，加入前の欠損金で通算グループに持ち込まれたものをいいます（法法64の7②）。また，特定欠損金は，当該通算法人の所得金額を限度として使用可能な欠損金となります（SRLYルール）。

4 時価評価課税と欠損金の切り捨て

グループに加入する場合は，原則として固定資産等の時価評価課税を行うとともに，繰越欠損金は切り捨てます（法法64の12，法法57⑥）。

以下の法人（時価評価除外法人）は，時価評価課税及び繰越欠損金の切り捨ての対象外となります（法法64の12）。

・株式交換等完全子法人
・通算グループ内の新設法人
・完全支配関係継続要件や事業継続要件等の適格組織再編と同様の要件を満たす法人

5 個別制度の取扱い

受取配当等（法法23），外国税額控除（法法69），研究開発税制（措法42）等については，連結納税制度と同様，グループ調整計算を行います。

寄附金（法法37），所得税額控除（法法68），留保金課税（法法67）等については，個別計算が原則となります。

第19章　連結納税制度

給与所得者の必要経費

　大学院の学生のとき，恩師に「研究職に就きたいと思う者は，天の邪鬼でなくてはならない」といわれたことがあります。おそらく，人と同じことではなく違うこと，あるいは人と同じ意見ではなく異なる意見を言わなければならないということではないかと，筆者は解釈してきました。

　何か人と違う分野を研究テーマにして，自分の独自性を主張しなければならないという気持ちは絶えず持っていましたが，なかなかいいテーマが見つかりませんでした。わが国では，"ミスター"と言えば長嶋茂雄，"スタア"と言えばにしきのあきら，ですが，そこまでいかなくても「この分野ならこの人や」というのが，筆者にも必要であるとは考えていました。

　『給与所得者の必要経費（税務経理協会）2005年』は，ようやくその自分のテーマを探し出してまとめた筆者の初めての単著です。給与所得控除を縮小して，実額経費の選択適用を認めるべきではないかという議論が従来からあります。本書は，このような状況下，これから検討されなければならない給与所得者の必要経費の範囲を画定しようと試みています。

　研究として，法人税法を選ぶ方が無難であったかもしれません。所得よりも法人を研究テーマに選んだ方がいいのではという気持ちもありましたが，しかしあえて筆者は，何か人と違う研究をと思い，所得税法を選んで，今のところ，研究を続けています。天の邪鬼に考えると，法人よりも所得だったのです。

　所得税と法人税のテキスト，『解説 所得税法』と『解説 法人税法』を税務経理協会さんから出版させていただいたのですが，筆者の廻りで要望があるのは，『解説 所得税法』のほうで，『解説 法人税法』のほうでなかったということも法人ではなく所得を選んだ理由としてあげることができるかもしれません。どちらかといえば，『解説 所得税法』よりも『解説 法人税法』のほうが筆者としては，うまく書けているのではないかと思っているのですが，筆者の廻りの人々の関心は，自分の利害と関係のない法人ではなく，自分の利害と直接結びつく所得であったのです。

　『給与所得者の必要経費』に収められている「給与所得者の被服費の必要経費性」という論文は，もともとは「税経通信」（第58巻第14号2003年11月号）に掲載されたものですが，金子宏先生の『租税法』（弘文堂）の給与所得の箇所において引用されています。この情報は，中田信正先生が教えてくださいました。中田先生には，筆者の著書『給与所得者の必要経費』（税務経理協会）の書評も「税経通信」（第60巻第13号2005年11月号）に書いていただきました。この場をお借りして，お礼を述べさせていただきたいと思います。

第20章

グループ法人単体課税制度

　グループ法人単体課税制度は，公平で実質的な課税を行うための制度です。連結納税制度は選択制ですが，グループ法人単体課税制度は連結納税制度と異なり，100％完全支配関係がある場合には，強制適用されます。

 ## 支配関係と完全支配関係

　グループ法人単体課税制度は，完全支配関係（原則として，発行済株式等の全部を直接又は間接に保有する関係）がある法人に適用される税制です。

　完全支配関係とは，一の者が法人の発行済株式等（自己株式等を除く）の全部を直接若しくは間接に保有する関係又は一の者との間に当事者間の完全支配の関係がある法人相互の関係をいいます（法法２十二の七の六）。

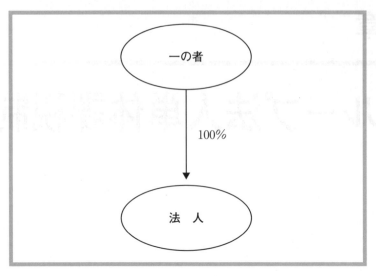

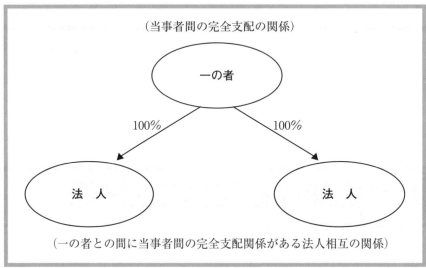

 100％グループ法人間の資産の譲渡取引等

1　譲渡損益の繰延べ

　100％グループ内の法人間で譲渡損益調整資産を譲渡した場合には，譲渡時点においては，その譲渡損益は繰り延べられ，譲受法人において譲渡等の事由が生じたとき又は譲渡法人と譲受法人との間で完全支配関係を有しなくなったとき等に，その繰り延べた譲渡損益の全部又は一部が取り戻されることになります。

❖ 例　題 ❖

内国法人A社は，所有する土地（簿価4,000万円）を完全支配関係がある内国法人B社に5,000万円（時価）で譲渡し，次のような会計処理を行っている。税務上調整すべき金額を計算しなさい。

（A社）（借）現　金　預　金　50,000,000　（貸）土　　　　地　40,000,000
　　　　　　　　　　　　　　　　　　　　　　　土 地 売 却 益　10,000,000
（B社）（借）土　　　　地　50,000,000　（貸）現　金　預　金　50,000,000

（A社）　譲渡損益調整資産譲渡益の決算調整額　10,000,000円（減算）
（B社）　税務調整なし

2　譲渡損益調整資産

譲渡損益調整資産とは，固定資産，土地（土地の上に存する権利を含み，固定資産に該当するものを除く），有価証券，金銭債権及び繰延資産をいいます（法法61の13①，法令122の14①）。

ただし，下記のものは除かれます。
① 売買目的有価証券
② 譲受法人において売買目的有価証券とされる有価証券
③ 譲渡直前の帳簿価額が1,000万円に満たない資産（①を除く）

棚卸資産（土地等を除く）のように，通常短期間でグループ外に売買されることが予定されているものや少額の資産については，譲渡損益の調整対象から除外されています。

3　譲渡損益の戻入

譲渡損益調整資産につき，次に掲げる場合に該当することとなったときには，繰り延べた譲渡利益額に相当する金額を益金に算入（譲渡損失に相当する金額を損金に算入）します（法法61の13②，法令122の14）。

① 譲渡損益調整資産につき譲受法人において，譲渡，償却，評価換え，貸倒れ，除却その他これに類する事由が生じた場合
② その内国法人とその譲受法人との間に完全支配関係を有しないこととなった場合
③ 連結納税を開始するにあたり，譲受法人が時価評価適用対象となる場合

❖ 例　題 ❖

内国法人A社は，所有する土地（簿価4,000万円）を完全支配関係がある内国法人B社に5,000万円（時価）で譲渡し，次のような会計処理を行っていた。内国法人B社は，支配関係がない会社C社に，下記の土地を60,000,000円で売却し，次のように税務上の調整を行っていた。

（A社）（借）現　金　預　金　50,000,000　（貸）土　　　　地　40,000,000
　　　　　　　　　　　　　　　　　　　　　　　土 地 売 却 益　10,000,000
（B社）（借）土　　　　地　50,000,000　（貸）現　金　預　金　50,000,000

(A社)　譲渡損益調整資産譲渡益の決算調整額　10,000,000円（減算）
(B社)　税務調整なし

内国法人B社は，支配関係がない会社C社に，上記の土地を60,000,000円で売却した。税務上調整すべき金額を計算しなさい。

(A社)　譲渡損益調整資産譲渡益の決算調整額　10,000,000円（加算）

❸ 100％グループ法人間の寄附

100％グループ内の内国法人間の寄附に関しては，支出法人において寄附金の額の全額が損金不算入とされ，寄附を受けた法人において受贈益の全額が益金不算入とされます（法法25の2①，37②）。

(1) 適用対象

法人による完全支配関係のある内国法人間の寄附金及び受贈益が対象となります。したがって，個人（同族関係者を含む）による完全支配関係のあるものは除かれます（法法37②）。

(2) 親法人における子法人の株式等に係る寄附修正

完全支配関係のある法人（子法人）の株式等について，次の①又は②に掲げる事由（寄附修正事由）が生じる場合には，次の算式により計算した金額を利益積立金額及び寄附修正事由が生じた時の直前の子法人株式等の帳簿価額に加算することとされています（法令9①七，119の3⑥，119の4）。

① 子法人が法人による完全支配関係のある他の内国法人から益金不算入の対象となる受贈益の額を受けたこと

② 子法人が法人による完全支配関係のある他の内国法人に対して損金不算入の対象となる寄附金の額を支出したこと

$$\begin{pmatrix}子法人が受けた益金\\不算入の対象となる\\受贈益の額\end{pmatrix} \times 持分割合 - \begin{pmatrix}子法人が支出した損金\\不算入の対象となる寄\\附金の額\end{pmatrix} \times 持分割合$$

❖ 例　題 ❖

親会社P社の100％子会社であるA社からB社に，現金1,000,000円が寄附された。
税務上調整すべき金額を計算しなさい。

第20章　グループ法人単体課税制度

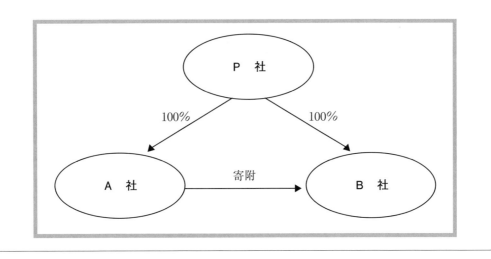

　A社　寄附金の損金不算入額　1,000,000円（加算）
　B社　受贈益の益金不算入額　1,000,000円（減算）
　P社の別表5(1)の調整
　　受　贈　益　　1,000,0000円×持株割合100％－寄附金1,000,000円×持株割合100％＝0円
　　利益積立金額　1,000,000円　　　A 社 株 式　　1,000,000円
　　B 社 株 式　　1,000,000円　　　利益積立金額　1,000,000円

　寄附法人から受贈法人に対して寄附を行った場合には，グループ法人間の寄附について課税関係が生じないこととされました。これにより，株式の移転が容易になり，これを利用した株式の譲渡損益を利用した租税回避の可能性がでてきたため，そのような租税回避を防止するため，子法人株式の帳簿価額が調整されることになりました。

　下図において，P社がM社にA株を譲渡する直前にA社からB社へ寄附が行われると，A株の時価は下がり，多額の譲渡損を計上することが可能になってしまいます。このような事態を避けるため，子法人株式の帳簿価額が調整されることになりました。

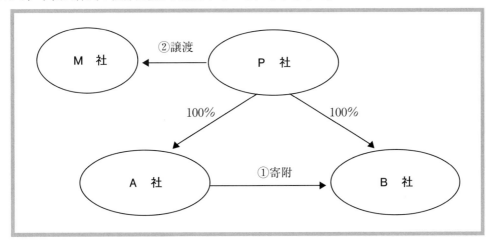

A株の時価1,200,000円，簿価1,100,000円とすると，A社からB社へ1,000,000円の寄附が行われると，時価1,200,000円のA株の株価が200,000円に下がり，時価200,000円−簿価1,100,000円＝△900,000円となり，多額の譲渡損を計上することになってしまいます。

100％グループ内の法人からの受取配当等の益金不算入

　100％グループ内の法人から受け取った配当等については，負債利子を控除せずに，全額が益金不算入とされます（法法23①④⑤）。

中小企業に対する特例措置の不適用

　資本（出資）の額が1億円以下の法人に適用される中小企業に対する特例措置は，資本（出資）金の額が5億円以上の法人の100％子法人及び100％グループ内の複数の資本（出資）金の額が5億円以上の法人に発行済株式等の全部を保有されている法人に該当する普通法人には，適用されません。
(1)　軽減税率
(2)　特定同族会社の特別税率の不適用
(3)　貸倒引当金の損金算入
(4)　貸倒引当金の法定繰入率
(5)　交際費等の損金不算入制度における定額控除制度
(6)　欠損金の繰戻しによる還付制度
(7)　繰越欠損金制度

練習問題

1　内国法人A社は，所有する土地（簿価2,000万円）を完全支配関係がある内国法人B社に3,000万円（時価）で譲渡し，次のような会計処理を行っている。税務上調整すべき金額を計算しなさい。

（A社）（借）現　金　預　金　　30,000,000　　（貸）土　　　　　地　　20,000,000
　　　　　　　　　　　　　　　　　　　　　　　　　土　地　売　却　益　　10,000,000
（B社）（借）土　　　　　地　　30,000,000　　（貸）現　金　預　金　　30,000,000

2　内国法人A社は，所有する土地（簿価2,000万円）を完全支配関係がある内国法人B社に3,000万円（時価）で譲渡し，次のような会計処理を行い，次のような税務上の調整を行っていた。

（A社）（借）現　金　預　金　　30,000,000　　（貸）土　　　　　地　　20,000,000
　　　　　　　　　　　　　　　　　　　　　　　　　土　地　売　却　益　　10,000,000
（B社）（借）土　　　　　地　　30,000,000　　（貸）現　金　預　金　　30,000,000
（A社）　譲渡損益調整資産譲渡益の決算調整額　10,000,000円（減算）
（B社）　税務調整なし

　内国法人B社は，支配関係がない会社C社に，上記の土地を30,000,000円で売却した。税務上調整すべき金額を計算しなさい。

3　次のような完全支配関係がある内国法人P社からB社へ，現金1,000万円が寄附された。税務上調整すべき金額を計算しなさい。

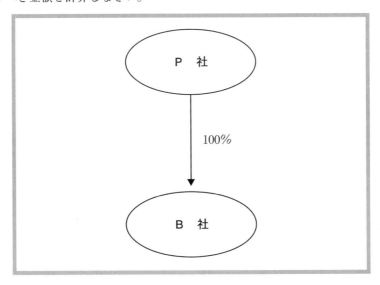

財政支出削減のためのサリー教授の租税論

　近年，財政赤字を削減する方法が模索されています。財政赤字を削減する方法としては二つあって，まず一つは，景気を回復させ，歳入を増加させる方法があります。もう一つは，歳出を削減する方法です。前者は，複雑かつ不確実な方法であり，後者は，単純とは言えませんが，しかし確実な方法です。

　さて，歳出を削減するとしても，政府の直接的な支出を減少させるだけでは限界があります。われわれはどうしても直接的な支出ばかり注目しがちですが，間接的な支出を減少させることによっても，歳出は減少させることができます。特定の産業，事業活動，又は金融取引を支援するためや，あるいは慈善団体への寄附金のような社会的に有益であると考えられている非営利活動を奨励するため，政府は，非課税，免除，所得からの控除，特別控除といった形で，税の恩典を与えることがあります。これらの恩典というのは，直接的な支出がなされているわけではないですが，これらの恩典の提供により税収が減るのは間違いないわけで，これらの恩典の提供も間違いなく，政府支出の一つであり，いわば間接支出です。この間接的な支出に目を向け，そしてこの間接支出に対して租税支出（tax expenditure）という名称をつけたのが，サリー（Surrey）教授です。

　サリー教授は，ケネディー（Kennedy），ジョンソン（Johnson）両大統領の下で，8年間に渡り租税政策担当の財務次官として，租税政策の立案に寄与した人物で，わが国では，シャウプ（Shoup）使節団の一員であったことでも有名です。

　サリー教授は，1967年に租税支出概念を打ち出し，完全会計（full accounting）を主張する演説を行っています。完全会計は，いわば直接支出と，それまでは予算審議にかからなかった隠れた支出（hidden spending）である間接支出を含めた会計を意味します。間接支出は，実質的には，政府支出であるとはいえ，表面にはあまり出てこず，かつては，批判的な分析はなされていませんでした。サリー教授は，これらの間接支出に租税支出という名称を付し，その存在を表面化させ，直接支出と同様に，その実体と過程を検討し直すことの必要性を説きました。

　租税特別措置を見直し，財政支出を削減する必要性があるわが国において，サリー教授の租税支出概念は，非常に参考になる理論です。わが国において，財政赤字は，非常に大きな問題となってきており，解決すべき問題とされています。その解決策の一つとして挙げられているのが，租税特別措置の見直しです。そして，サリー教授が，租税支出と称したものは，わが国における租税特別措置に相当し，教授の租税支出概念は，その租税特別措置を見直し，財政支出削減に役立つ理論なのです。

練習問題解答

第1章　法人税法とは

1

（別表4）

（単位：円）

区分		金額
当期純利益		2,000,000
加算	損金計上中間法人税	500,000
	損金計上中間住民税	150,000
	損金計上納税充当金	450,000
	建物減価償却超過額	60,000
	交際費等の損金不算入額	250,000
	小計	1,410,000
減算	納税充当金支出事業税等	10,000
	受取配当等の益金不算入	50,000
	小計	60,000
仮計		3,350,000
法人税額から控除される所得税額		10,210
合計・差引計・総計		3,360,210
所得金額		3,360,210

2

(別表4)

(単位:円)

区　分		金　額
当　期　純　利　益		50,000,000
加算	損金計上納税充当金	25,000,000
	損金計上中間法人税	15,000,000
	損金計上中間住民税	5,000,000
	交際費等の損金不算入額	4,500,000
	小　　　　計	49,500,000
減算	納税充当金支出事業税等	500,000
	受取配当等の益金不算入額	2,500,000
	小　　　　計	3,000,000
仮　　　　計		96,500,000
寄附金の損金不算入額		4,000,000
法人税額から控除される所得税額		510,500
合計・差引計・総計		101,010,500
所　得　金　額		101,010,500

(別表1)

(単位:円)

区　分		税率	金　額	計　算　過　程
所　得　金　額			101,010,000	(千円未満切捨)
法人税額の計算	(1) 年800万円以下 　　8,000,000	15%	1,200,000	(1) 年800万円以下 $8,000,000 \times \dfrac{12}{12} = 8,000,000$ 　　　　　　(千円未満切捨)
	(2) 年800万円超 　　93,010,000	23.2%	21,578,320	(2) 年800万円超 $101,010,000 - 8,000,000$ $= 93,010,000$
法　人　税　額			22,778,320	
差 引 法 人 税 額			22,778,320	
法 人 税 額 計			22,778,320	
控　除　税　額			510,500	
差引所得に対する法人税額			22,267,800	(百円未満切捨)
中間申告分の法人税額			15,000,000	
この申告により納付すべき法人税額			7,267,800	

第2章 減価償却

1

(1) 機　　械

① 償却限度額

(イ) 4,000,000円 × 0.200 = 800,000円

(ロ) 4,000,000円 × 0.06552 = 262,080円

(ハ) (イ)≧(ロ)　∴　800,000円

(ニ) 800,000円 × $\frac{6}{12}$ = 400,000円

② 償却超過額　900,000円 − 400,000円 = 500,000円

(2) 車　　両

① 減価償却限度額

(イ) 1,200,000円 × 0.250 = 300,000円

(ロ) 1,200,000円 × 0.07909 = 94,908円

(ハ) (イ)≧(ロ)　∴　300,000円

(ニ) 300,000円 × $\frac{4}{12}$ = 100,000円

② 償却超過額　200,000円 − 100,000円 = 100,000円

(3) 工　　具

機械減価償却超過額　500,000円（加算）

車両減価償却超過額　100,000円（加算）

2

(1) 建　　物

① 償却限度額　6,000,000円 × 0.040 + 4,000,000円 × 0.040 = 400,000円

② 償却超過額　(200,000円 + 200,000円) − 400,000円 = 0円

(2) 備　　品

① 償却限度額　400,000円 × 0.067 × $\frac{1}{12}$ = 2,233円

② 償却超過額　20,000円 − 2,233円 = 17,767円

(3) 車両A・B

① 償却限度額

車　両　A

(イ) (600,000円 + 157,200円) × 0.400 = 302,880円

(ロ) 1,200,000円 × 0.10800 = 129,600円

(ハ) (イ)≧(ロ)　∴　302,880円

車　両　B

(イ) 680,000円 × 0.400 = 272,000円

(ロ) 800,000円 × 0.10800 = 86,400円

(ハ) (イ)≧(ロ)　∴　272,000円

$$302,880円 + 272,000円 = 574,880円$$

② 認　容　額　$(180,000円 + 120,000円) - 574,880円 = \triangle 274,880円$ ⎫ 少ない金額
　　　　　　　　　　　　　　　　　　　　　157,200円 ⎭
　　　　　　　　　　　　　　　　　　　　　　　　　　　∴　157,200円

　　備品減価償却超過額　17,767円（加算）
　　車両減価償却超過額認容　157,200円（減算）

（解　説）
　建物A・B，車両A・Bは，同一種類の資産であるから，償却限度額についてグルーピングする。

3

(1) 見積耐用年数
　　$(5年 - 3年) + 3年 \times 20\% = 2.6年 \rightarrow 2年$

(2) 償却限度額
　　$500,000円 \times 1.00 \times \dfrac{6}{12} = 250,000円$

(3) 償却不足額
　　$200,000円 - 250,000円 = \triangle 50,000円$

4

(1) 機　　械　90,000円全額を損金に計上する。

(2) 応接セットA・B
　　$(120,000円 + 180,000円) \times \dfrac{12}{36} = 100,000円$

（解　説）
　機械は，取得価額が100,000円未満なので，全額損金の額に算入する。
　応接セットA・Bは，それぞれ取得価額が200,000円未満であり，一括償却資産の取扱いを適用する。なお，取得価額が10万円未満又は20万円未満であるかどうかは，通常一単位として取引されるその単位，例えば，機械及び装置については一台又は一基ごとに，工具，器具及び備品については一個，一組又は一そろいごとに判定する（法基通7-1-11）。

5

(1) 判　　定
　① 償　却　額　$38,000円 \times 0.200 = 7,600円$
　② 保　証　額　$100,000円 \times 0.06552 = 6,552円$
　③ ①≧②

(2) 償却限度額
　　7,600円

(3) 償却超過額

9,000円 − 7,600円 = 1,400円

6

(1) 償却限度額

① 繰越特別償却限度額　418,000円

② 普通償却限度額

(イ) (4,000,000円 − 418,000円) × 0.200 = 716,400円

(ロ) 6,000,000円 × 0.06552 = 393,120円

(ハ) (イ)≧(ロ)　∴　716,400円

③ ① + ② = 1,134,400円

(2) 償却超過額

2,000,000円 − 1,134,400円 = 865,600円

減価償却超過額　865,600円（加算）

第3章　棚卸資産

1

（個　別　法）

50個 × @125円 + 200個 × @120円 = 30,250円

（先入先出法）

50個 × @140円 + 200個 × @120円 = 31,000円

（総 平 均 法）

$$\frac{100個 × @125円 + 200個 × @140円 + 200個 × @120円}{100個 + 200個 + 200個} = 129円$$

250個 × 129円 = 32,250円

（移動平均法）

4月10日の平均単価：

$$\frac{50個 × @125円 + 200個 × @140円}{50個 + 200個} = 137円$$

4月28日の平均単価：

$$\frac{50個 × @137円 + 200個 × @120円}{50個 + 200個} = 123.4円$$

250個 × 123.4円 = 30,850円

（最終仕入原価法）

250個 × @120円 = 30,000円

2

原価率 $\dfrac{15,000円+200,000円}{350,000円+50,000円}=0.5375$

期末棚卸高の計算＝50,000円×0.5375＝26,875円

3

B　商　品　3,000,000円－1,200,000円＝1,800,000円

C　商　品　5,000,000円－2,400,000円＝2,600,000円

D　商　品　4,000,000円－1,500,000円＝2,500,000円

A商品は，評価損の計上はできない。

第4章　租税公課

1

損金計上中間法人税　　30,000,000円　（加算）

損金計上中間住民税　　15,000,000円　（加算）

損金計上罰金等　　　　　　90,000円　（加算）

役員給与否認　　　　　　　100,000円　（加算）

2

納税充当金支出事業税　11,000,000円

損金計上納税充当金　　73,000,000円

損金計上附帯税等　　500,000円＋200,000円＋100,000円＝800,000円

納税充当金支出事業税　　11,000,000円　（減算）

損金計上納税充当金　　　73,000,000円　（加算）

損金計上附帯税等　　　　　　800,000円　（加算）

3

納税充当金支出事業税　10,000,000円

損金計上附帯税等　　800,000円＋（400,000円－100,000円）＋（300,000円－80,000円）
　　　　　　　　　＝1,320,000円

納税充当金支出事業税　　10,000,000円　（減算）

損金計上納税充当金　　　55,000,000円　（加算）

損金計上附帯税等　　　　 1,320,000円　（加算）

4

損金計上納税充当金　　96,000,000円　（加算）

損金計上中間法人税　　50,000,000円　（加算）

損金計上中間住民税　　　7,000,000円（加算）
損金計上附帯税等　　　　　850,000円（加算）
損金計上過怠税　　　　　　 50,000円（加算）
納税充当金支出事業税　 13,000,000円（減算）

（解　説）
　前期に繰り入れた納税充当金を当期に取り崩している。事業税13,000,000円を納税充当金支出事業税として，別表4上で減算する。

5

（別表4）

（単位：円）

区　　　分		金　　額	計　算　過　程
当　期　純　利　益		60,000,000	
加算	損金計上中間法人税	5,000,000	（損金計上附帯税等）
	損金計上中間住民税	2,000,000	法人税中間延滞税400,000＋事業税中間延滞金40,000＋住民税延滞金200,000
	損金計上納税充当金	7,600,000	＝640,000
	損金計上過怠税	50,000	
	交際費等の損金不算入額	4,000,000	
	建物減価償却超過額	1,400,000	
	損金計上附帯税等	640,000	
	小　　　　計	20,690,000	
減算	納税充当金支出事業税等	1,000,000	
	小　　　　計	1,000,000	
仮　　　　　計		79,690,000	
寄附金の損金不算入額		2,000,000	
法人税額から控除される所得税額		400,000	
合計・差引計・総計		82,090,000	
所　得　金　額		82,090,000	

（別表１）

(単位：円)

区　　　　　分	税率	金　　額	計　算　過　程
所　得　金　額		82,090,000	（千円未満切捨）
法人税額の計算　(1)　年800万円以下　8,000,000	15%	1,200,000	(1)　年800万円以下　$8,000,000 \times \dfrac{12}{12} = 8,000,000$（千円未満切捨）
(2)　年800万円超　74,090,000	23.2%	17,188,880	(2)　年800万円超　$82,090,000 - 8,000,000$ $= 74,090,000$
法　人　税　額		18,388,880	
差引法人税額		18,388,880	
法　人　税　額　計		18,388,880	
控　除　税　額		400,000	
差引所得に対する法人税額		17,988,800	（百円未満切捨）
中間申告分の法人税額		5,000,000	
この申告により納付すべき法人税額		12,988,800	

第5章　寄　附　金

1

(1) 支出寄附金の額

　① 指定寄附金等　　　500,000円

　② 特定公益増進法人　600,000円

　③ その他の寄附金　　2,000,000円

　④ ①＋②＋③＝3,100,000円

(2) 損金算入限度額

　① 損金算入限度額　$\left\{ 30,000,000円 \times \dfrac{12}{12} \times \dfrac{2.5}{1,000} + (15,000,000円 + 3,100,000円) \times \dfrac{2.5}{100} \right\} \times \dfrac{1}{4} = 131,875円$

　② 特別損金算入限度額　$\left\{ 30,000,000円 \times \dfrac{12}{12} \times \dfrac{3.75}{1,000} + (15,000,000円 + 3,100,000円) \times \dfrac{6.25}{100} \right\} \times \dfrac{1}{2} = 621,875円$

(3) 損金不算入額

　3,100,000円 － 500,000円 － 600,000円（注） － 131,875円 ＝ 1,868,125円

　（注）　600,000円＜621,875円　　∴　600,000円

　寄附金の損金不算入額　1,868,125円（加算）

2

1 仮計の算出

（別表4）

（単位：円）

区　　　分		金　　額	計　算　過　程
当　期　純　利　益		10,000,000	
加算	前期仮払寄附金否認 未払寄附金否認	200,000 300,000	
	小　　　計	500,000	
減算	仮払寄附金認定損 前期未払寄附金認容	1,000,000 2,000,000	
	小　　　計	3,000,000	
仮　　　計		7,500,000	

2 損金不算入額

(1) 支出寄附金の額

① 指定寄附金　2,000,000円＋1,000,000円＝3,000,000円

② 特定公益増進法人　0円

③ その他の寄附金　500,000円＋1,000,000円＋400,000円＝1,900,000円

④ ①＋②＋③＝4,900,000円

(2) 損金算入限度額

① 損金算入限度額　$\left\{24,000,000円 \times \frac{12}{12} \times \frac{2.5}{1,000} + (4,900,000円 + 7,500,000円) \times \frac{2.5}{100}\right\} \times \frac{1}{4} = 92,500円$

② 特別損金算入限度額　$\left\{24,000,000円 \times \frac{12}{12} \times \frac{3.75}{1,000} + (4,900,000円 + 7,500,000円) \times \frac{6.25}{100}\right\} \times \frac{1}{2} = 432,500円$

(3) 損金不算入額

4,900,000円－3,000,000円－0円(注)－92,500円＝1,807,500円

（注）　0円＜432,500円　　∴　0円

寄附金の損金不算入額　1,807,500円（加算）

（解　説）

① 町内会の祭礼費用は，未払いであるため，当期の支出寄附金とはならず，別表4上で否認される。

② 財団法人貿易研修センターに対する寄附は，前期に仮払いしているので，前期の支出寄附金として認容されているはずである。したがって，当期に消却して費用計上されているが，否認されなければならない。

③ 政党に対する寄附は，仮払経理されているので，当期の支出寄附金に含める。

④ 日本赤十字社に対する寄附（義援金，最終的に義援金配分委員会に拠出されることが明らかである）は，前期に未払経理しているので，前期に否認されている。当期になり，実際支出した時点で認容される。また，この日本赤十字社に対する寄附（義援金）は，指定寄附金等に入ることに注意すること。

3
1　仮計の算出

（別表4）

(単位：円)

区　　　　分		金　　額	計　算　過　程
当　期　純　利　益		7,000,000	
加算	有価証券譲渡益計上もれ	300,000	
	小　　　　計	300,000	
減算	仮払寄附金認定損 前期未払寄附金認容 寄附金計上もれ	600,000 2,000,000 300,000	
	小　　　　計	2,900,000	
仮　　　　計		4,400,000	

2　損金不算入額

(1) 支出寄附金の額

① 指定寄附金　2,000,000円

② 特定公益増進法人　450,000円＋150,000円＝600,000円

③ その他の寄附金　200,000円＋100,000円＋300,000円＋700,000円＋600,000円
　　　　　　　　＝1,900,000円

④ ①＋②＋③＝4,500,000円

(2) 損金算入限度額

① 損金算入限度額　$\left\{11,000,000円 \times \frac{12}{12} \times \frac{2.5}{1,000} + (4,400,000円 + 4,500,000円) \times \frac{2.5}{100}\right\} \times \frac{1}{4} = 62,500円$

② 特別損金算入限度額　$\left\{11,000,000円 \times \frac{12}{12} \times \frac{3.75}{1,000} + (4,400,000円 + 4,500,000円) \times \frac{6.25}{100}\right\} \times \frac{1}{2} = 298,750円$

(3) 損金不算入額

4,500,000円－2,000,000円－298,750円(注)－62,500円＝2,138,750円

(注)　600,000円＞298,750円　∴　298,750円

寄附金の損金不算入額　2,138,750円（加算）

（解　説）
① 仙台市に対する寄附金（仙台市立中学校の図書館の建設資金に充てられるもの）は，指定寄附金となる。
② 放送番組センターと社会福祉法人に対する寄附は，特定公益法人に対する寄附金となる。
③ 子会社に利益供与の目的で有価証券（売買目的）を贈与した場合には，寄附金となる。また，資産を贈与した場合の寄附金の額は，贈与時のその資産の時価となるので，700,000円が支出寄附金となる（法法37⑦）。

会社の仕訳：寄　附　金	400,000	売買目的有価証券	400,000
税務上の仕訳：寄　附　金	700,000	売買目的有価証券	400,000
		有価証券譲渡益	300,000

4

(別表4)

(単位:円)

区　　　分		金　　額	計　算　過　程
当　期　純　利　益		50,000,000	
加算	損金計上中間法人税	12,000,000	
	損金計上中間住民税	3,700,000	
	損金計上納税充当金	10,000,000	
	役員賞与損金不算入	140,000	
	交際費等の損金不算入	4,000,000	
	建物減価償却超過額	1,400,000	
	前期仮払寄附金否認	100,000	
	未払寄附金否認	300,000	
	小　　　　計	31,640,000	
減算	納税充当金支出事業税	2,600,000	
	機械減価償却超過額認容	900,000	
	前期未払寄附金認容	2,000,000	
	小　　　　計	5,500,000	
仮　　　　計		76,140,000	
寄附金の損金不算入額		849,125	(寄　附　金) (1) 支出寄附金 　① 指　　　定　2,000,000 　② 特　　　定　　 500,000 　③ そ　の　他 　　 1,000,000＋400,000＝1,400,000 　① ＋ ② ＋ ③ ＝3,900,000 (2) 損金算入限度額 　① 損金算入限度額 　$\{81,000,000円 \times \frac{12}{12} \times \frac{2.5}{1,000}$ 　$+ (3,900,000円 + 76,140,000円)$ 　$\times \frac{2.5}{100}\} \times \frac{1}{4} = 550,875円$ 　② 特別損金算入限度額 　$\{81,000,000円 \times \frac{12}{12} \times \frac{3.75}{1,000}$ 　$+ (3,900,000円 + 76,140,000円)$ 　$\times \frac{6.25}{100}\} \times \frac{1}{2} = 2,653,125円$ (3) 損金不算入額 　$3,900,000 - 2,000,000 - 500,000^{(注)}$ 　$- 550,875 = 849,125$ 　(注) 500,000円＜2,653,125円 　　　∴　500,000円
法人税額から控除される所得税額		2,600,000	
合計・差引計・総計		79,589,125	
所　得　金　額		79,589,125	

（別表1）

(単位：円)

区　　　分	税率	金　　額	計　算　過　程
所　得　金　額		79,589,000	（千円未満切捨）
法人税額の計算　(1) 年800万円以下　8,000,000	15%	1,200,000	(1)　年800万円以下　$8,000,000 \times \frac{12}{12} = 8,000,000$（千円未満切捨）
(2) 年800万円超　71,589,000	23.2%	16,608,648	(2)　年800万円超　$79,589,000 - 8,000,000 = 71,589,000$
法　人　税　額		17,808,648	
差引法人税額		17,808,648	
法 人 税 額 計		17,808,648	
控　除　税　額		2,600,000	
差引所得に対する法人税額		15,208,600	（百円未満切捨）
中間申告分の法人税額		12,000,000	
この申告により納付すべき法人税額		3,208,600	

第6章　交　際　費

1
(1) 支出交際費等の額
　　200,000円＋400,000円＋1,000,000円＝1,600,000円
(2) 損金算入限度額
　　1,000,000円×50％＝500,000円
(3) 損金不算入額
　　(1)－(2)＝1,100,000円
　　交際費等の損金不算入額　1,100,000円（加算）

（解説）
(1)　①仮払経理された接待に関連して支出した従業員のタクシー代も交際費になる。
(2)　③の売上高に比例して、購入単価3,000円のレジャー用品を交付した費用は、交際費とならない。物品を交付する場合でも、その物品が、得意先で棚卸資産又は固定資産として販売又は使用されることが明らかな物品又は購入単価がおおむね3,000円以下の少額物品であり、かつ、交付基準が売上割戻しの算定基準と同一であるときは、その交付に要する費用は交際費にはな

らない（措通61の4⑴－4但書）。
⑶　会議（来客との商談，打合わせ等も含まれる）に際して社内又は通常会議を行う場所において通常供与される昼食の程度を超えない飲食物等の接待に要する費用は，交際費とならない（措通61の4⑴21）。
⑷　「得意先，仕入先その他事業に関係ある者等」には（措法61の4③），株主等も含まれる（措通61の4⑴22）。

期末資本金額が1億円を超えているので，飲食費の50％を超える金額が損金不算入となる。

2

⑴　支出交際費等の額
400,000円＋2,000,000円＋5,500,000円＝7,900,000円

⑵　損金算入限度額
$8,000,000円 \times \frac{12}{12} = 8,000,000円 > 1,000,000円 \times 50\% = 500,000円$　　∴　8,000,000円

⑶　損金不算入額
7,900,000円－8,000,000円＝△100,000円　　∴　調整なし

（解　説）
②新聞，雑誌等の出版又は放送番組を編集するために行われる座談会その他，記事の収集のために，又は放送のための取材に通常要する費用は，交際費から除かれる（措令37の5）。
④従業員の親族の慶弔・禍福に際して，支出した金品も交際費に該当しない（措通61の4⑴－10）。
⑤の来客からの祝金は，控除できないとする解釈もあるが，本書は控除する立場を取っている。

3

⑴　支出交際費の額
900,000円＋60,000円＋7,000,000円＋1,000,000円＝8,960,000

⑵　損金算入限度額
$8,000,000円 \times \frac{12}{12} = 8,000,000円$

⑶　損金不算入額
8,960,000円－8,000,000円＝960,000円
交際費等の損金不算入額　960,000円（加算）

⑷　資産減額による損金算入額＝$960,000円 \times \frac{1,000,000円}{8,960,000円} = 107,142円$（円未満切捨）
土地取得価額減額　107,142円（減算）
なお，法人会員として入会したゴルフクラブの入会金8,000,000円は，資産計上しなければならない。

第7章　受取配当等の益金不算入

1

(1) 受取配当等の額
  ① 完全子法人株式等　3,183,200円÷0.7958（1－0.2042）＝4,000,000円
  ② 関連法人株式等　318,320円÷0.7958（1－0.2042）＝400,000円
(2) 控除負債利子
  400,000円×4％＝16,000円≦8,000,000円×10％＝800,000円　∴　400,000円
(3) 益金不算入額
  ① 完全子法人株式等　4,000,000円
  ② 関連法人株式等　400,000円－16,000円＝384,000円
  ③ ①＋②＝4,384,000円
  受取配当等の益金不算入額　4,384,000円（減算）

2

(1) 受取配当等の額
  ① 関連法人株式等
    2,400,000円
  ② 非支配目的株式等
    1,000,000円
(2) 控除負債利子
    2,400,000円×4％＝96,000円≦10,000,000円×10％＝1,000,000円　∴　96,000円
(3) 益金不算入額
  ① 関連法人株式等　2,400,000円－96,000円＝2,304,000円
  ② 非支配目的株式等　1,000,000円×20％＝200,000円
  ③ ①＋②＝2,504,000円
  受取配当等の益金不算入額　2,504,000円（減算）

3

(1) 受取配当等の額
  ① 完全子法人株式等　900,000円
  ② 関連法人株式等に係る配当等　1,800,000円－90,000円(注)＝1,710,000円

（注）　$10,000株 \times \dfrac{100,000株 \times \dfrac{60,000株}{40,000株+60,000株}}{100,000株+20,000株} = 5,000株$

　　　$\dfrac{1,800,000円}{100,000株} \times 5,000株 = 90,000円$

(2) 控除負債利子

1,710,000円×4％＝68,400円≦2,000,000円×10%＝200,000円　　∴　68,400円

(3) 益金不算入額

① 完全子法人株式等　900,000円

② 関連法人株式等に係る配当等　1,710,000円－68,400円＝1,641,600円

③ ①＋②＝2,410,000

受取配当等の益金不算入額　2,541,600円（減算）

4

(1) 交付金銭等の額

16,000株×50円＋400,000円＝1,200,000円

(2) 資本金等の額

$$\frac{40,000,000円}{1,000,000株} \times 20,000株 = 800,000円$$

(3) みなし配当

(1)－(2)＝400,000円

5

(1) 交付金銭等の価額　2,000,000円

(2) 資本金等の額

① 5,200,000円×0.8＝4,160,000円

$$\frac{8,000,000円}{30,000,000円 - 20,000,000円} = 0.80 \rightarrow 0.8\ （小数点以下3位未満切上）$$

② $\frac{4,160,000円}{100,000株} \times 15,000株 = 624,000円$

(3) みなし配当

(1)－(2)＝1,376,000円

6

(1) 交付金銭等　3,000,000円

(2) 資本金等の額

$360,000,000円 \times \frac{1,000株}{300,000株} = 1,200,000円$

(3) みなし配当

(1)－(2)＝1,800,000円

第8章　役員等の報酬・賞与・退職給与

1

(1) 同族会社の判定

① A 20,000株＋B 10,000株＋C 8,000株＝38,000株

② $\dfrac{38,000株}{100,000株}=38\%≦50\%$　　∴　非同族会社

(2) 役　　員

　　Aは，会社法上の役員である。Fは，相談役（使用人以外の者）であり，経営に従事しているので，みなし役員となる。

　　非同族会社なので，取締役営業部長であるDは，使用人兼務役員である。

2

(1) 同族会社の判定

　①　Aグループ　A30,000株＋B10,000株＝40,000株

　②　Cグループ　20,000株

　③　①＋②＝60,000株

　全体の株式数＝30,000株＋10,000株＋20,000株＋8,000株＋7,000株＋5,000株＋20,000株

　　　　　　　＝100,000株

　$\dfrac{60,000株}{100,000株}=60\%＞50\%$　　∴　同族会社

(2) 役員等の判定

	50％以上	10％超	5％超	判　　　定
B	○	○	○	役　　　員
F	×	－	－	使用人兼務役員

　代表取締役社長A，取締役総務担当C，理事D，監査役Eは，会社法上の役員である。

3

1　役員給与損金不算入額

(1) 実質基準額

　B　(6,000,000円＋3,000,000円)－8,000,000円　　　　　　　　　　　　＝1,000,000円

　C　(6,000,000円＋2,000,000円)－6,000,000円　　　　　　　　　　　　＝2,000,000円

　D　(3,000,000円＋2,000,000円＋3,000,000円＋1,000,000円)－6,000,000円＝3,000,000円

　F　(4,000,000円＋1,000,000円＋2,000,000円＋1,000,000円)－5,000,000円＝3,000,000円

　G　(4,000,000円＋1,500,000円＋1,000,000円＋1,000,000円)－5,000,000円＝<u>2,500,000円</u>

　　　合　　　計　　　　　　　　　　　　　　　　　　　　　　　　　　　11,500,000円

（注）　Eは役員となるが，実質基準に照らして適正額が支給されており，実質基準額を算定する必要はないので注意すること。

(2) 形式基準額

　①　取 締 役 分

　　(37,000,000円＋7,500,000円＋17,000,000円＋5,000,000円)－A(5,000,000円＋2,000,000円)－H(3,000,000円＋1,000,000円)－F1,000,000円(使用人兼務役員の使用人分適正額1,000,000円＋1,000,000円＝2,000,000円＞1,000,000円　∴　1,000,000円)

　　　　　－G1,000,000円（使用人兼務役員の使用人分適正額1,500,000円＋1,000,000円
　　　　　＝2,500,000円＞1,000,000円　∴　1,000,000円）－30,000,000円＝23,500,000円
　　②　監査役分
　　　　3,000,000円＋1,000,000円－2,000,000円＝2,000,000円
　　③　①＋②＝25,500,000円
(3)　(1)＜(2)　∴　25,500,000円
　　　役員給与損金不算入額　25,500,000円（加算）

4

1　同族会社の判定
　　Aグループ　A25,000株＋B15,000株＋D6,500株＋G13,500株＝60,000株
　　$\dfrac{60,000株}{100,000株}$＝60％＞50％　　∴　同族会社

2　役員の判定

	50％以上	10％超	5％超	判　　　　定
D	○	○	○	役　　　　員
E	×	－	－	使用人兼務役員
G	○	○	○	みなし役員

（解　説）
　同族会社の役員のうち，持株要件を満たしている者は使用人兼務役員になれないので，DとEについては，判定が必要になる。同族会社の使用人のうち，経営に従事している者で持株割合の要件を満たしている者は，役員となる。Gは，使用人であるが経営に従事しているので，持株割合の判定が必要になる。

3　過大役員報酬の否認額
(1)　実質基準額
　　A　(3,000,000円＋1,000,000円)－4,000,000円　　　　　　　　　　　　　＝　　　　0円
　　B　(10,000,000円＋8,000,000円)－16,000,000円　　　　　　　　　　　　＝2,000,000円
　　C　(6,000,000円＋4,000,000円)－9,000,000円　　　　　　　　　　　　　＝1,000,000円
　　D　(6,000,000円＋2,000,000円＋2,000,000円＋1,000,000円)－8,000,000円＝3,000,000円
　　E　(6,000,000円＋2,000,000円＋2,000,000円＋1,000,000円)－7,000,000円＝4,000,000円
　　G　(4,000,000円＋1,000,000円)－4,000,000円　　　　　　　　　　　　　＝1,000,000円
　　　　合　　計　　　　　　　　　　　　　　　　　　　　　　　　　　　　　11,000,000円

(2)　形式基準額
　　①　取締役分
　　　　(34,000,000円＋8,000,000円＋19,000,000円＋3,000,000円)－A(3,000,000円＋1,000,000円)－F(3,000,000円＋2,000,000円)－E(2,000,000円＋1,000,000円)－G(4,000,000円＋1,000,000円)－43,000,000円＝4,000,000円

② 監査役分

5,000,000円 − 5,000,000円 = 0

③ ① + ② = 4,000,000円

(3) (1) > (2)　∴　11,000,000円

役員給与損金不算入額　11,000,000円（加算）

（解　説）

(1) 実質基準の計算は，使用人兼務役員については，役員分に使用人分を含めた合計額より行う（基通9－2－5）。

(2) 取締役でない会長Aは，会社法上の役員ではないが，税法上は使用人以外の者で実質的に会社の経営に従事しているので，みなし役員となり（法基通9－2－1），実質基準の適用がある。Gもみなし役員となり，実質基準の適用がある。

(3) AとGは，税法独自のみなし役員であるため，形式基準の適用はない。Dは，持株割合の判定の結果，役員となり，使用人分3,000,000円は控除できない。

(4) 使用人兼務役員Eの使用人分給料（2,000,000円＋1,000,000円）は，比準すべき使用人給料5,000,000円より低いので，役員報酬の形式基準の計算で控除すべき使用人分給料は，実際支給額（2,000,000円＋1,000,000円）になる。

第9章　圧縮記帳

1

(1) 圧縮限度額　40,000,000円＞20,000,000円　∴　20,000,000円

(2) 圧縮超過額　10,000,000円 − 20,000,000円 = △10,000,000円（切捨）

(3) 減価償却限度額　$(40,000,000円 − 10,000,000円) \times 0.050 \times \frac{9}{12} = 1,125,000円$

(4) 減価償却超過額　700,000円 − 1,125,000円 = △425,000円（切捨）

（解　説）

圧縮不足額が発生した場合には，減価償却の計算の基礎となる取得価額は，実際の取得価額から，会計上の圧縮損（圧縮限度額ではない）を控除した金額となる（法令54③）。

2

(1)

① 圧縮限度額　3,000,000円＜10,000,000円　∴　3,000,000円

② 圧縮超過額　6,000,000円 − 3,000,000円 = 3,000,000円

③ 減価償却限度額　$(10,000,000円 − 3,000,000円) \times 0.125 \times \frac{6}{12} = 437,500円$

④ 減価償却超過額　(300,000円 ＋ 3,000,000円) − 437,500円 = 2,862,500円

減価償却超過額　2,862,500円（加算）

(2)

① 機械圧縮積立金積立　8,000,000円（減算）

② 圧縮限度額　3,000,000円＜10,000,000円　∴　3,000,000円

③ 圧縮超過額　$8,000,000円 - 3,000,000円 = 5,000,000円$
④ 減価償却限度額　$(10,000,000円 - 3,000,000円) \times 0.125 \times \dfrac{6}{12} = 437,500円$
⑤ 減価償却超過額　$600,000円 - 437,500円 = 162,500円$

　圧縮超過額　　　　5,000,000円（加算）
　減価償却超過額　　162,500円（加算）

3

(1) 差引保険金の額　$60,000,000 - (5,000,000 - 1,000,000円) = 56,000,000円$
(2) 保険差益金の額　$56,000,000円 - (6,000,000円 + 1,000,000円) = 49,000,000円$
(3) 圧縮限度額　$49,000,000円 \times \dfrac{50,000,000円}{56,000,000円} = 43,750,000円$
(4) 圧縮超過額　$50,000,000円 - 43,750,000円 = 6,250,000円$
(5) 減価償却限度額　$(50,000,000円 - 43,750,000円) \times 0.050 \times \dfrac{3}{12} = 78,125円$
(6) 減価償却超過額　$(300,000円 + 6,250,000円) - 78,125円 = 6,471,875円$

　減価償却超過額　　6,471,875円（加算）
　減価償却超過額認容　1,000,000円（既往の償却超過額分）（減算）

4

(1) 圧縮限度額　$50,000,000円 - (40,000,000円 + 100,000円 + 1,000,000円) = 8,900,000円$
(2) 圧縮超過額　$(50,000,000円 - 40,000,000円) - 8,900,000円 = 1,100,000円$

　圧縮超過額　　　　　　1,100,000円（加算）
　土地評価損否認額認容　100,000円（減算）

5

(1) 判　　定
　① 土　　地　$40,000,000円 - 38,000,000円 = 2,000,000円 \leqq 40,000,000円 \times 20\%$
　　　　　　　∴ 適用あり
　② 建　　物　$11,000,000円 - 10,000,000円 = 1,000,000円 \leqq 11,000,000円 \times 20\%$
　　　　　　　∴ 適用あり

(2) 経費あん分
　① 土　　地　$400,000円 \times \dfrac{40,000,000円}{40,000,000円 + 10,000,000円} = 320,000円$
　② 建　　物　$400,000円 - 320,000円 = 80,000円$

(3) 圧縮限度額
　① 土　　地　$38,000,000円 - (4,000,000円 + 320,000円) \times \dfrac{38,000,000円}{38,000,000円 + 2,000,000円}$
　　　　　　　$= 33,896,000円$
　② 建　　物　$11,000,000円 - (7,000,000円 + 80,000円 + 1,000,000円) = 2,920,000円$

(4) 圧縮超過額
   ① 土　　　　地　（38,000,000円－4,000,000円）－33,896,000円＝104,000円
   ② 建　　　　物　（11,000,000円－7,000,000円）－2,920,000円＝1,080,000円
(5) 減価償却限度額
   $(11,000,000円 - 2,920,000円) \times 0.040 \times \dfrac{3}{12} = 80,800円$
(6) 減価償却超過額
   （100,000円＋1,080,000円）－80,800円＝1,099,200円
   土地圧縮超過額　　104,000円（加算）
   減価償却超過額　1,099,200円（加算）

(解　説)
　2以上の種類の固定資産を同時に交換しているが，土地は土地，建物は建物と交換したものとみなして圧縮記帳の判定を行う（法基通10－6－4）。譲渡経費は，譲渡資産の時価の比であん分する。また，交換差金については，種類ごとの時価の差がそれぞれ交換差金とされる。

第10章　貸倒引当金

1

(1)　2,000,000円

(2)　5,000,000円

(3)　200,000円－1＝199,999円

2

(1)　弁天町株式会社　100,000,000円－20,000,000円（切捨額）－30,000,000円（5年以内に弁済される金額）－20,000,000円（担保に供されている部分）＝30,000,000円
　　(注)　切捨額20,000,000円は，貸倒損失となる。
(2)　西九条商店　2,000,000円
(3)　天王寺商店　（2,000,000円－100,000円）×50％＝950,000円
(4)　(1)＋(2)＋(3)＝32,950,000円

(解　説)
　個別評価債権に係る貸倒引当金の場合，支払手形は，実質的に債権とみられない金額とはならない。したがって，(3)の天王寺商店のケースにおいても，400,000円は控除しない。

3

(1)　個　別　評　価
   ①　横　　　　浜
   　(イ)　繰入限度額　$(5,000,000円 + 14,000,000円) \times \dfrac{50}{100} = 9,500,000円$
   　(ロ)　繰入超過額　19,000,000円－9,500,000円＝9,500,000円

② 仙　　台
　(イ)　繰入限度額　6,000,000円
　(ロ)　繰入超過額　6,000,000円－6,000,000円＝0円
(2)　一括評価
① 繰入限度額
　(イ)　実績基準額
　　㋑　一括評価金銭債権の額
　　　　(90,000,000円－5,000,000円)＋(424,000,000円－14,000,000円)＋(28,000,000円－6,000,000円)＋(6,000,000円－1,000,000円)＋(800,000円－600,000円)
　　　　＝522,200,000円
　　　　未収手数料，未収家賃及び役員に対する貸付金は対象となるが，公社債の未収利子及び前渡交際費は対象にならない。
　　㋺　522,200,000円×0.0095＝4,960,900円
　(ロ)　法定基準額
　　㋑　一括評価金銭債権の額　522,200,000円
　　㋺　実質的に債権と見られないものの額
　　　(a)　原則法　10,000,000円＞6,000,000円　∴　6,000,000円
　　　(b)　簡便法　522,200,000円×0.089＝46,475,800円
　　　(c)　(a)＜(b)　∴　6,000,000円
　　㋩　(㋑－㋺)×$\dfrac{10}{1,000}$＝5,162,000円
　(ハ)　(イ)＜(ロ)　∴　5,162,000円
② 繰入超過額　10,000,000円－5,162,000円＝4,838,000円
　貸倒引当金繰入超過額（横浜）　9,500,000円（加算）
　貸倒引当金繰入超過額（一括評価）　4,838,000円（加算）

4

（貸倒損失認定損）
　200,000円
（一括貸倒引当金繰入超過額認容）
　220,000円
（貸倒引当金）
(1)　個別評価
① A　社
　(イ)　繰入限度額　100,000円×50％＝50,000円
　(ロ)　繰入超過額　100,000円－50,000円＝50,000円
② B　社
　(イ)　繰入限度額　200,000円×50％＝100,000円
　(ロ)　繰入超過額　200,000円－100,000円＝100,000円

③ C　社
　(イ)　繰入限度額　500,000円－200,000円－100,000円＝200,000円
　(ロ)　繰入超過額　500,000円－200,000円＝300,000円

(2)　一括評価

① 繰入限度額

　(イ)　実績基準額

　　㋑　一括評価金銭債権等の額

　　　　30,000,000円－500,000円＋10,000,000円－100,000円＋20,000,000円－200,000円
　　　　＋1,000,000円＝60,200,000円

　　㋺　60,200,000円×0.0053 (注)＝319,060円

　　　(注)　$\dfrac{(200,000円＋220,000円＋240,000円)\times\dfrac{12}{36}}{(41,000,000円＋42,000,000円＋43,000,000円)\div 3}=0.00523\to0.0053$
　　　　　　（小数点以下4位未満切上）

　(ロ)　法定基準額

　　㋑　一括評価金銭債権の額　60,200,000円

　　㋺　実質的に債権とみられないものの額

　　　(a)　原則法　240,000円＞180,000円　∴　180,000円

　　　(b)　簡便法　60,200,000円×0.019 (注)＝1,143,800円

　　　　(注)　$\dfrac{800,000円＋780,000円}{42,000,000円＋41,000,000円}=0.0190\to0.019$（小数点以下3位未満切捨）

　　　(c)　(a)＜(b)　∴　180,000円

　　㋩　(㋑－㋺)×$\dfrac{10}{1,000}$＝600,200円

　(ハ)　(イ)＜(ロ)　∴　600,200円

② 繰入超過額

　1,000,000円－600,200円＝399,800円

一括貸倒引当金繰入超過額認容	220,000円	（減算）
貸倒損失認定損	200,000円	（減算）
貸倒引当金繰入超過額（A社）	50,000円	（加算）
貸倒引当金繰入超過額（B社）	100,000円	（加算）
貸倒引当金繰入超過額（C社）	300,000円	（加算）
貸倒引当金繰入超過額（一括評価）	399,800円	（加算）

第11章　繰延資産

1

(1)　開　発　費

　①　償却限度額　1,000,000円

　②　償却超過額　1,000,000円－1,000,000円＝0

(2) 社債発行差金
① 償却限度額　$(1,000,000円 - 980,000円) \times \dfrac{6}{60} = 2,000円$
② 償却超過額　$20,000円 - 2,000円 = 18,000円$
社債等償還損金不算入額　18,000円（加算）

2

(1)
① 償却期間　5年＜6年　∴　5年
② 超　過　額
$400,000円 - 2,000,000円 \times \dfrac{6}{5 \times 12} = 200,000円$

(2)
① 償却期間　5年
② 超　過　額
$8,000,000円 - 8,000,000円 \times \dfrac{9}{5 \times 12} = 6,800,000円$

(3)
① 償却期間　5年
② 超　過　額
$8,000,000円 - 8,000,000円 \times \dfrac{3}{5 \times 12} = 7,600,000円$

(4)
① 償却期間　$6年 \times \dfrac{7}{10} = 4.2年 \rightarrow 4年 < 5年$　∴　4年
② 超　過　額
$200,000円 - 200,000円 \times \dfrac{12}{4 \times 12} = 150,000円$

(5)
180,000円＜200,000円
∴　全額損金として認められる（少額繰延資産に該当する）。
繰延資産償却超過額
（すずらん灯）　　200,000円（加算）
（権　利　金）　6,800,000円（加算）
（ノ ー ハ ウ）　7,600,000円（加算）
（陳列ケース）　　150,000円（加算）

第12章 損益の期間帰属

1

令和6年末

(1) 収益の額 $90,000,000千円 \times \dfrac{10,000,000千円}{60,000,000千円} = 15,000,000千円$

(2) 費用の額 $10,000,000千円$

(3) 利益の額 $15,000,000千円 - 10,000,000千円 = 5,000,000千円$

令和7年末

(1) 収益の額 $90,000,000千円 \times \dfrac{68,000,000千円}{80,000,000千円} - 15,000,000千円 = 61,500,000千円$

(2) 費用の額 $68,000,000千円 - 10,000,000千円 = 58,000,000千円$

(3) 利益の額 $61,500,000千円 - 58,000,000千円 = 3,500,000千円$

令和8年末

(1) 収益の額 $100,000,000千円 - (15,000,000千円 + 61,500,000千円) = 23,500,000千円$

(2) 費用の額 $84,000,000千円 - 68,000,000千円 = 16,000,000千円$

(3) 利益の額 $23,500,000千円 - 16,000,000千円 = 7,500,000千円$

第13章 借地権課税

1

(1) 相当の地代の判定

① 更地価額 $200,000,000円 > 140,000,000円 > 130,000,000円 > 120,000,000円$

∴ $120,000,000円$

② 権利金の改訂

$50,000,000円 \times \dfrac{120,000,000円}{200,000,000円} = 30,000,000円$

③ 相当の地代 $(120,000,000円 - 30,000,000円) \times 6\% = 5,400,000円 > 2,160,000円$

∴ 権利金の認定あり

(2) 認定権利金

$200,000,000円 \times \left\{ 1 - \dfrac{2,160,000円}{120,000,000 \times 6\%} \right\} - 50,000,000円$

$= 90,000,000円$ （寄附金の限度額計算に含める）

2

(1) 判定

$\dfrac{40,000,000円 - 16,000,000円}{40,000,000円} = 0.6 \geqq 0.5$

∴ 土地簿価損金算入の適用あり

(2) 土地簿価の損金算入額

$$4,500,000円 \times \frac{25,000,000円}{40,000,000円} = 2,812,500円$$

土地簿価の損金算入額　2,812,500円（減算）

3

(1) 相当の地代　$140,000,000円 \times 6\% \times \frac{6}{12} = 4,200,000円$

(2) 認定課税　$4,200,000円 - 2,600,000円 = 1,600,000円$（寄附金の限度額計算に含める）

4

(1) 借地権簿価の損金算入額

$$600,000円 \times \frac{10,000,000円}{20,000,000円} = 300,000円$$

(2) 更新後の借地権簿価

$$600,000円 + 10,000,000円 - 300,000円 = 10,300,000円$$

(3) 借地権計上もれ

$$10,300,000円 - 600,000円 = 9,700,000円$$

借地権計上もれ　9,700,000円（加算）

第14章　有価証券の損益

1

(1) 1株当たりの帳簿価額

① $\dfrac{20,000円 + 22,000円}{200株 + 200株} = @105円$

② $\dfrac{@105 \times 300株 + @115 \times 100株}{300株 + 100株} = @107.5円$

(2) 期末帳簿価額

@90円 × 400株 − @107.5円 × 400株 = △7,000円

有価証券過大計上　7,000円（減算）

第15章　リース取引等

1

(1) 償却限度額

$42,000,000円 \times 0.125 = 5,250,000円$

(2) 償却超過額

$11,760,000円 - 5,250,000円 = 6,510,000円$

機械減価償却超過額　6,510,000円（加算）

（解　説）

　この取引は，**金融取引とみなされるセール・アンド・リースバック**であるので，機械装置の売却はなかったものとみなされるため，機械装置に関しては，通常の減価償却計算をする。

　利息部分は時間の経過に応じて，損金に算入されるが，元本返済額に相当する部分は，償却費として損金経理した金額となる（法令131の2③）。

2

$$280,000円 \times \frac{12}{60} \times \frac{1}{2} = 28,000円$$

　繰延消費税損金不算入額　280,000円 − 28,000円 = 252,000円

　繰延消費税損金不算入額　252,000円（加算）

（解　説）

　280,000円の備品に係る控除対象外消費税は，繰延消費税として処理し，5年間で費用化する。

第16章　同族会社の留保金課税

1

(1) 同族会社の判定

　① 大阪グループ　　30,000株 + 39,000株 = 69,000株

　② 名古屋グループ　10,000株

　③ 京都株式会社　　15,000株

$$\frac{①+②+③}{100,000株} = 94\% > 50\% \quad \therefore \quad 同族会社$$

(2) 留保金課税の判定

　大阪グループ　　30,000株 + 39,000株 = 69,000株

$$\frac{①}{100,000株} = 69\% > 50\% \quad \therefore \quad 特定同族会社であり，留保金課税の適用あり。$$

2

(1) 当期留保金額

　① 留保所得金額

　　イ　所得等の金額

　　　400,000,000円（別表四総計の金額）+ 1,400,000円（受配）= 401,400,000円

　　ロ　社外流出項目

　　　42,000,000円（配当）+ 1,000,000円（役員給与）+ 2,400,000円（交際費）+ 200,000円（過怠税）+ 300,000円（附帯税）+ 400,000円（罰金）+ 1,000,000円（寄附金）+ 600,000円（控除所得税）+ 100,000円（控除外国税）= 48,000,000円

　　ハ　イ − ロ = 353,400,000円

　② 法 人 税 額

　　100,000,000円 − 600,000円（所得税）− 100,000円（外国税）− 14,000,000円（措置法規定の特別控除額）= 85,300,000円

③ 住民税額

$\{100,000,000円 - 100,000円(外国税) - 14,000,000円(措置法規定の特別控除額)\}$
$\times 16.3\% = 14,001,700円$

④ ① - ② - ③ = 254,098,300円

(2) 留保控除額

① 所得基準額　$401,400,000円 \times 40\% = 160,560,000円$

② 定額基準額　$20,000,000円 \times \dfrac{12}{12} = 20,000,000円$

③ 積立金基準額　$160,000,000円 \times 25\% - 12,000,000円 = 28,000,000円$

④ 最も多い金額

①から③のうち、最も多い金額　　∴　160,560,000円

(3) 課税留保金額

(1) - (2) = 93,538,000円（千円未満切捨）

(4) 税率適用区分

① 年3,000万円以下相当額　30,000,000円

② 年3,000万円超1億円以下相当額　63,538,000円

(5) 特別税額

① $30,000,000円 \times 10\% = 3,000,000円$

② $63,538,000円 \times 15\% = 9,530,700円$

③ ① + ② = 12,530,700円

第17章　税額の控除

1

（法人税額控除所得税）

(1) 株式出資

① 個別法

A　$91,890円 \times \dfrac{4}{6}(0.667) = 61,290円$

B　$183,780円 \times \dfrac{60,000株}{100,000株} \times \dfrac{12}{12} + 183,780円 \times \dfrac{40,000株}{100,000株} \times \dfrac{1}{12}(0.084)$
　　$= 116,443円$

A + B = 177,733円

② 簡便法

A　$91,890円 \times 0.5 = 45,945円$

B　$183,780円 \times \dfrac{60,000株 + (100,000株 - 60,000株) \times \dfrac{1}{2}}{100,000株}(0.8) = 147,024円$

A + B = 192,969円

③ ① < ②　∴　192,969円

(2) 受益証券
　① 個別法
　　D （162,520円－40,000円）× $\frac{3}{12}$ (0.25) ＝30,630円
　② 簡便法
　　D （162,520円－40,000円）×0.5＝61,260円
　③ ①＜②　∴　61,260円
(3) その他
　（203,150円－50,000円）＋（81,260円－20,000円）＝214,410円
(4) 控除所得税額
　(1)＋(2)＋(3)＝468,639円
（損金計上住民税利子割）
　20,000＋40,000円＋50,000円＝110,000円

2

(1) 控除対象外国法人税額
　10,000,000円＜40,000,000円×35％＝14,000,000円　∴　10,000,000円
(2) 控除限度額
　14,000,000円× $\frac{40,000,000円^{(注)}}{80,000,000円}$ ＝7,000,000円
　（注）① 40,000,000円
　　　② 80,000,000円×90％＝72,000,000円
　　　③ ①＜②　∴　40,000,000円
(3) 控除外国税額　(1)＞(2)　∴　7,000,000円

3

(1) 外国子会社に係る受取配当等の益金不算入
　4,500,000円－4,500,000円×5％＝4,275,000円
(2) 外国子会社に係る外国源泉税等の損金不算入
　450,000円

第18章　法人税の申告

1

（別表４）

(単位：円)

区分		金額	計算過程
	当期純利益	20,000,000	
加算	損金計上納税充当金	71,000,000	（交際費の損金不算入）
	損金計上中間法人税	14,000,000	(1)　支出交際費の額
	損金計上中間住民税	2,000,000	$180,000 + 120,000 + 500,000 = 800,000$
	損金計上住民税利子割	39,000	(2)　損金算入限度額
	損金計上附帯税等	100,000	$8,000,000 \times \dfrac{12}{12} = 8,000,000$
	建物減価償却超過額	1,200,000	(3)　損金不算入額
			$800,000 - 8,000,000 = \triangle 7,200,000$
			∴　調整なし
	小計	88,339,000	
減算	納税充当金支出事業税	11,000,000	（納税充当金支出事業税等）
	機械装置減価償却超過額認容	499,800	11,000,000
	受取配当等の益金不算入額	1,335,000	
	小計	12,834,800	
	仮計	95,504,200	（法人税額から控除される所得税額）
	法人税額から控除される所得税額	364,497	$245,040 + 119,457 = 364,497$
	合計・差引計・総計	95,868,697	
	所得金額	95,868,697	

（別表１）

(単位：円)

区分		税率	金額	計算過程
	所得金額		95,868,000	（千円未満切捨）
法人税額の計算	(1)　年800万円以下 　　8,000,000	15%	1,200,000	(1)　年800万円以下 　　$8,000,000 \times \dfrac{12}{12} = 8,000,000$ 　　　　　　（千円未満切捨）
	(2)　年800万円超 　　87,868,000	23.2%	20,385,376	(2)　年800万円超 　　$95,868,000 - 8,000,000$ 　　　$= 87,868,000$
	法人税額		21,585,376	

差 引 法 人 税 額	21,585,376	
法 人 税 額 計	21,585,376	
控 除 税 額	364,497	
差引所得に対する法人税額	21,220,800	（百円未満切捨）
中間申告分の法人税額	14,000,000	
この申告により納付すべき法人税額	7,220,800	

(解　説)

(1) 交　際　費

　　売上高に比例して得意先に支出した金銭の額400,000円は，売上割戻しとなるが，売上高に比例して得意先を観劇に招待した費用180,000円と売上高に比例して得意先に交付した物品に要した費用の額120,000円は，交際費となる。また，当社の製品を原価以下で使用人に販売した際における原価と販売価額との差額6,000,000円は，給与となる。

(2) 法人税額から控除される所得税額は，たとえばA株式の場合には，会計上は次のように処理されているので，

　　　（借）現　　　　　金　　954,960　　　　（貸）受 取 配 当 金　　1,200,000
　　　　　　租　税　公　課　　245,040

　別表4の仮計以下でいったん加算し，別表1で税額から控除する。

2

（別表4）

（単位：円）

区　　　　分	金　　額	計　算　過　程
当　期　純　利　益	20,000,000	
加算　損金計上納税充当金	11,000,000	（交際費の損金不算入）
損金計上中間法人税	12,000,000	(1)　支出交際費の額
損金計上中間住民税	3,000,000	900,000＋400,000＋60,000＋8,000,000
損金計上住民税利子割	42,500	＝9,360,000
ゴルフクラブ入会金計上もれ	10,000,000	(2)　損金算入限度額
交際費等の損金不算入	1,360,000	$8,000,000 \times \frac{12}{12} = 8,000,000 > 280,000$
役員給与損金不算入	491,600	$\times 50\%$　　∴　8,000,000
前期仮払寄附金否認	800,000	(3)　損金不算入額
未払寄附金否認	200,000	9,360,000－8,000,000＝1,360,000
小　　　　計	38,894,100	
減算　納税充当金支出事業税等	1,600,000	
受取配当等の益金不算入額	676,500	
仮払寄附金認定損	40,000	
前期未払寄附金認容	140,000	
小　　　　計	2,456,500	
仮　　　　　計	56,437,600	
寄附金の損金不算入額	2,133,015	（寄附金の損金不算入）
法人税額から控除される所得税額	334,377	(1)　支出寄附金の額
		① 指　　　定　　　140,000
		② 特　　　定　　　　　　0
		③ そ　の　他
		2,000,000＋500,000＋40,000
		＝2,540,000
		④ ①＋②＋③＝2,680,000
		(2)　損金算入限度額
		① 損金算入限度額
		$\{60,000,000円 \times \frac{12}{12} \times \frac{2.5}{1,000}$
		＋（56,437,600円＋2,680,000円）
		$\times \frac{2.5}{100}\} \times \frac{1}{4} = 406,985$円
		② 特別損金算入限度額
		$\{60,000,000円 \times \frac{12}{12} \times \frac{3.75}{1,000}$
		＋（56,437,600円＋2,680,000円）
		$\times \frac{6.25}{100}\} \times \frac{1}{2} = 1,959,925$円

		(3) 損金不算入額
		2,680,000 − 140,000 − 0 (注) − 406,985 = 2,133,015
		(注)　0＜1,959,925　∴　0
合計・差引計・総計	58,904,992	
所　得　金　額	58,904,992	

(別表１)

（単位：円）

区　　　　　分	税率	金　　　額	計　算　過　程
所得金額		58,904,000	（千円未満切捨）
法人税額の計算　(1) 年800万円以下　8,000,000	15%	1,200,000	(1) 年800万円以下　$8,000,000 \times \frac{12}{12} = 8,000,000$（千円未満切捨）
(2) 年800万円超　50,904,000	23.2%	11,809,728	(2) 年800万円超　58,904,000 − 8,000,000 = 50,904,000
法　人　税　額		13,009,728	
差 引 法 人 税 額		13,009,728	
法 人 税 額 計		13,009,728	
控 除 税 額		334,377	
差引所得に対する法人税額		12,675,300	（百円未満切捨）
中間申告分の法人税額		12,000,000	
この申告により納付すべき法人税額		675,300	

（解　説）

(1)　交　際　費

　　創立記念行事に際して，来客からの祝金を600,000円受け取っている。これに関しては，交際費に含めるという説もあるが，本問の解答では，祝金を交際費から除く処理を行っている。また，ゴルフクラブの入会金10,000,000円は資産計上となって別表４上で加算される。また，年会費・年決めロッカー料60,000円と得意先接待のためのプレー代8,000,000円は，交際費となる。

(2)　寄　附　金

　　当期にＫ神社に仮払いした寄附金40,000円は，別表４上で認容減算され，逆に前期に日本商工会議所に仮払いした寄附金800,000円は，前年度の申告の際に認容されているはずなので，当期は，前期仮払寄附金否認として加算される。また，当期の日本赤十字社に対する未払いの寄

附金200,000円は否認され別表4上で加算される。さらに，前期未払計上し，当期に実際に支出した国立大学に対する寄附金140,000円は，前期未払寄附金認容として，別表4上で減算される。

第20章　グループ法人単体課税制度

1

（A社）　譲渡損益調整資産譲渡益の決算調整額　10,000,000円（減算）

（B社）　税務調整なし

2

（A社）　譲渡損益調整資産譲渡益の決算調整額　10,000,000円（加算）

（B社）　税務調整なし

3

P社　寄附金の損金不算入額　10,000,000円（加算）

B社　受贈益の益金不算入額　10,000,000円（減算）

P社の別表5⑴の調整

　　受贈益　10,000,000円×持株割合100％－寄附金0円×持株割合100％＝10,000,000円

　　B社株式　10,000,000円　　利益積立金額　10,000,000円

別表第七　平成19年3月31日以前に取得をされた減価償却資産の償却率表

耐用年数	旧定額法の償却率	旧定率法の償却率	耐用年数	旧定額法の償却率	旧定率法の償却率
年			50	0.020	0.045
2	0.500	0.684	51	0.020	0.044
3	0.333	0.536	52	0.020	0.043
4	0.250	0.438	53	0.019	0.043
5	0.200	0.369	54	0.019	0.042
6	0.166	0.319	55	0.019	0.041
7	0.142	0.280	56	0.018	0.040
8	0.125	0.250	57	0.018	0.040
9	0.111	0.226	58	0.018	0.039
			59	0.017	0.038
10	0.100	0.206	60	0.017	0.038
11	0.090	0.189	61	0.017	0.037
12	0.083	0.175	62	0.017	0.036
13	0.076	0.162	63	0.016	0.036
14	0.071	0.152	64	0.016	0.035
15	0.066	0.142	65	0.016	0.035
16	0.062	0.134	66	0.016	0.034
17	0.058	0.127	67	0.015	0.034
18	0.055	0.120	68	0.015	0.033
19	0.052	0.114	69	0.015	0.033
20	0.050	0.109	70	0.015	0.032
21	0.048	0.104	71	0.014	0.032
22	0.046	0.099	72	0.014	0.032
23	0.044	0.095	73	0.014	0.031
24	0.042	0.092	74	0.014	0.031
25	0.040	0.088	75	0.014	0.030
26	0.039	0.085	76	0.014	0.030
27	0.037	0.082	77	0.013	0.030
28	0.036	0.079	78	0.013	0.029
29	0.035	0.076	79	0.013	0.029
30	0.034	0.074	80	0.013	0.028
31	0.033	0.072	81	0.013	0.028
32	0.032	0.069	82	0.013	0.028
33	0.031	0.067	83	0.012	0.027
34	0.030	0.066	84	0.012	0.027
35	0.029	0.064	85	0.012	0.026
36	0.028	0.062	86	0.012	0.026
37	0.027	0.060	87	0.012	0.026
38	0.027	0.059	88	0.012	0.026
39	0.026	0.057	89	0.012	0.026
40	0.025	0.056	90	0.012	0.025
41	0.025	0.055	91	0.011	0.025
42	0.024	0.053	92	0.011	0.025
43	0.024	0.052	93	0.011	0.025
44	0.023	0.051	94	0.011	0.024
45	0.023	0.050	95	0.011	0.024
46	0.022	0.049	96	0.011	0.024
47	0.022	0.048	97	0.011	0.023
48	0.021	0.047	98	0.011	0.023
49	0.021	0.046	99	0.011	0.023
			100	0.010	0.023

別表第八　平成19年4月1日以後に取得をされた減価償却資産の定額法の償却率表

耐用年数	償却率	耐用年数	償却率
年		50	0.020
2	0.500	51	0.020
3	0.333	52	0.020
4	0.250	53	0.019
5	0.200	54	0.019
6	0.167	55	0.019
7	0.143	56	0.018
8	0.125	57	0.018
9	0.112	58	0.018
		59	0.017
10	0.100	60	0.017
11	0.091	61	0.017
12	0.084	62	0.017
13	0.077	63	0.016
14	0.072	64	0.016
15	0.067	65	0.016
16	0.063	66	0.016
17	0.059	67	0.015
18	0.056	68	0.015
19	0.053	69	0.015
20	0.050	70	0.015
21	0.048	71	0.015
22	0.046	72	0.014
23	0.044	73	0.014
24	0.042	74	0.014
25	0.040	75	0.014
26	0.039	76	0.014
27	0.038	77	0.013
28	0.036	78	0.013
29	0.035	79	0.013
30	0.034	80	0.013
31	0.033	81	0.013
32	0.032	82	0.013
33	0.031	83	0.013
34	0.030	84	0.012
35	0.029	85	0.012
36	0.028	86	0.012
37	0.028	87	0.012
38	0.027	88	0.012
39	0.026	89	0.012
40	0.025	90	0.012
41	0.025	91	0.011
42	0.024	92	0.011
43	0.024	93	0.011
44	0.023	94	0.011
45	0.023	95	0.011
46	0.022	96	0.011
47	0.022	97	0.011
48	0.021	98	0.011
49	0.021	99	0.011
		100	0.010

別表第九　平成19年4月1日から平成24年3月31日まで間に取得をされた減価償却資産の定率法の償却率，改定償却率及び保証率の表

耐用年数	償却率	改定償却率	保証率	耐用年数	償却率	改定償却率	保証率
年				50	0.050	0.053	0.01072
2	1.000	—	—	51	0.049	0.050	0.01053
3	0.883	1.000	0.02789	52	0.048	0.050	0.01036
4	0.625	1.000	0.05274	53	0.047	0.048	0.01028
5	0.500	1.000	0.06249	54	0.046	0.048	0.01015
6	0.417	0.500	0.05776	55	0.045	0.046	0.01007
7	0.357	0.500	0.05496	56	0.045	0.046	0.00961
8	0.313	0.334	0.05111	57	0.044	0.046	0.00952
9	0.278	0.334	0.04731	58	0.043	0.044	0.00945
				59	0.042	0.044	0.00934
10	0.250	0.334	0.04448	60	0.042	0.044	0.00895
11	0.227	0.250	0.04123	61	0.041	0.042	0.00892
12	0.208	0.250	0.03870	62	0.040	0.042	0.00882
13	0.192	0.200	0.03633	63	0.040	0.042	0.00847
14	0.179	0.200	0.03389	64	0.039	0.040	0.00847
15	0.167	0.200	0.03217	65	0.038	0.039	0.00847
16	0.156	0.167	0.03063	66	0.038	0.039	0.00828
17	0.147	0.167	0.02905	67	0.037	0.038	0.00828
18	0.139	0.143	0.02757	68	0.037	0.038	0.00810
19	0.132	0.143	0.02616	69	0.036	0.038	0.00800
20	0.125	0.143	0.02517	70	0.036	0.038	0.00771
21	0.119	0.125	0.02408	71	0.035	0.036	0.00771
22	0.114	0.125	0.02296	72	0.035	0.036	0.00751
23	0.109	0.112	0.02226	73	0.034	0.035	0.00751
24	0.104	0.112	0.02157	74	0.034	0.035	0.00738
25	0.100	0.112	0.02058	75	0.033	0.034	0.00738
26	0.096	0.100	0.01989	76	0.033	0.034	0.00726
27	0.093	0.100	0.01902	77	0.032	0.033	0.00726
28	0.089	0.091	0.01866	78	0.032	0.033	0.00716
29	0.086	0.091	0.01803	79	0.032	0.033	0.00693
30	0.083	0.084	0.01766	80	0.031	0.032	0.00693
31	0.081	0.084	0.01688	81	0.031	0.032	0.00683
32	0.078	0.084	0.01655	82	0.030	0.031	0.00683
33	0.076	0.077	0.01585	83	0.030	0.031	0.00673
34	0.074	0.077	0.01532	84	0.030	0.031	0.00653
35	0.071	0.072	0.01532	85	0.029	0.030	0.00653
36	0.069	0.072	0.01494	86	0.029	0.030	0.00645
37	0.068	0.072	0.01425	87	0.029	0.030	0.00627
38	0.066	0.067	0.01393	88	0.028	0.029	0.00627
39	0.064	0.067	0.01370	89	0.028	0.029	0.00620
40	0.063	0.067	0.01317	90	0.028	0.029	0.00603
41	0.061	0.063	0.01306	91	0.027	0.027	0.00649
42	0.060	0.063	0.01261	92	0.027	0.027	0.00632
43	0.058	0.059	0.01248	93	0.027	0.027	0.00615
44	0.057	0.059	0.01210	94	0.027	0.027	0.00598
45	0.056	0.059	0.01175	95	0.026	0.027	0.00594
46	0.054	0.056	0.01175	96	0.026	0.027	0.00578
47	0.053	0.056	0.01153	97	0.026	0.027	0.00563
48	0.052	0.053	0.01126	98	0.026	0.027	0.00549
49	0.051	0.053	0.01102	99	0.025	0.026	0.00549
				100	0.025	0.026	0.00546

別表第十　平成24年4月1日以後に取得をされた減価償却資産の定率法の償却率，改定償却率及び保証率の表

耐用年数	償却率	改定償却率	保証率	耐用年数	償却率	改定償却率	保証率
年				50	0.040	0.042	0.01440
2	1.000	−	−	51	0.039	0.040	0.01422
3	0.667	1.000	0.11089	52	0.038	0.039	0.01422
4	0.500	1.000	0.12499	53	0.038	0.039	0.01370
5	0.400	0.500	0.10800	54	0.037	0.038	0.01370
6	0.333	0.334	0.09911	55	0.036	0.038	0.01337
7	0.286	0.334	0.08680	56	0.036	0.038	0.01288
8	0.250	0.334	0.07909	57	0.035	0.036	0.01281
9	0.222	0.250	0.07126	58	0.034	0.035	0.01281
				59	0.034	0.035	0.01240
10	0.200	0.250	0.06552	60	0.033	0.034	0.01240
11	0.182	0.200	0.05992	61	0.033	0.034	0.01201
12	0.167	0.200	0.05566	62	0.032	0.033	0.01201
13	0.154	0.167	0.05180	63	0.032	0.033	0.01165
14	0.143	0.167	0.04854	64	0.031	0.032	0.01165
15	0.133	0.143	0.04565	65	0.031	0.032	0.01130
16	0.125	0.143	0.04294	66	0.030	0.031	0.01130
17	0.118	0.125	0.04038	67	0.030	0.031	0.01097
18	0.111	0.112	0.03884	68	0.029	0.030	0.01097
19	0.105	0.112	0.03693	69	0.029	0.030	0.01065
20	0.100	0.112	0.03486	70	0.029	0.030	0.01034
21	0.095	0.100	0.03335	71	0.028	0.029	0.01034
22	0.091	0.100	0.03182	72	0.028	0.029	0.01006
23	0.087	0.091	0.03052	73	0.027	0.027	0.01063
24	0.083	0.084	0.02969	74	0.027	0.027	0.01035
25	0.080	0.084	0.02841	75	0.027	0.027	0.01007
26	0.077	0.084	0.02716	76	0.026	0.027	0.00980
27	0.074	0.077	0.02624	77	0.026	0.027	0.00954
28	0.071	0.072	0.02568	78	0.026	0.027	0.00929
29	0.069	0.072	0.02463	79	0.025	0.026	0.00929
30	0.067	0.072	0.02326	80	0.025	0.026	0.00907
31	0.065	0.067	0.02286	81	0.025	0.026	0.00884
32	0.063	0.067	0.02216	82	0.024	0.024	0.00929
33	0.061	0.063	0.02161	83	0.024	0.024	0.00907
34	0.059	0.063	0.02097	84	0.024	0.024	0.00885
35	0.057	0.059	0.02051	85	0.024	0.024	0.00864
36	0.056	0.059	0.01974	86	0.023	0.023	0.00885
37	0.054	0.056	0.01950	87	0.023	0.023	0.00864
38	0.053	0.056	0.01882	88	0.023	0.023	0.00844
39	0.051	0.053	0.01860	89	0.022	0.022	0.00863
40	0.050	0.053	0.01791	90	0.022	0.022	0.00844
41	0.049	0.050	0.01741	91	0.022	0.022	0.00825
42	0.048	0.050	0.01694	92	0.022	0.022	0.00807
43	0.047	0.048	0.01664	93	0.022	0.022	0.00790
44	0.045	0.046	0.01664	94	0.021	0.021	0.00807
45	0.044	0.046	0.01634	95	0.021	0.021	0.00790
46	0.043	0.044	0.01601	96	0.021	0.021	0.00773
47	0.043	0.044	0.01532	97	0.021	0.021	0.00757
48	0.042	0.044	0.01499	98	0.020	0.020	0.00773
49	0.041	0.042	0.01475	99	0.020	0.020	0.00757
				100	0.020	0.020	0.00742

〔索　　引〕

【あ】

青色申告書 …………………………28,179
圧縮記帳 ………………………………115
圧縮損 ……………………………………33
圧縮積立金認定損 ……………………117
洗替法 ……………………………………38

【い】

伊丹十三 ………………………………214
一括限度額方式 ………………………194
一括償却資産 ……………………………25
一括評価金銭債権等 …………………131
一括評価債権に係る貸倒引当金 ……129
移動平均法 ………………………………37
印紙税 ……………………………………46

【う】

ウォルト・ディズニー ………………214
受取配当等の益金不算入 ……………2,85
売上割戻し ……………………………153
売掛債権等に含まれないもの ………132
ウンベルト・エーコ …………………84

【え】

益金 ……………………………………1,2
益金算入 …………………………………4
益金不算入 ………………………………4
益金不算入の対象とならないもの ……86
延滞金 ……………………………………46
延滞税 ……………………………………45

【お】

オペレーティング・リース …………173

【か】

外国税額控除 …………………………193
外国税額の間接控除 …………………195
会社法上の役員 ………………………100
回収期限到来基準 ……………………149
回収基準 ………………………………149
確定決算主義 ……………………………1
確定した決算において積立金として
　積み立てる方法 ……………………117
確定申告 ………………………………201
加算 ………………………………………5
貸倒損失 …………………………127,129
貸倒引当金 ……………………………129
過少申告加算金 …………………………46
過少申告加算税 …………………………45
課税の繰延べ ……………………………26
課税の繰延べ効果 ……………………115
過大な使用人給与の損金不算入 ……109
過大な使用人退職給与の損金不算入 …109
過大な役員給与の損金不算入 ………105
過大な役員退職給与の損金不算入 …108
割賦基準 ………………………………149
合併 ………………………………………93
金子宏 …………………………………219
空売り …………………………………167
過料 ………………………………………47
科料 ………………………………………47
間接税 ……………………………1,177
完全子法人株式等 …………………89,224
還付 …………………………………40,202
還付金 …………………………………180

【き】

基金利息 …………………………………87
擬制資産 ………………………………141

寄附金…………………………………57
寄附金の損金不算入……………………2, 57
基本税率…………………………………6
協同組合等の事業分量配当金……………87
切り放し法………………………………38
ギルマン………………………………155
均等割……………………………………46

【く】

国等に対する寄附金……………………60
繰越欠損金……………………………179
繰延資産………………………………141
繰延消費税……………………………178
グルーピング………………………19, 20
グループ通算制度……………………215
グループ法人単体課税制度……………221

【け】

軽減税率…………………………………6
経済的利益……………………………109
契約者配当金……………………………87
決算調整事項…………………………2, 3
欠損金の繰越控除……………………199
原価算入交際費…………………………78
減価償却…………………………………13
減価償却超過額…………………………33
減価償却超過額認容……………………18
減価償却費………………………………33
原価法……………………………………36
研究開発費……………………………148
減算………………………………………5
権利確定主義…………………………149
権利金…………………………………158
権利金の改訂…………………………158
権利金の認定見合わせ………………161

【こ】

小池幸夫………………………………139
交換差益………………………………120
交際費……………………………………84

交際費等の損金不算入………………2, 73
公社債投資信託の収益分配金…………86
公社債の利子……………………………86
控除対象外国法人税額………………193
控除対象外消費税……………………178
控除対象外消費税額…………………178
更新料…………………………………162
更正の請求……………………………203
交通反則金………………………………47
国外所得免除方式……………………195
50％超基準……………………………101
国庫補助金……………………………115
5％超基準……………………………101
個別評価債権に係る貸倒引当金……129
個別法……………………………………36

【さ】

最終仕入原価法……………………36, 37
逆さ合併………………………………190
先入先出法………………………………36
サリー教授……………………………228
残存価額…………………………………16

【し】

仕入税額控除…………………………178
仕入割戻し……………………………153
シェイクスピア………………………199
事業税……………………………………46
資産減額による損金算入額……………79
実質的に債権とみられない部分の金額……131
指定寄附金………………………………60
資本基準額………………………………58
資本的支出…………………………22, 23
借地権…………………………………157
収益的支出………………………………22
重加算金…………………………………46
重加算税…………………………………45
修正申告………………………………203
修繕費……………………………………24
住民税……………………………………46

10％超基準 …………………………………… 101
種類等を同じくする減価償却費の
　償却限度額 …………………………………… 19
準備金方式 ……………………………………… 29
少額減価償却資産 ……………………………… 25
少額の繰延資産の損金算入 ………………… 144
償還有価証券 ………………………………… 169
償却原価法 …………………………………… 169
償却超過額 ……………………………………… 19
償却費として損金経理した金額 ………… 19,176
償却不足額 ………………………………… 19,28
償却方法の変更 ………………………………… 21
使用人兼務役員 …………………………… 100,101
譲渡損益調整資産 …………………………… 223
消費税 ………………………………… 172,177
商品券 ………………………………………… 164
剰余金処分方式 ………………………………… 29
剰余金の配当，利益の配当又は剰余金の
　分配の額 ……………………………………… 86
所得基準額 ……………………………… 58,186
所得税額控除 ………………………………… 191
初年度特別償却 ………………………………… 26
所有権移転外リース取引 …………………… 174
白土英成 ……………………………………… 114
新株予約権付社債の利子 ……………………… 86
申告期限の延長 ……………………………… 202
申告調整事項 ………………………………… 2,3
申告納税方式による租税 ……………………… 47
シンタックス …………………………………… 71
人的分割 ………………………………………… 93
信用取引 ……………………………………… 167

【す】

スクラップ・バリュー ………………………… 17

【せ】

税込方式 ……………………………………… 177
生産高比例法 …………………………………… 17
税抜方式 ……………………………………… 177
税法上の役員 ………………………………… 100

税務調整 ……………………………………… 2,3
セール・アンド・リースバック ………… 175
ゼロ税率 ……………………………………… 172

【そ】

総資産按分方式 ………………………………… 89
相当の地代 …………………………………… 158
総平均法 ………………………………………… 36
底地権 ………………………………………… 157
租税公課 ………………………………………… 45
損金 ………………………………………… 1,2,99
損金計上附帯税等 ……………………………… 49
損金経理 ………………………………………… 40
損金経理により帳簿価額を直接減額する
　方法 ………………………………………… 116
損金経理により引当金に繰り入れる方法 … 117
損金算入 …………………………………… 4,47
損金不算入 ……………………………………… 4

【た】

耐用年数 ………………………………………… 16
武田昌輔 ……………………………………… 114
棚卸資産 …………………………………… 35,41
短期所有株式等に係る配当等の適用除外 …… 90

【ち】

中間申告 ……………………………………… 201
中古資産の耐用年数 …………………………… 16
中小企業者等が機械等を取得した場合等
　の特別償却 …………………………………… 26
長期請負工事 ………………………………… 151
長期割賦販売等 ……………………………… 150
直接税 …………………………………………… 1

【つ】

積立金基準額 ………………………………… 186

【て】

定額基準額 …………………………………… 186
定額控除限度額 ……………………………… 73
定額法 ………………………………………… 17
低価法 …………………………………… 36, 38
定率法 ………………………………………… 17
適格合併 ……………………………………… 93
適格現物出資 ………………………………… 42
適格分割型分割 ……………………………… 93
適格分社型分割 ……………………………… 42

【と】

当期留保金額 …………………………… 185, 187
同族会社 ………………………………… 100, 183
同族会社の行為又は計算の否認に関する
　規定 ………………………………………… 183
同族会社の留保金課税 ……………………… 183
特殊関係使用人 ……………………………… 109
特殊の関係にある個人 ……………………… 100
特殊の関係にある法人 ……………………… 101
特定株式投資信託 …………………………… 86
特定公益増進法人 …………………………… 60
特定信託の収益の分配 ……………………… 86
特定同族会社 …………………………… 183, 184
特定の事実 …………………………………… 39
特別勘定 ……………………………………… 118
特別償却 …………………………………… 26, 34
特別徴収方式による税金 …………………… 47
特別の経済的利益 …………………………… 160
特別の事実 …………………………………… 39

【な】

長嶋茂雄 ……………………………………… 219
中田信正 ……………………………………… 219

【に】

にしきのあきら ……………………………… 219
任意申告調整事項 ………………………… 3, 4
認定課税 ……………………………………… 158
認定権利金 …………………………………… 159

【の】

納期限延長に係る延滞金 …………………… 46
納税充当金 …………………………………… 48
延払基準 …………………………………… 149, 150
野村沙知代 …………………………………… 12

【は】

売価還元法 …………………………………… 37
売買目的外有価証券 ………………………… 169
売買目的有価証券 ……………………… 165, 169
罰金 …………………………………………… 47
発行日取引 …………………………………… 167

【ひ】

ピート・ローズ ……………………………… 12
引渡し基準 …………………………………… 149
非減価償却資産 ……………………………… 14
必須申告調整事項 …………………………… 3
費途不明交際費 ……………………………… 80
評価損の計上 ………………………………… 39
費用収益対応の原則 ………………………… 44

【ふ】

ファイナンス・リース ……………………… 174
賦課課税方式による租税 …………………… 47
負債利子の控除 ……………………………… 88
不申告加算金 ………………………………… 46
附帯金 ………………………………………… 46
附帯税 ………………………………………… 45
普通償却 ……………………………………… 26
物的分割 ……………………………………… 93
分割型分割 …………………………………… 93
分社型分割 …………………………………… 93
粉飾決算 ……………………………………… 40

【へ】

別段の定め ……………………………… 2
別表1 …………………………………… 6
別表4 ………………………………… 2, 5

【ほ】

法人擬制説 ……………………………… 97
法人税 ………………………………… 1, 45
法人税割 ………………………………… 46
法定償却方法 …………………………… 20
法定耐用年数 …………………………… 16
保険差益 ……………………………… 118

【ま】

マイケル・ジャクソン ……………… 214
満期保有目的等有価証券 …………… 166

【み】

みなし配当 ……………………………… 93
みなし役員 …………………………… 100
未払法人税等 …………………………… 48

【む】

無申告加算税 …………………………… 45

【め】

名義株の配当 …………………………… 86

【や】

役員 ……………………………………… 99

役員給与 …………………………… 104, 114
約定日基準 …………………………… 166
山本守之 ……………………………… 125

【ゆ】

有価証券 ……………………………… 165

【よ】

預貯金の利子 …………………………… 86

【り】

リース期間定額法 …………………… 182
リース取引 …………………………… 173
利子税 …………………………………… 45
リチャード・ドーキンス …………… 214
留保金課税 …………………………… 190
留保控除額 ……………………… 184, 185
留保所得金額 ………………………… 185

【る】

ルイス・キャロル …………………… 172

【れ】

レバレッジド・リース …………… 173, 182

【わ】

割増償却 ………………………………… 27

《著者紹介》
小 池 和 彰（こいけ・かずあき）
東北学院大学経営学部教授

主要著書
『現代会社簿記論』（共著）中央経済社 1993年。
『国際化時代と会計』（共著）中央経済社 1994年。
『現代会計研究』（共著）白桃書房 2002年。
『授業改善のヒント』京都産業大学ＦＤ推進委員会 2006年。
『アカウンティング・トピックス 増補改訂版』（単著）創成社 2012年。
『税理士になろう』（編著）創成社 2017年。
『給与所得者の必要経費 増補改訂版』（単著）税務経理協会 2017年。
『解説 法人税法 第5版』（共著）税務経理協会 2018年。
『新中級商業簿記』（共著）創成社 2019年。
『新入門商業簿記』（共著）創成社 2019年。
『税理士になろう2』（編著）創成社 2019年。
『財政支出削減の理論と財源確保の手段に関する諸問題』（単著）税務経理協会 2020年。
『解説 所得税法 第6版』（共著）税務経理協会 2022年。
『税理士になろう3』（編著）創成社 2023年。
『タックス・プランニング入門 増補改訂版』（単著）創成社 2023年。
『現代租税法研究』（編著）創成社 2024年。
『税理士になろう4』（編著）創成社 2024年。
担当章　第1章～第17章，第20章

齊 藤 真 紀（さいとう・まき）
税理士
現在：税理士法人小池事務所代表社員
担当章　第18章・第19章

解説　法人税法〔第6版〕

2002年9月10日	初　版　発　行
2007年10月1日	第2版　発　行
2009年10月1日	第3版　発　行
2014年8月1日	第4版　発　行
2018年11月1日	第5版　発　行
2024年6月15日	第6版　発　行

著　者	小池　和彰
	齊藤　真紀
発行者	大坪　克行
発行所	株式会社 税務経理協会

〒161-0033東京都新宿区下落合1丁目1番3号
http://www.zeikei.co.jp
03-6304-0505

| 印　刷 | 光栄印刷株式会社 |
| 製　本 | 牧製本印刷株式会社 |

本書についての
ご意見・ご感想はコチラ

http://www.zeikei.co.jp/contact/

本書の無断複製は著作権法上の例外を除き禁じられています。複製される場合は，そのつど事前に，出版者著作権管理機構（電話03-5244-5088，FAX03-5244-5089, e-mail: info@jcopy.or.jp）の許諾を得てください。

 ＜出版者著作権管理機構　委託出版物＞

ISBN 978-4-419-06995-7　C3034

© 小池和彰・齊藤真紀 2024 Printed in Japan